イラスト・写真で動き[illegible]る!

力のいらない介護術

［監修］
福辺節子

ナツメ社

はじめに

2012年に出版された『プロが教える 本当に役立つ介護術』（ナツメ社）の帯には、「介助される人が本来持っている力を引き出すことで、驚くほど、体の負担が軽くなります。」と書かれていました。

これは実際にその通りで、この介助を実践していただいた方のなかには、あまりの負担の軽さに、「えっ、何？これ。いままでの介助は何だったの？」とびっくりされた方が少なくありません。

少しの力で介助ができるということは、介助者の高齢化や家族による介護、腰痛や事故のリスクから介助者を守るためにもとても重要な要素です。

しかし、この介助の特徴はそれだけではありません。それは、この介助のタイトルが、「力のいらない介助」から「力を引き出す介助」に、そして今は「力と意欲（心）を引き出す介助」と変わってきたことに現れています。

大切なのは「力がいらない理由」です。通常の介助が「介助者が被介助者を動かす」のに対し、この介助の特徴は「被介助者が動く」ことにあります。

そして、この介助のもう一つの大きな特徴は「どんな人にも使えること」です。「被介助者が動く」というと、マヒのある人、筋力のない人、認知症の人、言葉の通じない人、介護を拒否する人にはこの介助は使えないと誤解されますがこの介助はすべての人に使えるのです。どんな人でもその人が生きている限りできることが必ずあります。できることがある限りすべての人にこ

の介助は使えるのです。
今回は福辺流の実践例をコラムに掲載しました。
入院中に認知障害を疑われ、食べる以外は何の意欲も無いと言われた冨田さんが、息子さんの介助でわずか数ヶ月で自力での寝返り、起き上がり、立ち上がり、移乗が可能となり、ポータブルトイレでの排泄、自宅のお風呂での入浴、中庭での草引きと以前の生活、ご自身の人生を取りもどしていく様は通常では考えられないかもしれません。しかし福辺流では決して特別なケースではありません。
息子さんの富男さんは私のセミナーに参加したこともなく、ただ私の本に書かれてあったことをそのまま実践してくださっただけなのです。
この介助の真髄は、介助される人と介助する人が対等だということです。どちらが上でも下でもありません。これは、すべての関係性においての真実だと言えます。介助をしようとしている介助者が、自分の人生においてより善きものになろうと思い続けているならば、目の前の介助される人もまた、同じ存在だと気づくのです。だからこそ、相手の人が動いてくれると信じることができます。
ともあれ、皆さんがこの本を読んで介助の楽しさ、おもしろさを見つけてくだされば、とても嬉しいと思っています。

福辺節子

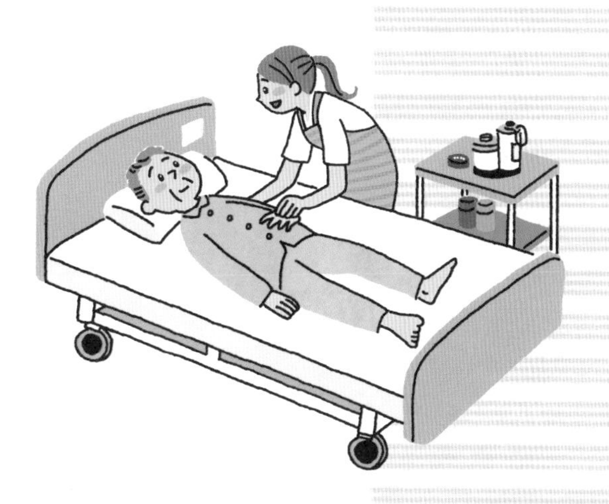

本書の使い方

本書は介護・医療に携わっている方や介助に興味・関心を持つ方に向けて、介助の手順を追いながら動作の流れを写真でわかりやすく紹介しています。
各介助のポイントや声かけ例も多く掲載しているので、さまざまな場面でお役立てください。

介助と介護

本書はとくに「介助」について解説している本です。
「介助」とは基本動作に対する手助けや、そのために行う声かけなどを含めた働きかけのことをいいます。したがって、介助は直接介護に携わる家族や介護の専門職だけでなく、医師、看護師、理学療法士、作業療法士、言語聴覚士、柔道整復師、鍼灸師、検査技師などのコメディカル、また運転士やボランティアなど多くの職種や人に必要とされます。
一方、「介護」は、介助に加えて生活全般の手助けが入ります。たとえば清拭（せいしき）や買いものの手伝い、健康管理なども含まれます。

介助者と被介助者

本書では、介助する側の人を「介助者」
介助を受ける側の人を「被介助者」と表記しています。

介助・大と介助・小と自力の違い

本書で紹介する介助術は、全介助が必要と思われている人でも、その人が持っている機能や力を引き出す介助です。
そのため、被介助者が自分で行う動作が少ないものを「介助・大」、被介助者が自分で行う動作が多いものを「介助・小」、被介助者が自分の力のみで行う動作を「自力」と分類しました。
被介助者の体の状態や介助者のやりやすさで、介助の方法を選んでください。

誌面の見方

介助段階の区別のマーク

- **自立** 被介助者が自分で行う場合の方法
- **介助 小** 被介助者が自分で行う動作が多い介助
- **介助 大** 被介助者が自分で行う動作が少ない介助

声かけのコツ

声かけ例を紹介しています。一部の動作に記載していますが、基本的に声かけはすべての動作の前に必ず行いましょう。

!

「途中で被介助者の動きが止まってしまった」など、よくある困ったシーンでのサポート術をアドバイスしています。

2章 動作の介助／寝返る

介助 小

7 寝返りの介助 患側（マヒ側）へ

被介助者のゆがみを直し、姿勢を整えたら、できるだけ被介助者自身の動きを引き出すように介助して、寝返ってもらいます。

1 腕を開き、ひざを曲げる
寝返る側（マヒ側）に立ちます。マヒ側の腕を脇から60～90度開き、健側（非マヒ側）のひざを曲げてもらいます。

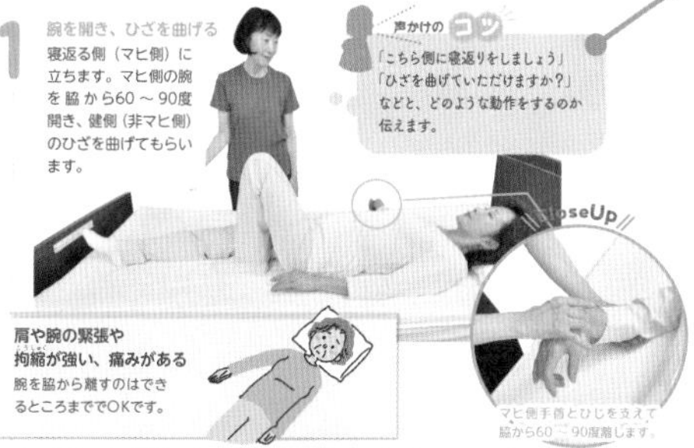

CloseUp
マヒ側手首とひじを支えて脇から60～90度離します。

声かけのコツ
「こちら側に寝返りをしましょう」「ひざを曲げていただけますか？」などと、どのような動作をするのか伝えます。

! **肩や腕の緊張や拘縮が強い、痛みがある**
腕を脇から離すのはできるところまででOKです。

2 マヒ側のひざを立てる
マヒ側のひざ裏と足裏に手を添えて、ひざを立ててもらうように誘導します。

Point
- 片側にマヒがある場合は、体のゆがみを修整（p.44～45）してから行う。
- 患側（マヒ側）の肩や腕が体の下側になると痛みを感じることがあるので、被介助者の表情や反応を注意深く観察しながら行う。

CloseUp
ひざ裏に中指をあてると筋肉の動きがわかりやすく、介助の加減ができます。

介助のコツ
あくまで本人の動きを誘導するのがポイントです。足底を無理に押さないようにしましょう。

介助のコツ
ひざ裏に手をあてたとき、緊張や弛緩など筋肉の細かい変化を見逃さないようにしましょう。

48

3 健側のひざを手前に引く
健側のひざの外側に右手をあて、声かけをしてから軽く手前に引きます。

CloseUp
中指の第1関節のあたりをひざの側面にあてます。

声かけのコツ
「こちらに寝返っていただけますか？」「私のほうに向いていただけますか？」などと、わかりやすく声をかけてから動作に入ります。

4 自発的な動きが出たら手を離す
ひざを手前に引くと、被介助者の自発的な動きが出ます。ひざを床に押しつけるような介助は、非介助者の自発的な動きの邪魔になるので、避けましょう。

①ひざを倒すサポートだけで、おしりが自然に回旋します
②下半身が回旋すると、上半身も自然に回旋しはじめます

Point
- マヒ側へうまく動きが伝わらないときの原因は、ひざを誘導している介助者の手の支えが不十分であることが考えられる。
- 患側（マヒ側）の肩や上肢の痛みが出る時は、無理をせずに仰臥位に戻り、何度か寝返りの動きをくり返します。

! **途中で止まってしまう**
途中で動きが止まってしまった場合のみ、肩かひじでの誘導を加えます。決して最初から両方で介助しないようにしましょう。

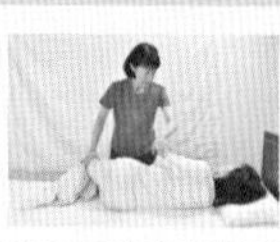

2章 動作の介助／寝返る

49

CloseUp

介助の手の触れ方や使い方をアップの写真でわかりやすく紹介しています。

介助のコツ

介助の流れの中で、動作の大切なポイントを紹介しています。

Point

紹介している介助法全体のポイントを紹介しています。

はなまるサポート

被介助者の体の状態や介助者の体力、介助の環境などの問題を緩和し、スムーズに介助を行うための便利なアイテム、その使い方を紹介しています。

こんなやり方も！

介助方法に別のバリエーションがある場合は、別のパターンを紹介しています。被介助者の体の状態や介助者のやりやすさで選びましょう。

もくじ

1章 介助するために、まず知っておきたいこと

2章 動作の介助

歩く

車いすに乗る

5章 入浴の介助

入浴する 188

6章 着替えの介助

着替える 204

1章

介助するために、まず知っておきたいこと

介助者が、自分の体にも被介助者にも負担や不快感を与えない適切な介助を行うために、まず知っておきたいことを紹介します。正しいやり方を繰り返し練習し、体で覚えることが大切です。

1 力を引き出す介助

介助とは

介助とは「寝返り、立ち上がり、移乗、歩行など、生活の基本の動作が難しくなっている人をサポートして、その動作をスムーズに行えるようにするための行為」です。

介助が必要になるきっかけは、障害・加齢・認知症などさまざまですが、はじめて介助が必要な生活と向き合うことになると、だれもがどうしたらいいのか戸惑います。

大切なのは、介助する側も介助される側もストレスがなく、体への負担の少ないケアができることです。

介助される人が動く

通常の介助では介助者が被介助者を動かしますが、この介助では、介助される人が動きます。被介助者を対等な存在として尊重し、ひとりひとりの能力に合わせたていねいな介助によって、介助される人の力を引き出すことが可能になります。

● 力を引き出す介助の特徴は？

Point 1 最小限の力でOK

被介助者が動くので、介助者は必要最小限の力で介助が可能です。

Point 2 安全

介助者は、被介助者の動きを感じながらそれに合わせて介助するので、転倒などの事故の危険がなく安全です。介助者の腹痛・腰痛などのリスクもほぼ皆無です。

Point 3

すべての人に使える

マヒのある人、筋力のない人、認知症の人、耳の遠い人、言葉の不自由な人など、これまで一方的に動かすしかないと思われてきた対象者に対しても使うことができます。たとえ寝たきりの人や認知症の人であっても、その人の持っている感覚に働きかけることができれば、被介助者からきちんとした反応が返ってきます。

Point 4

痛みや拒否がない

「持ち方」「触れ方」「動きの伝え方」「声かけ」を意識するていねいな介助は、「痛くない」「怖くない」「じゃまにならない」介助です。介助者の都合で被介助者を動かしてしまうと、被介助者自身の動きではないため痛み・恐怖・拒否が出現します。被介助者がそのような介助を経験すると、介助者への信頼感がなくなり、さらに体が緊張し動けなくなってしまいます。

機能維持が可能

日常生活の中で被介助者の力を発揮することができれば、被介助者の機能を維持していくことは難しいことではありません。この介助はこれまで使われていなかった能力を引き出すだけでなく、加齢や症状の進行で仕方がないとされてきた機能低下も防ぐことができます。

2 病気や症状のタイプ別対応ポイント

介助が必要になる病気や症状のタイプを知っておくと、介助をするときの参考になります。主な病気と症状に対する介助のポイントを紹介します。

●片マヒ

●片マヒとは？

片マヒとは、脳血管障害や頭部外傷の後遺症として起こる障害です。マヒの程度は、損傷部位や広がり方によって異なりますが、多くは損傷部位と反対側に運動や感覚、自律神経などのマヒが出ます。半身不随ともいいます。

●片マヒの人の特徴

発症直後は、自分の意志でまったく動かせない時期がありますが、発症後半年くらいまでは回復がみられ、それ以降は一定のマヒが続くのが一般的です。上肢と下肢でも回復度が違い、歩けるようになっても手は使いづらいというケースもあります。

片マヒの原因となる主な病気

	病名	どんな病気？
脳血管障害	脳内出血	脳の血管の一部が破れて、頭蓋内に出血が起こること。
	脳梗塞（のうこうそく）	脳の動脈がせまくなったり、血栓によってつまったりすることで血液の流れが悪くなり、その先の細胞組織のはたらきが低下すること。
	くも膜（まくか）下出血	多くは脳動脈瘤が破裂して、くも膜とその下の軟膜のあいだに出血が起こること。
頭部外傷	急性硬膜下血腫（こうまくかけっしゅ）	頭蓋骨骨折などにより、硬膜と脳の間に血腫（血液の固まり）ができること。
	脳挫傷（のうざしょう）	頭部を強打するなど、強い衝撃によって脳に衝撃が伝わり損傷が生じること。
	脳腫瘍（のうしゅよう）	硬膜、くも膜、血管など脳内に腫瘍ができること。

介助のポイント

片マヒの人は、昔ならかんたんにできていたことができなくなったもどかしさを感じています。あせらせないようにすること、できたことやできるようになったことを認め、意欲や能力を維持していただくことが大切です。

無理をしないようにマヒ側も使ってもらう

非マヒ側の動きをいかして、自力でできることを増やしていきます。マヒ側もまったく使わないのではなく、非マヒ側の動きに合わせて使うように意識すると、できることが増えていきます。無理をしたり頑張らなくても、マヒ側も使えるように介助します。

できないことだけ介助する

人によって、マヒのある部位や状態が違うので、その人ができること、できないことを見極めて、できない部分だけをカバーします。

転倒には注意を

片マヒがあると体の左右バランスが悪くなるため、転倒しやすくなります。見守りのときにも、転倒に注意をするようにしましょう。

拘縮（こうしゅく）を作らないこまめなケアを

同じ姿勢のまま長時間過ごしていると体が固くなります。できるだけ体を動かしてもらい、寝ているとき、座っているときの姿勢にも気を配ります。

環境を整える

手すり、介助バー、介護用ベッド、車いすなど適切な補助用具を使うことで、自力でできることが増えます。適切な福祉用具を選びましょう。

● パーキンソン症候群（パーキンソン病も含む）

●パーキンソン病（症候群）とは？

脳内の神経伝達物質（ドーパミン）が不足するために起こる病気といわれています。手足の震え、筋肉のこわばり、歩行障害、動作が遅くなるなどの症状が出現し、発症後はゆっくり進行していきます。発症年齢は50 ～ 60歳代が多いといわれていますが、若い人でも発症することがあります。

パーキンソン病（症候群）の特徴

振戦

片側の手足の震えからはじまり、進行すると頭や上下肢なども震えてきます。

姿勢異常

体のバランスが保ちづらく、転びやすくなります。進行すると起き上がれなくなることも。

前かがみになります
腕が曲がり、脇がしまって胸にくっついた状態になります
股関節やひざが曲がったままになります
かかとが浮いて、つま先立ちの状態になります

固縮

体中の筋肉がこわばって固くなり、動きづらくなります。

動作緩慢

動作がゆっくりになります。歩行や着替え、寝返り、食事の動作も会話も遅くなります。思考など精神機能も緩慢になります。

非運動症状

体温調節がしにくい、起立性低血圧、便秘や頻尿、発汗異常などの自律神経機能の低下、うつ、易疲労性、嗅覚異常など、運動機能以外の症状も出現します。

介助のポイント

症状は人によって差があります。服薬の調整は必要ですが、薬と同じくらい重要なのはリハビリテーションです。状況を見極めながら、介護・介助方法を変えていきます。

変動が大きいことを理解する

午前中は歩けたのに午後は動けない、夏は動けたのに冬は動けないなど、変動が大きいことを理解して接しましょう。また心理的な緊張や、薬がきれると体が動かなくなってしまうことも。薬の効果は日内変動や、オン・オフ現象（p.222）があります。

できること・できないことを理解する

軽度であれば自立した生活が可能です。しかし、病気が進行すると歩けない、姿勢を保つことができない、寝返りや体の向きを変えられないなど日常生活に支障が出てきます。できることを見極めて手助けしましょう。

コミュニケーションをとる

顔面にもこわばりが出るので表情が乏しくなったり、声も小さく会話が難しくなったりします。また病前の性格がまじめで、他人とのコミュニケーションが苦手な人も多いので、生活空間を広げるためにも、人と触れ合う機会を作るようにしましょう。

リハビリテーションが重要

体の前面の筋が短縮します。また、体をねじることが難しくなり、寝返りや起き上がりが難しくなります。うつぶせになる、壁にもたれるなど、股関節や腰を伸ばす姿勢を取りましょう。寝返りや起き上がり、四つんばいなど、体の回旋を使った起き方を練習します。

● 認知症

●認知症とは？

定義は「生後、いったん正常に発達した種々の精神機能が、慢性的に減退・消失することで、日常生活や社会生活を営めない状態」です。

●認知症について知っておいてほしいこと

・認知症は病気ではありません。
・認知症を引き起こす病気はあります。
・たくさんの症状の集まり（症候群）です。
・生活場面で現われる症状で、主に「中心症状」と「行動・心理症状（BDSD)」の2つに分けられます。

※中心症状／認知症患者に現われる一般的な症状のこと。記憶障害、実行機能障害、失語・失行・失認など。
※行動・心理症状（BDSD）／性格やそれまでの経験などによって現われる、その人特有の反応・症状のこと。

介助のポイント

認知症の種類によって、介助の内容は変わってきますが、下記のポイントを頭に入れて行いましょう。

対等な関係

介助者から見ると理屈の合わない行動でも、本人にはちゃんとした理由が必ずあります。記憶や認知能力の低下があっても、尊厳を持った個人であることに変わりはありません。対等な関係として接しましょう。

安心できる人間関係を作る

強い不安と心細さがあり、周囲の無理解によって不信感が強い場合もあります。プライドを尊重し、話をしっかり聞くなどして、信頼関係を築くことが重要です。

環境を変えない

新しい環境や新しいものに対して適応が困難です。できる限り環境を変えない、変える場合は細心の注意を払うことが原則です。

役割を作る

自分が役に立っているという自覚があると自信になって気持ちが落ち着きます。できることをみつけ、本人の役割としてやってもらいましょう。

声かけ、触れ方に注意する

いきなり近づいて声かけをしたり、触れるなど不遠慮な接触は、関係の悪化や拒否につながります。言葉の理解が難しい人にも、目を見てきちんと声かけをしてから介助をします。

●認知症の種類と特徴

　認知症には、原因となる病気によって種類があります。症状の現れ方や進行具合が違うので、知っておくと対応がしやすくなります。早めに適切な診断を受けることが重要です。

アルツハイマー型認知症

異常たんぱく質の蓄積や神経原線維の変化によって脳が変性、萎縮していくアルツハイマー病から発症する認知症です。初期に記憶に関係の深い海馬が損傷するため、症状の特徴として、記憶障害、見当識障害、更衣や道具の使い方がわからないくなる、計算や言語能力の低下、実行機能障害などがあります。

脳血管性認知症

脳梗塞や脳出血などの脳血管障害が原因の認知症です。脳のどの部分に障害が起きるかによって症状が異なり、できる部分とできない部分の差が激しいので、「まだら認知症」とも呼ばれます。また突然、症状が悪化したり変動したりすることも、よく見られます。認知症状だけでなく運動マヒやしびれ、言語障害などをともなうこともあります。早期の適切な治療で改善する場合もあります。

レビィ小体型認知症

大脳皮質や脳幹に、レビィ小体という異常なたんぱく質が付着するレビィ小体病が原因の認知症です。記憶障害は比較的軽度ですが、初期から小動物や虫、子どもなどの幻視が出現します。現実的な幻覚症状が特徴です。身体的にはパーキンソン症状、自律神経症状、レム睡眠行動障害などが現われます。

前頭側頭型認知症

脳の中の前頭葉と側頭葉の神経細胞が少しずつ壊れていくことで、症状が現れてくる認知症です。物忘れの症状は少なく、他人に配慮ができなくなるなどの性格変化や、自分勝手な行動をするなど、社会性の欠如、反社会性、非抑制、常同行動、感情鈍磨、自発性言語の低下などが特徴です。ピック病も範疇に入ります。若年での発病も比較的多いようです。

3 介助者の心構え

言うことを聞いてくれなかった人が一緒に動いてくれるようになる、無愛想だった人が笑顔になる……。適切な介助ができていると、必ず被介助者によい変化が現れます。介助者の心構えが重要です。

1回1回の介助を大切にする

車いすで生活をしている人が、食事やトイレ、入浴などのために立ったり座ったりする回数は、平均で1日20回前後です。その1回1回を適切な介助にすることで、被介助者の機能を維持したり改善することが可能です。逆に不適切な介助を行っていれば、被介助者の機能はどんどん低下してしまいます。毎日の生活の中で繰り返される介助が被介助者に与える影響は、とても大きいのです。1回1回の介助を大切に行いましょう。

相手が何を望んでいるのかを考える

認知症で家族の顔さえ忘れている人にも、「こうなりたい」「こうしたい」という思いがあります。また、「放っておいて」「触らないで」など介助を拒否する言葉が出たとしても、その言葉が本心を表しているとは限りません。介助者側の一方的な解釈による介助と、被介助者が本当は何を望んでいるのかを真摯に考え被介助者を理解しようとする介助には大きな差があります。介助される人の尊厳、人生、生き方、生活、意欲、ADL、動きを支えるのが介助であり、それができてはじめて、被介助者と介助者はよい関係を築くことができます。

やりすぎ、やらなさすぎになっていないか

例えば、ある動作の遂行に10の能力が必要だとして、Aさんが5の能力を持っている場合、介助者が5の手助けをすれば動作は完了します。

このとき介助者が7か8の介助をしてしまうと、Aさんはよくても残りの2か3の能力しか発揮できず、多くの場合は全介助になってしまいます。

反対に、介助者からのサポートが2か3しかなければ、Aさんは動作を完了できず失敗してしまいます。

どちらのサポートの場合もAさんは自分でできたという成功体験を味わえず、やる気をなくしてしまいます。

被介助者の意欲がないので介助が必要と考えがちですが、介助者の不適切な介助で被介助者の意欲を奪ってしまっていることが多いのです。

適切な介助はここが違う！

やりすぎ介助にならない秘訣を紹介します。

本人に動いてもらっている！

できることは本人にやってもらうようにします。介助者は、被介助者のできることとできないことをよく見極めて、見守りましょう。

できないところだけ介助している！

着替えや食事動作でも、途中までは本人ができる場合があります。最初から介助してしまっては適切な介助にはなりません。どうしてもできないところだけ介助します。

できるだけ本人にさわらない！

介助者は何かあるとつい手を差し伸べてしまいがちです。「着替えましょうか」などと声をかけた後は見守り、相手の動きが出るのを待ちます。直接相手に触れるのは最後の手段です。

介助に対する被介助者の心の声

何気ない動きであっても被介助者に不快感を与えている場合があります。よくある例を紹介します。

痛い！

力まかせの介助、無理な介助だけでなく、無意識に被介助者の体を持ってしまうと、痛みを与えてしまいます。

怖い！

声かけもなく急に触れる、介助者は伝えたつもりでも伝わっていない声掛け、いきなり近い距離からの介助、被介助者の重心がかかっている足や手を動かそうとするなど、介助者にとっては何気ない介助が被介助者にとっては大きな恐怖だったりします。

じゃまなんですが…

介助者との距離が近すぎる、被介助者がこれから動いていくところに介助者がいる、被介助者の動きと介助者の動きが一致していない、そんな介助は被介助者の動きを妨げ、動けなくしてしまいます。

4 介助の基礎

適切な介助をするためには、まずは介助される人のことをしっかり知らなければいけません。介助の基本をおさえながら介助の練習をはじめましょう。

❶ 状況を把握する

被介助者が今、どんな状況にあるのかを正確に把握しましょう。

目的 被介助者の生活習慣や周辺環境、動作のパターンを細かく知ることで、適切な介助に結びつけます。当たり前のことも当たり前と思わず、細かく観察します。

●生活習慣と周辺環境を知る

生活習慣や1日の流れにも、その人なりのパターンがあります。排泄のタイミングや食事時間などを把握していると、次にどんな介助が必要なのかが見えてきます。

被介助者の部屋の間取りなどの住環境、使用している福祉用具、補助具の種類や運用方法の把握も重要です。

また、家族の介護状況、介護保険のサポート、サービス内容などの周辺環境は、被介助者のADL（日常生活動作）に大きな影響を与えます。事前にきっちり確認しておきましょう。

生活習慣の把握ポイント3

Point 1　1日の流れを把握する

朝、起きる時間や夜の就寝時間、昼寝はいつ、どのくらいするのか、食事の時間や散歩など外に出ることはあるのかなど、1日の流れを把握しておくと、次にどのような介助が必要なのかわかりやすくなります。

Point 2　食事のパターンを知る

食事は1日に何回、どのくらいの量をどれくらいの時間をかけて食べるのか、食べものは必ず食卓で食べているのか、間食は頻繁にしているのか、まったくしないのか、食事と食事の間隔はどれくらいなのかなど、食事のパターンも知っておきましょう。

Point 3　排泄のタイミングを知る

1日の排泄のタイミングもつかんでおくと、トイレへの声かけなどもしやすくなります。排泄の介助は介助される側もする側も精神的なストレスがかかりやすいものです。タイミングを知っておくと準備もしやすくスムーズです。

●動作のパターンを知る

動作には「はじまりの姿勢」から「動きの方向」「動くスピード」「タイミング」といった、その人なりの動きのパターン（くせ）があります。

たとえば立ち上がりひとつとっても、反動をつけて立ち上がる人、前かがみでひと呼吸おいてから立ち上がる人など動きのパターンは人それぞれ。それらを知ったうえで介助すれば、痛みや恐怖を防ぎ、相手の力を引き出すことができます。

動作のパターンの観察ポイント5

必要な支えを判断する

被介助者の動作を引き出すには、被介助者の能力に合った支えが必要です。環境や被介助者の機能を把握して、どの程度の支え（支援）が適切かを判断します。

パターンを理解する

体の動かし方は一人一人異なります。とくに障害がある人は通常とは違ったパターンで動くことがあります。被介助者のやり慣れたパターンを理解し、介助にいかします。

動きの方向を観察する

相手の動きと介助が合っていないと、痛みや恐怖だけでなく事故の原因になります。被介助者の動きの方向を観察し、動きを引き出すためにはどの方向に介助するのが適切なのかを考えてみましょう。

動きのスピードを知る

被介助者が自分で動くスピードが、現在の被介助者にとってベストなスピードの場合が多いので、そのスピードに合わせてついていくように介助します。

タイミングを把握する

立ち上がるときのひざが伸びはじめる瞬間や、支えている手に重さがかかる瞬間など、重要なタイミングを把握すると、余分な力を使わずに相手の力を引き出しながら介助することができます。

❷ できること・できないことを見極める

できる、できないは人によって、また時間や環境によっても変化します。観察力を養いましょう。

●よく見る

たとえば「立つ」という動作1つをとっても、「床からは立てないけれど、いすからは立てる」「手すりやつかまるものがあれば立てる」「腰を浮かせることはできる」など、対象者のできること、できないことを細かく分けることが必要です。

できること、できないことを細かく正確に見極めるためには、対象者の動作をよく観察しましょう。

●変化することが前提

できること（できないこと）が毎回同じとは限りません。また、いつもと同じ行動をしていても、表情や声の調子、周囲への態度や雰囲気など、いつもと違うところがないかチェックしましょう。

対象者の状態は一定とは限りません。変化することを前提で、先入観を捨てて毎回新しい目で観察するように心がけます。

●できないことを助ける

「立ちあがり」の介助の場面でも、最初から被介助者を介助して立たせたり、抱え上げたりしたら、できること・できないことを見極めることも、被介助者の動きを引き出すこともできません。

被介助者の能力を細かく把握し、できるところは本人にやってもらい、できないところだけを助ける介助を心がけましょう。

細かく把握するには？

ひとつの動作にも、さまざまな体の動きや支えが働いています。それを意識して観察することで、被介助者の能力を細かく把握できるようになります。

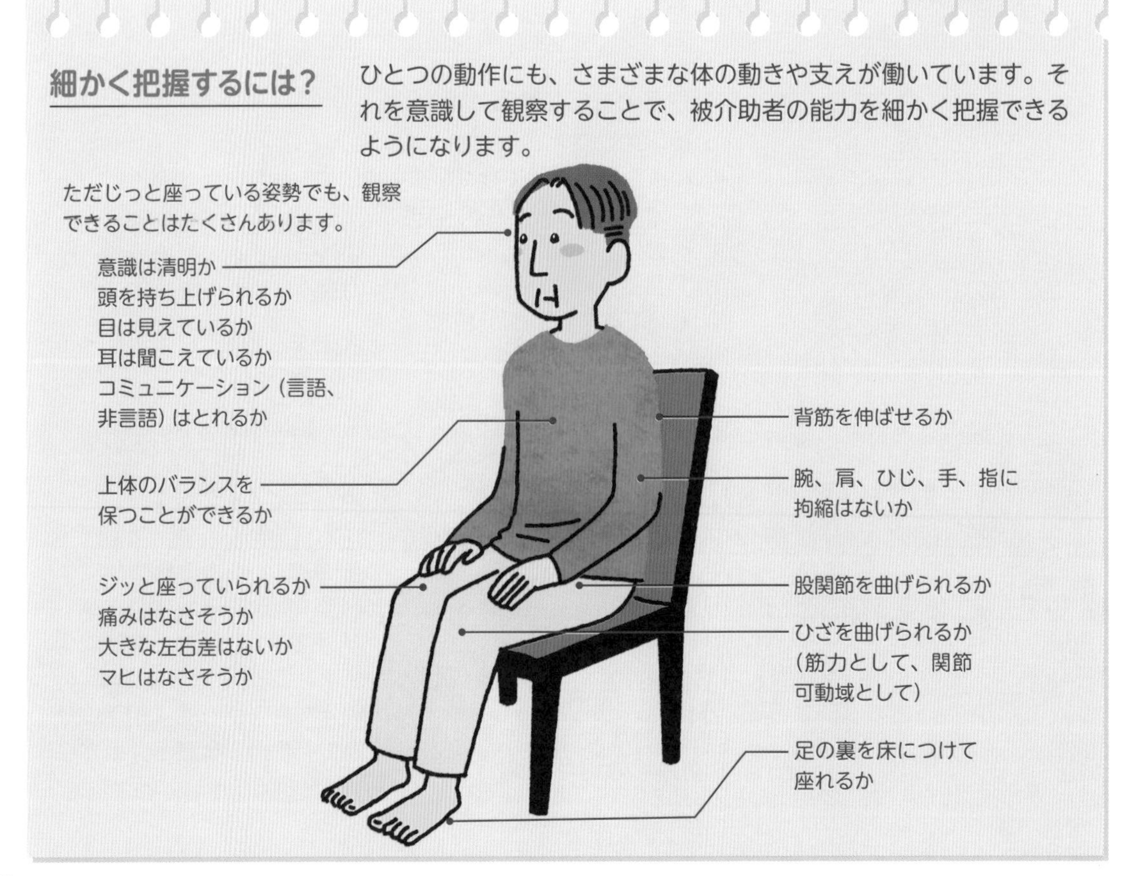

ただじっと座っている姿勢でも、観察できることはたくさんあります。
意識は清明か
頭を持ち上げられるか
目は見えているか
耳は聞こえているか
コミュニケーション（言語、非言語）はとれるか
上体のバランスを保つことができるか
ジッと座っていられるか
痛みはなさそうか
大きな左右差はないか
マヒはなさそうか
背筋を伸ばせるか
腕、肩、ひじ、手、指に拘縮はないか
股関節を曲げられるか
ひざを曲げられるか（筋力として、関節可動域として）
足の裏を床につけて座れるか

❸ 自然な反応を引き出す

自然な反応とは、神経や骨格、関節、筋肉などがお互い影響し合って出るものです。無意識に出てくるこれらの反応を大切にすることが、力を引き出すポイントになります。

●自然な反応を介助に利用

たとえば人に呼ばれて振り返るとき、聴覚→認知→言語→理解→判断→運動のプログラミングが起こり「視線を振り返る方向に向け、首をねじる→肩をねじる→腰をねじる→骨盤が回転する……」というような反応の連鎖が自然に無意識に起こります。人が持つ自然な反応を介助にも利用します。被介助者がうまく動けないようなら、忘れてしまっている自然な反応を介助者が誘導します。

●小さな反応も見逃さない

表情や目線の動きは大切な反応です。また、介助中に痛みや苦痛を感じていないか、どこかにいつもと違った変化がないかを意識することも大切です。自然に出た表情や小さな反応を見逃さないようにしましょう。

自然な反応を介助に活かした例

人間が本来持っている自然な反応を介助にいかしましょう。その例をご紹介します。

動きの中の自然な反応	シーン	動作	実例紹介ページ
〈ねじりを利用する〉 ねじれ（体軸内回旋）を利用して動きます。また、ねじれた状態からそれを元に戻す場合も同じです。	寝返り	先にひざを倒すことで体のねじれが生じ、それを利用して寝返る。	p.42～57
	起きあがり	片方のひじをつくことで体のねじれが生じ、それを利用して起きあがる。	p.66～71
	四つ這いになる	体の横に手をつくことで上半身にねじれが生じ、それを利用して四つ這いになる。	p.100～106、110
	座る	体の片側をねじっておしりをつける。そのねじりを利用して正面を向く。	p.104、115
〈重力に抗（こう）して伸びる〉 頭を上げる、背すじを伸ばす、重力に逆らってまっすぐ立つ動き（抗重力伸展）は生物の最も基本的な反応です。重心を移動する場合も、移動した側が伸び上がらないとスムーズに動けません。	座り直し	おしりの片側に重心を移動することで、左右・前後へ体をずらす。	p.79
		体の重心を前に出した反応でおしりが上がるのを利用して、前後へ体をずらす。	p.78、80
	歩行	重心移動を連続して行うことで、歩く。	p.116
	方向転換	少しずつ体重移動しながら足踏みをして回転していく。	p.138、140
〈反応までの時間〉 声かけに反応する、言語を理解判断して動きはじめる、前の動きから次の動きに移るなど、動きや力が切り替わるときにはタイムラグがあります。このタイムラグの時間を待てるようになりましょう。	動きを伝える	触れた後、一瞬待たないと動きができない。	すべての介助
	座る	前かがみから腰を下ろし始める瞬間の動き。	p.90、94、98
	歩行	左右への体重移動と足を前に出す動き。	p.116
	声かけ	声をかけてから返事をするまでの瞬間を待って、次の動きに入る。	すべての介助

❹ 日常の動きをなぞる

私たちの日常の動きは、人が本来持っている正常な反応が重なった一連の動きから成り立っています。日常の動きに沿った介助をすることで、相手の力を引き出します。

●日常の動きとは？

たとえば「歩く」という動作は無意識のうちに重心移動を繰り返し、自然な動きでバランスをとりながら前進しています。この動きがもっともスムーズで理にかない、負担の少ない動きです。介助される人も少し前まではこの自然な反応、動きを利用していました。

●自分でやってみる

日常の動作というのは無意識にしている動作なので、どんな動きなのか自分自身では理解できていません。自分で動いてみると頭で考えていた動きと実際の動きが意外と違うことに気づきます。まずは介助者が自分で動いてみて、自分がどのように動くのか、力の向きやタイミングなどを感じてみましょう。

●介助にいかす

被介助者がうまくできなくなってしまった動きや、忘れてしまった動きをなぞり、繰り返し誘導することで、以前の動きを取り戻せるようになります。

逆に日常の動作に反した介助をしてしまうと、被介助者に苦痛を与えるだけでなく、介助者の負担も大きくなります。

日常の動作をなぞる例

介助の時に被介助者が痛みや恐怖を訴えるなら、不自然で無理な介助をしているのかもしれません。座り直すシーンを例に、日常の動きをなぞった介助と日常の動きを無視した介助の違いを見てみます。

●深く座り直す

基本の日常の動き

❶前かがみになり、重心を前方に移動し、おしりが浮いたら、❷腰を後ろに引いて座り直します。

日常の動作をなぞる介助

1 被介助者を前方へ誘導し、足底に体重がかかるように介助します。

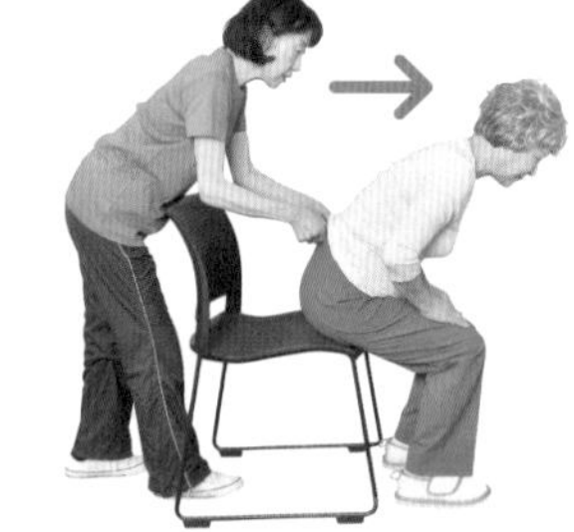

2 後ろへ戻る動きが出たら、その動きに合わせておしりを後ろに誘導し座り直してもらいます。

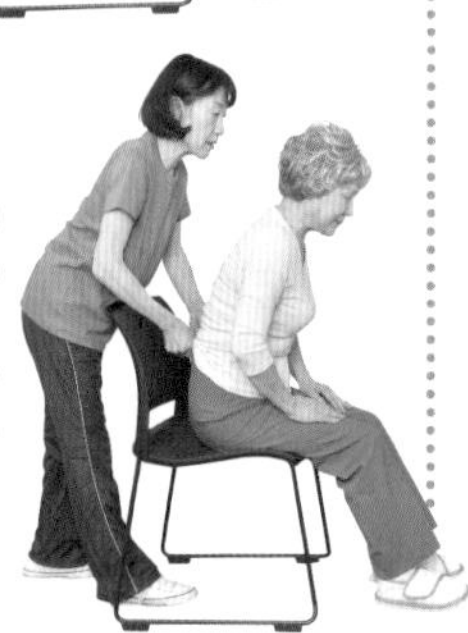

日常の動作を無視した介助

前かがみになる動きを無視して、相手の脇の下に手を入れて後ろに引きます。

注意

被介助者は自分で動くことができず、介助者、被介助者どちらにとっても負担や不快が出る介助といえます。

5 ていねいな介助をするための4か条

介助者、被介助者が精神的にも身体的にもいい状態で介助するために、
重要な4つのことを紹介します。

●ていねいというのは時間をかけることではない

被介助者に自分で動こうとする意識を持ってもらい、それによって力を引き出すのがていねいな介助です。ていねいな介助は時間がかかるのでは、と思われるかもしれませんが、ていねいな介助があたり前になると、力まかせに行う介助よりも介助の量が減り、時間をかけずに介助ができるようになります。ていねいな介助とは、効率のいい介助と言えます。

❶ きちんと声かけする

介助をする前には、これから何をするかを被介助者に伝えることが大切です。

すべての人に声かけをする

相手に動いてもらえるかどうかの7 ～ 8割は「声かけ」にかかっているといっても過言ではありません。あなたの目の前の人は、本当に認知症で言葉がまったく理解できない人ですか？ 相手が声かけの通じる人だと信じていなければ、こちらの声かけは伝わりません。すべての人に、きちんと声かけをしてから介助を行いましょう。

伝わったかどうか確認する

声かけが終わってから、行動に移すようにすれば被介助者は心の準備ができます。「はい」という返事がなくても、相手の目や表情をしっかり見て伝わったかどうか確認しましょう。まったく反応がなく表情が変わらない人でも、目を見れば、伝わっているかどうかがわかります。相手に伝わったのを確認できたら、ひと呼吸置いて介助に入ります。声をかけながら相手に触れていたり、言葉と同時に相手を動かしてしまうと、声かけの意味がありません。

伝わる声かけをする

身ぶり手ぶり、ジェスチャー、筆談……、できる限り内容を伝える努力をします。ただし、すべての内容が伝わるとは限りません。声かけで絶対に伝えないといけないことは「私はここにいます」という「介助者の存在」です。聞き手（被介助者）が「この人の言うことを聞いてみよう」と動かされるのは、話の内容よりも話し手の表情、身振り、手振り、声のトーン、大きさ、音色などからです。話し手（介助者）の聞き手に対する信頼と尊敬の念がなければ、声かけは伝わりません。「伝えようという意志や意図」を持って声をかけるようにしましょう。

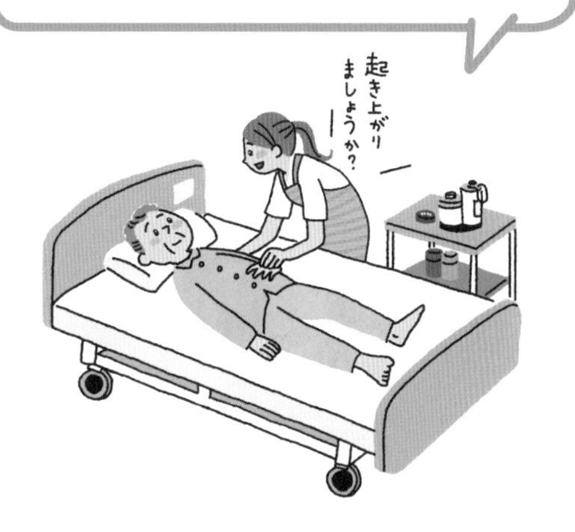

声かけのポイント

具体的にどのようなことに気をつけて声かけをすればいいのか紹介します。

Point 1

距離

介助者が最初に被介助者に話しかけるときは2m以上離れます。最初からさわれる距離からの声かけはしないようにしましょう。
その後、ストレスを感じないように少しずつ距離を縮めていきます。

Point 2

角度

最初は正面ではなく、正面から15～30度横にずれたところから働きかけましょう。
認知症やパーキンソン病などで首や顔、視線の動きがない場合は、必ず相手の視線内に入っているかを確認してから話しかけます。

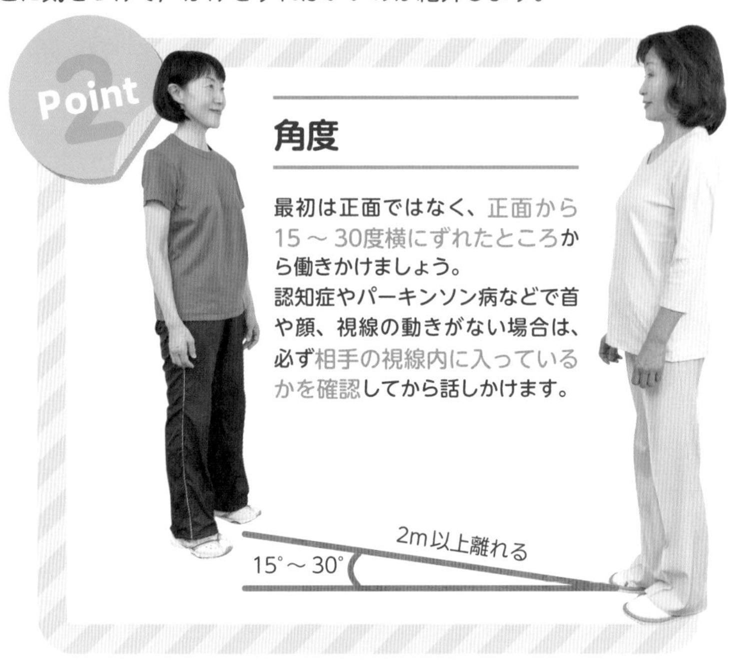

Point 3

順序と間隔

「お食事に行きましょうか？」など、まずは大きな目的から伝え、そのあとに「手すりを持っていただけますか？」などと細かい動きを伝えます。
声かけの後、相手の動きや反応がある間は、次の声かけや介助はしないようにします。声かけをする→相手の動きを待つ→動きが止まるのを確認する→次の声かけをする、を繰り返します。

Point 4

伝え方

「足を上げていただけますか？」など被介助者主体の声かけをしましょう。
「足を上げますよ」「動かしますよ」など介助者が主語の声かけでは動いてもらえません。
また、ベッドの高さを変える、車いすを動かすなどの相手にさわらない場面でも声かけを忘れないようにします。

Point 5

目を見る

介助中は、介助する箇所ばかり見てしまいがちですが、手元ではなく目を見ましょう。声かけのときはもちろん、介助中もできるだけ被介助者の顔、表情、全体を見るようにしましょう。それだけでも介助レベルが格段にアップします。

Point 6

最小限の声かけ

声かけのしすぎにも注意します。被介助者が自分で動こうとしているときにも声をかけ続けているケースがあります。
介助者は自分の不用意な声かけが、被介助者の動きや意欲を引き出す妨げになっていないか注意します。

❷ 支え

介助の基本は「支え」と「動きの伝えかた」。この2つがマスターできていなければ、介助は形だけで役に立ちません。

●「構え」

介助での「構え」とは、すべての介助の共通の姿勢です。どの介助を行うときも基本となる姿勢ですので、意識しないでもこの姿勢がとれるようになりましょう。

実践

1 気をつけの姿勢で、左右の足の間に自分の足が片足入る程度に開きます。両足の土踏まずで立つイメージです。体軸を意識して、重心を下腹に落とし、背筋を伸ばして立ちます。あごは引きます。

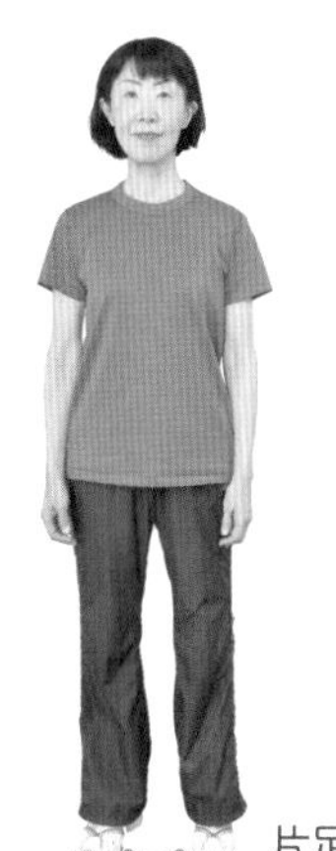
片足分あける

2 中くらいの「前にならえ」をします。ひじは握りこぶし2個分、胸よりも前に出します。肩とひじと手首の軸を揃え、手のひらも指ものばします。肩とひじの力は抜きましょう。

ひじを開いたり閉じたりしない
肩ーひじー手首の軸が一直線になるように
握りこぶし2個分出す

●「支え」

介助で大切なのは被介助者を「支え」て「動きを伝える」ことです。「支え」は介助の基本であり、「支え」がなければ被介助者は安心して介助者に頼ることができず、動けません。

私たちが普段「支え」にしているものは、手すりや介助バー、いすの背などで、これらは「安定して動かないもの」です。

介助者自身が「安定して動かないもの」になることができてはじめて頼りにされる存在になります。

実践

1 介助者と被介助者役2人で向かい合い、介助者は構えの姿勢をとり、手のひらを下に向け、被介助者役は上に向けます。

2 2人の中指の末節同士を当てます。介助者は真下に、被介助者役は真上に徐々に力を加えてみましょう。お互い上下に動かない状態になれば支えができていることになります。

3 慣れてくれば、かなりの荷重にも耐えることができるようになります。

介助者は上肢（肩、ひじ、手首、指）に力を入れるのではなく、丹田（おへその下、下腹）に意識を集中して自分の体幹を支えます。

❸ 触れ方・支え方・持ち方を身につける

被介助者への触れ方や支え方はていねいな介助の基本です。その触れ方ひとつで、協力が得られるかどうかが決まります。

触れ方のポイント

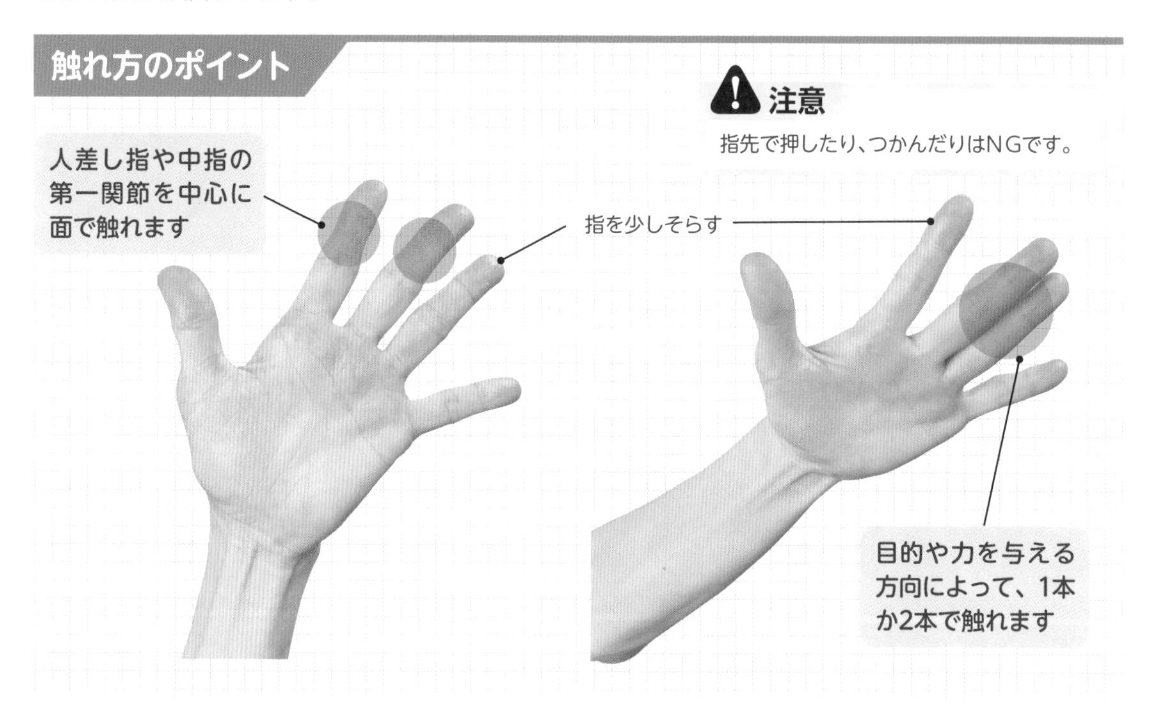

人差し指や中指の第一関節を中心に面で触れます
指を少しそらす
注意
指先で押したり、つかんだりはNGです。
目的や力を与える方向によって、1本か2本で触れます

支え方のポイント

【 脇支えの介助での支え 】

手刀の形を作る

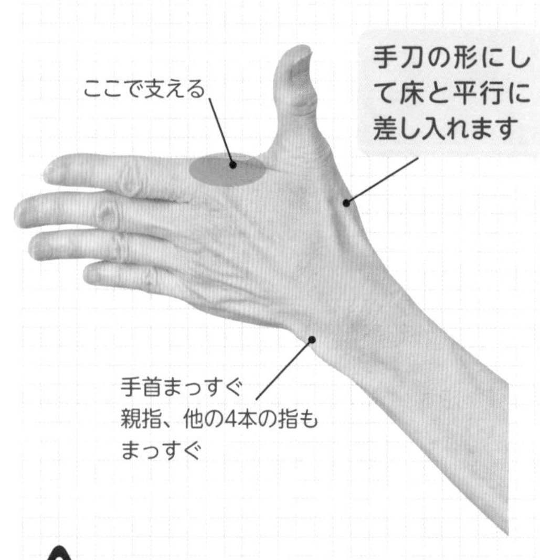

指の根元の関節を曲げます
ここで支える
親指は使いません
手首は伸ばします
手刀の形にして床と平行に差し入れます
手首まっすぐ
親指、他の4本の指もまっすぐ

注意

力を入れ過ぎると被介助者の脇が痛くなります。

【 手をかけてもらう支え 】

カギカッコを作る（虫様筋握り）

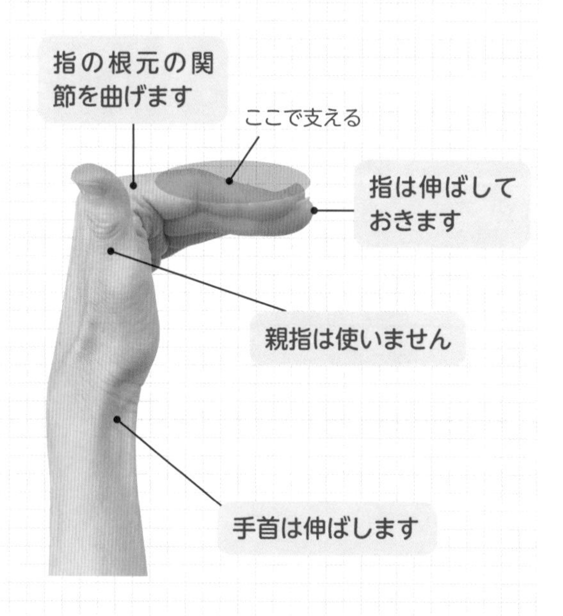

支え方のポイント

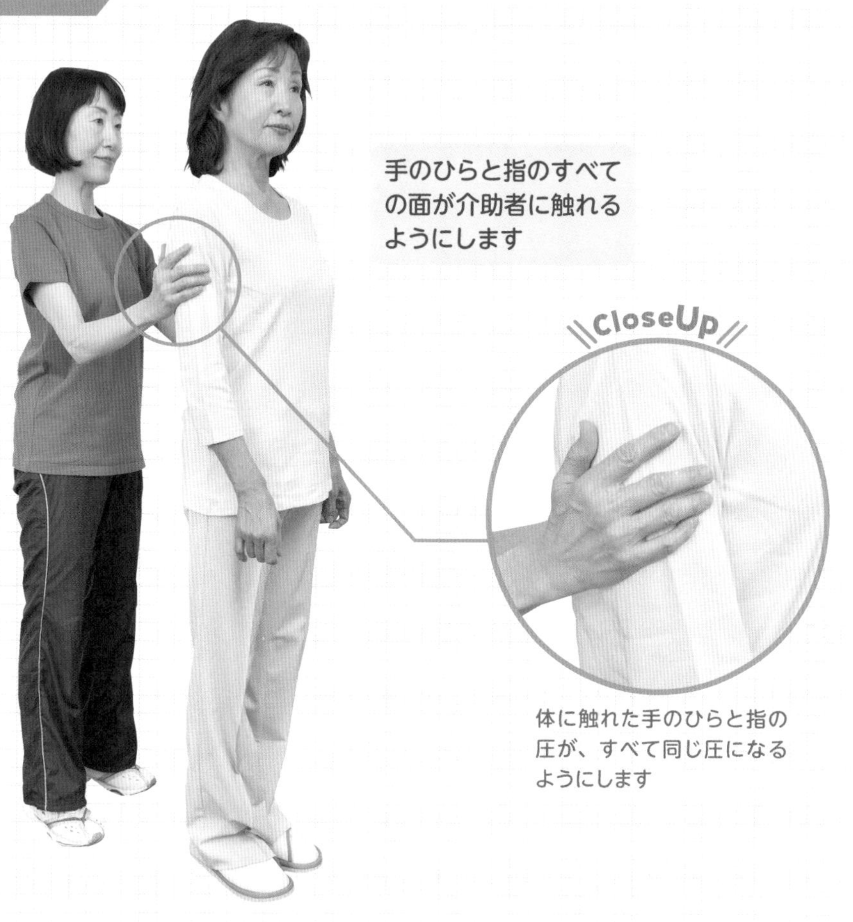

手のひらと指のすべての面が介助者に触れるようにします
CloseUp

体に触れた手のひらと指の圧が、すべて同じ圧になるようにします

ギュッとつかんだり、つまんだり、上げようとしたり、下げようとすると被介助者に痛みを与えてしまうことがあります。また、介助者に動かされていると感じ、力を出せなくなってしまうこともあります。

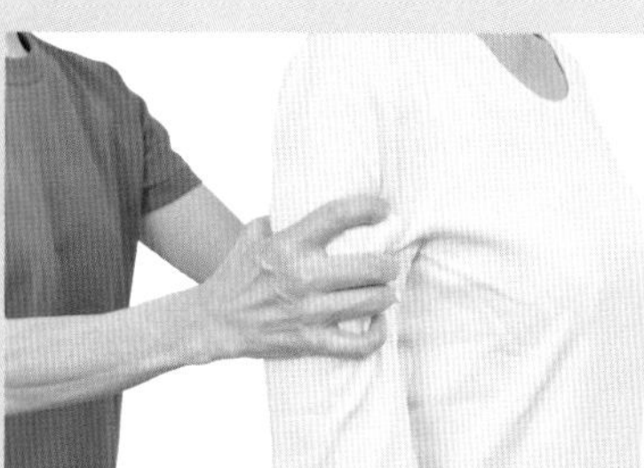
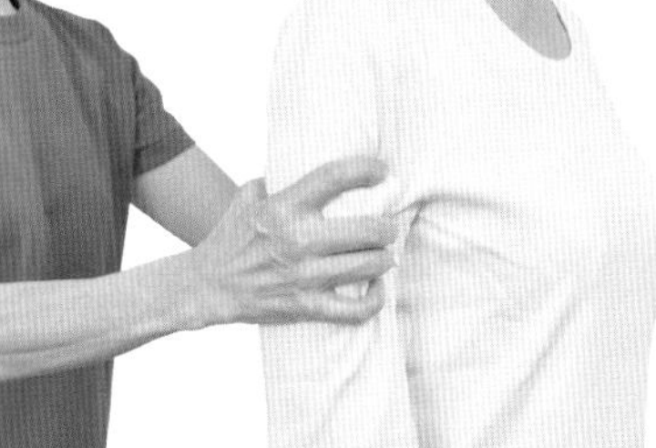

つかむ

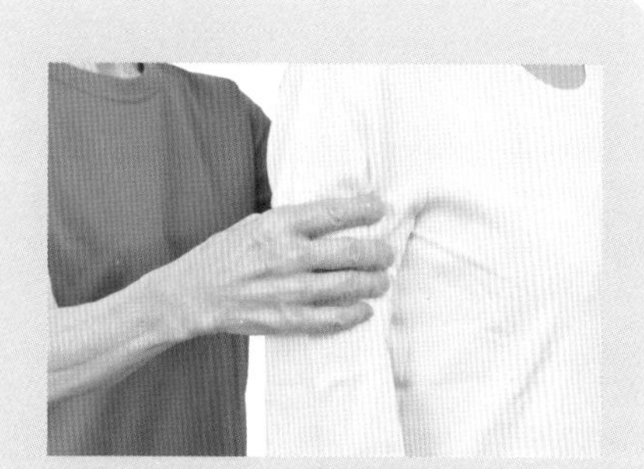

つまむ

上げる

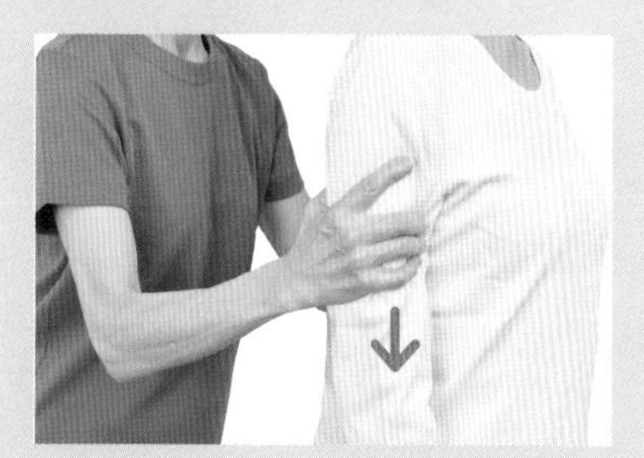

下げる

実践1 手足を動かす

腕を動かす

いきなりつかみ上げたりしないで、手首とひじを支えて動きを誘導します。

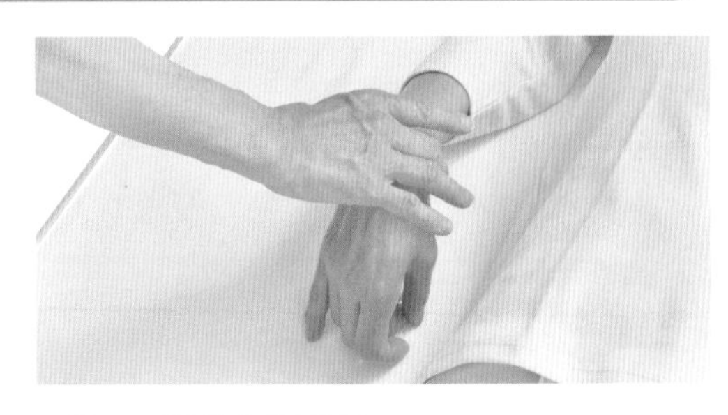

1 手首を支える

手首を上から軽く持ち、介助者は指先に力が入らないように中指の第1関節と親指を使って触れます。

2 ひじを支える

手首を支えて上げると、ひじがベッドから離れます。もう片方の手でひじを下から支えます。

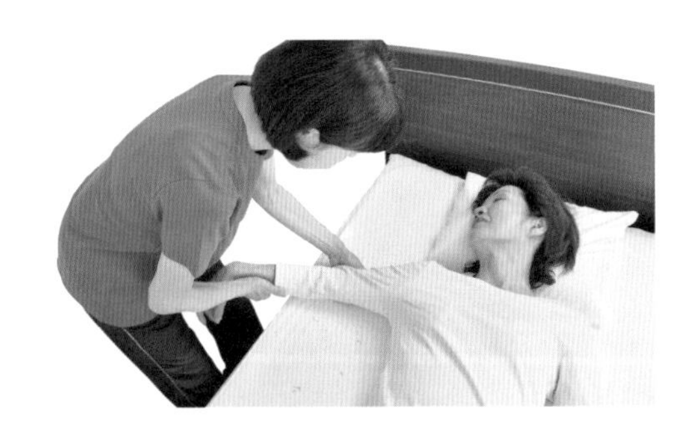

3 手を持ち替える

手首を持っている手を上から下に持ち替えます。ひじと手首を支えて腕を誘導します。

ひざを動かす

ひざの裏と足裏を支え、自然にひざを曲げる動きになるように誘導します。

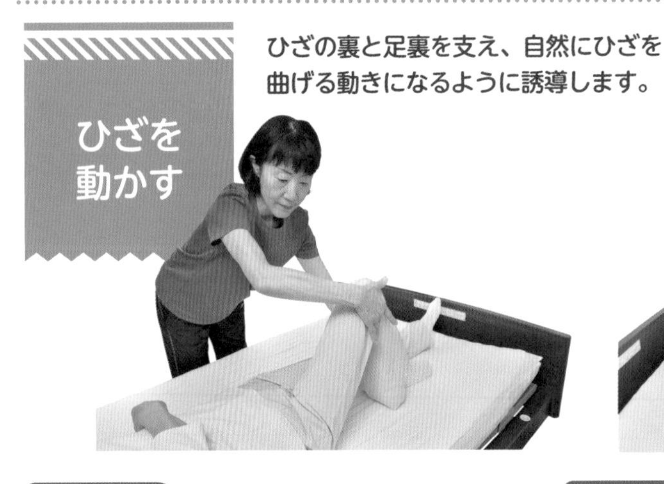

パターン1

ひざの裏に片手を入れて支える

ひざの裏に手を入れ、ひざを曲げるように誘導します。筋や骨を押さえないようにして、軽く指の腹でひざの裏を触れるようにします。

パターン2

ひざの裏と足裏に手を添え誘導する

パターン1のように片方の手でひざの裏を支え、足裏はもう片方の手の中指の面で触れるようにして添えます。ひざの裏にあてた指の腹で、被介助者のひざを曲げる動きを引き出します。

実践2 介助の量により、支え方を変える

介助の量は、被介助者の体の動きや支える力を見ながら変えていきましょう。手→手とひじ→ひじとひじ→体幹という具合に、支える場所を体の末端から中枢（体の中心）へ移動したり、片手から両手で支えたり、支える部分を増やしていくケースもあれば、その逆で減らしていくケースもあります。

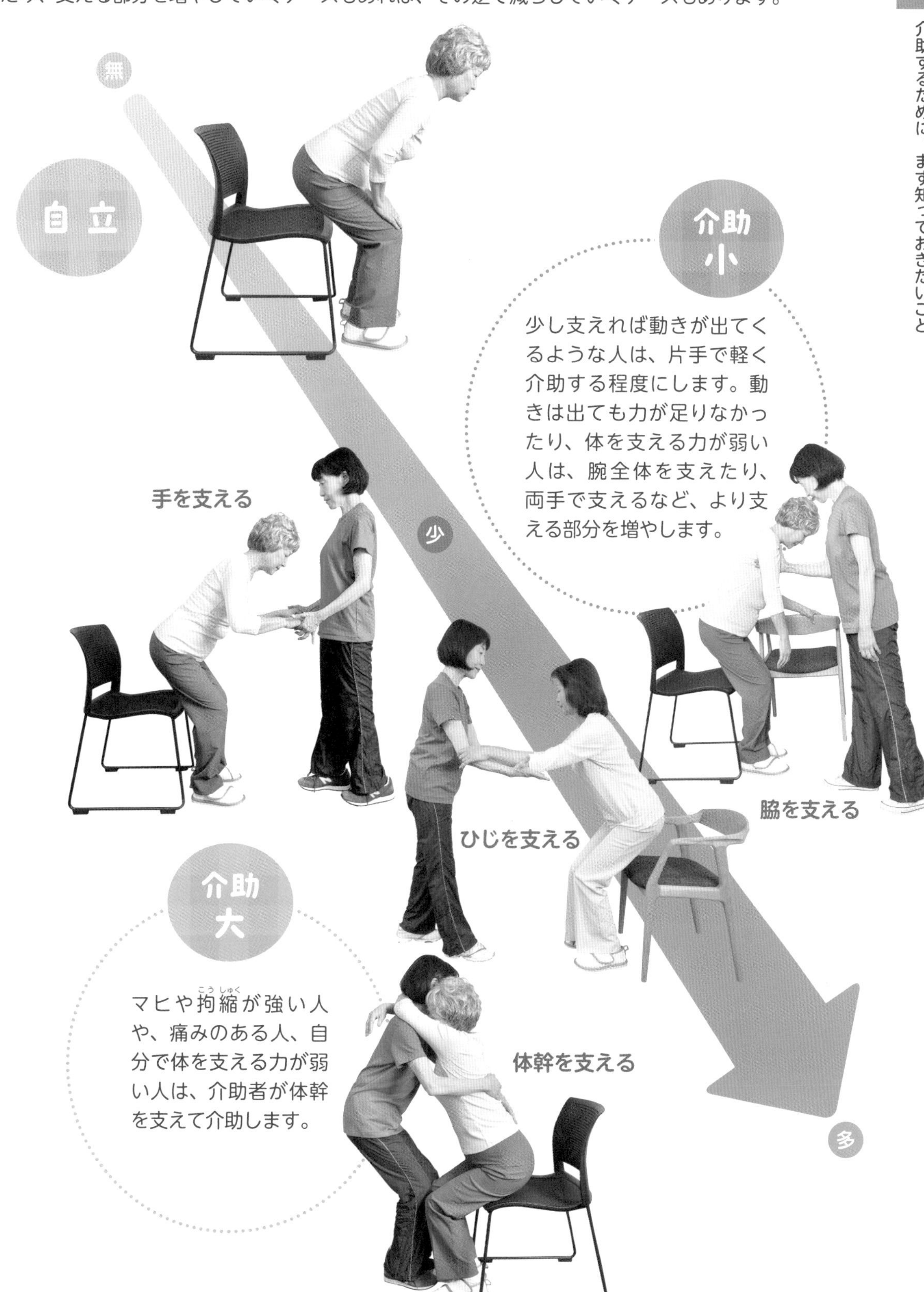

無
自立
介助小
少し支えれば動きが出てくるような人は、片手で軽く介助する程度にします。動きは出ても力が足りなかったり、体を支える力が弱い人は、腕全体を支えたり、両手で支えるなど、より支える部分を増やします。
手を支える
少
脇を支える
ひじを支える
介助大
マヒや拘縮（こうしゅく）が強い人や、痛みのある人、自分で体を支える力が弱い人は、介助者が体幹を支えて介助します。
体幹を支える
多

❹ 介助者が動いて動きを伝える

介助の基本の「動きを伝える」。その中でも介助者の動きを被介助者に伝える方法をマスターしましょう。

●自分の体で重心移動を確認

人が体を移動するときは重心移動が必須です。歩行や移乗のときはもちろん、臥位（p.35）や座位（p.34）の移動でも同様です。

介助では介助者自身の重心移動を被介助者に伝えて、被介助者の動きを引き出しながら誘導します。そのためには介助者の動きが正確であることが大切です。まずは自分の重心移動を確認しましょう。

まっすぐ
立つ

気をつけの姿勢になり、足幅は左右の股関節の幅（肩幅より狭く）、両足に均等に体重がかかるようにします。

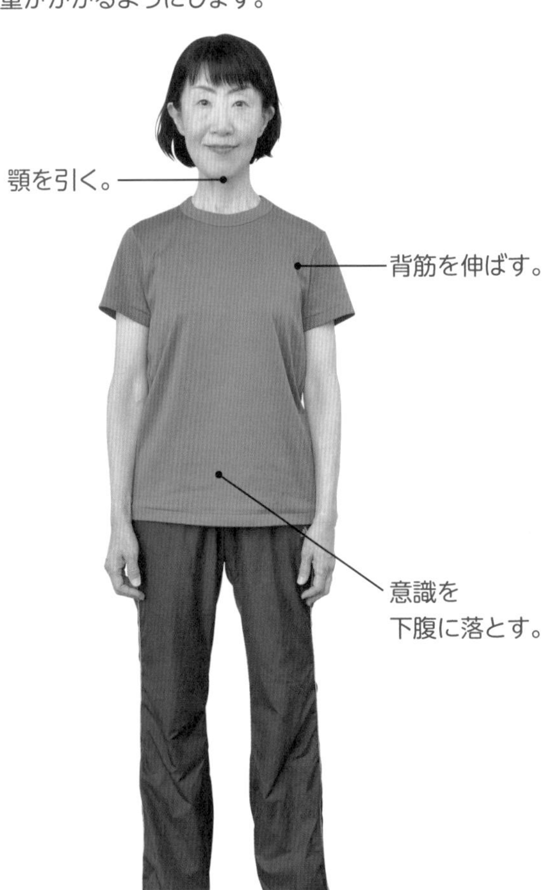
顎を引く。
背筋を伸ばす。
意識を
下腹に落とす。

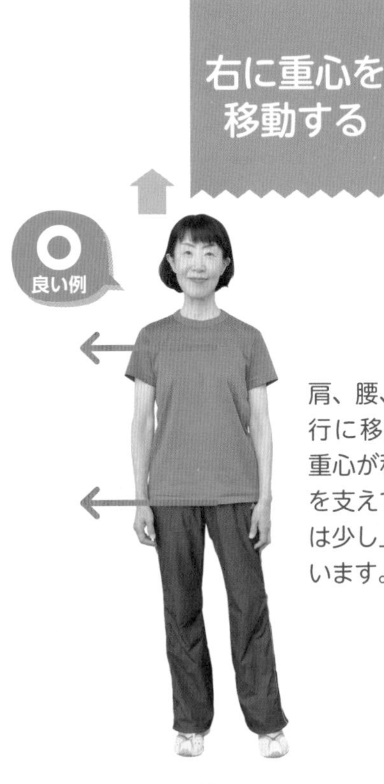
右に重心を
移動する
良い例

肩、腰、骨盤を平行に移動します。重心が移動し、体を支えているほうは少し上に伸びています。

悪い例

上体が傾いているこの状態では体が安定せず、人を支えることはできません。

実践 被介助者に重心移動を体で伝える

自分の重心移動をつかんだら、次は被介助者へ体で伝える感覚を覚えましょう。歩行や移乗の際に被介助者の自然な動きを引き出すことができます。

介助者は被介助者の上腕に手を添えて、真後ろにまっすぐに立ちます。

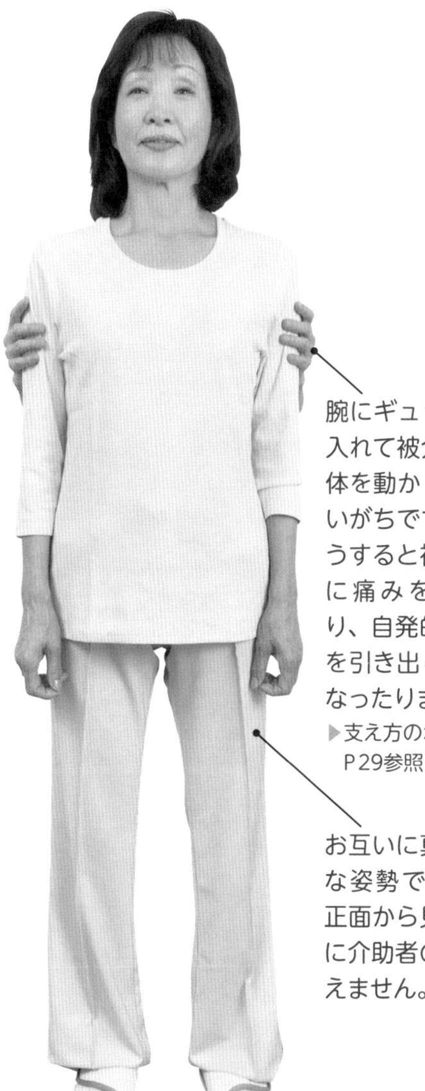

腕にギュッと力を入れて被介助者の体を動かしてしまいがちですが、そうすると被介助者に痛みを与えたり、自発的な動きを引き出しにくくなったりします。

▶支え方のポイント P29参照

お互いに真っ直ぐな姿勢で立つと、正面から見たときに介助者の姿は見えません。

お互いに右に重心を移動する

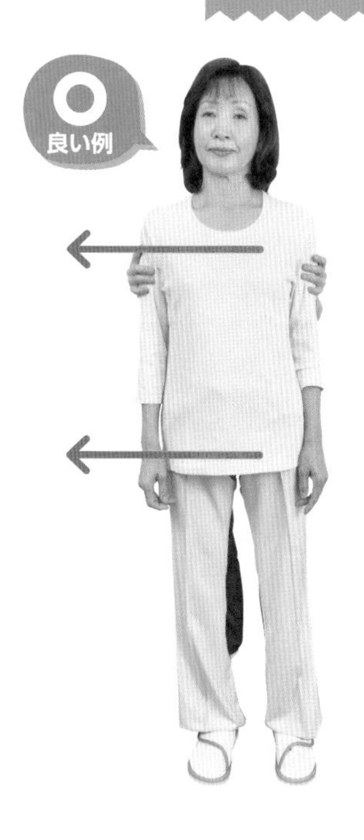

介助者は被介助者に手を添えたまま、移動してほしい方向に自分が重心移動します。被介助者にもその動きが伝わり同じように平行に重心移動ができています。体もぴったり重なっているので介助者は見えません。

介助者が腕だけで被介助者の重心移動を誘導している状態です。被介助者の体は斜めに傾き体が安定していません。後ろの介助者も見えています。

6 人の基本姿勢を知る

日常生活の介助では、姿勢を変えたり、移動したりを繰り返し行います。
正しい人の基本姿勢を知っておくと介助に役立ちます。

●人は姿勢を変えながら生活している

人はいつでもさまざまな姿勢をとって生活しています。姿勢は体位と構えから成り立っています。
人の基本体位は「立位」、「座位」、「臥位」、「ひざ立ち位」、「四つ這い位」などです。

立位

立っている体位のこと。

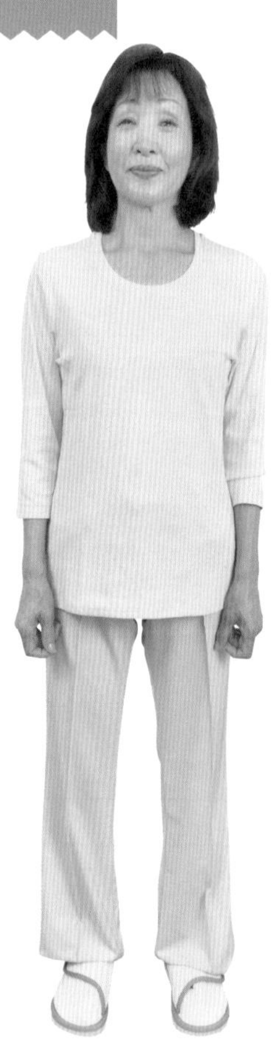

両足を揃えたいわゆる「気をつけ」の姿勢は、体位を維持する足元の面がせまくなるので少し不安定になります。

座位

座っている体位のこと。いすやベッド、座り方によってバリエーションがあります。

椅座位

いすに座っている体位のこと。

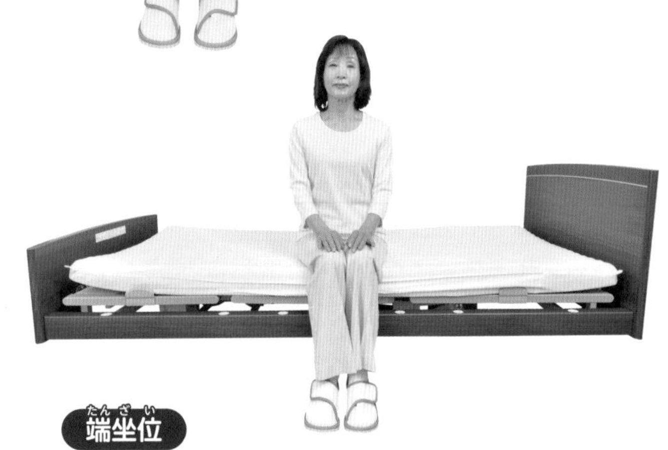

端坐位

ベッドなどの端を利用して座っている体位のこと。

長座位（ちょうざい）

ベッドや布団、畳など床の上で両足を伸ばした状態で座る姿勢のこと。

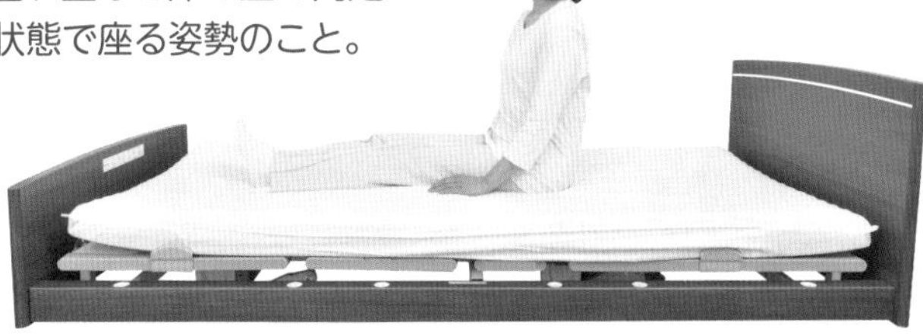

ファーラー位

介護用ベッドの角度を45度ほど上げた状態で座る姿勢のこと。半座位ともいいます。

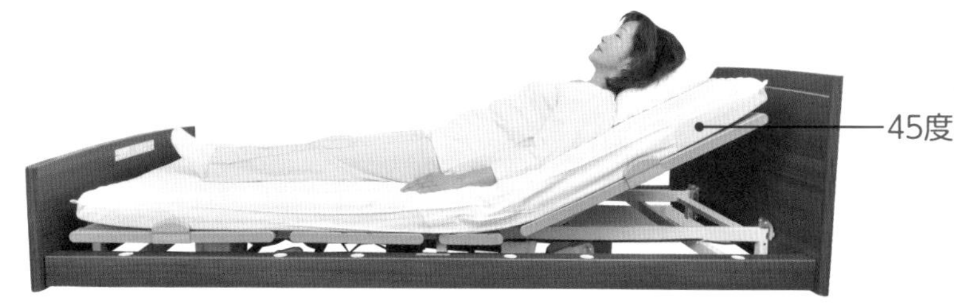

セミファーラー位

介護用のベッドの角度を30度ほど上げた状態で座る姿勢のこと。

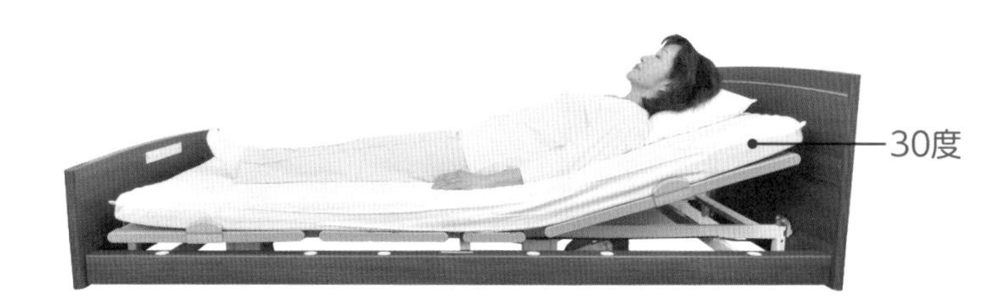

臥位（がい）

寝ている姿勢のこと。体の向きによってバリエーションがあります。

仰臥位（ぎょうがい）

あお向けで寝ている姿勢のこと。体全体が布団につき、安定した姿勢といえます。睡眠時や安静時にとる姿勢で背臥位（はいがい）ともいいます。

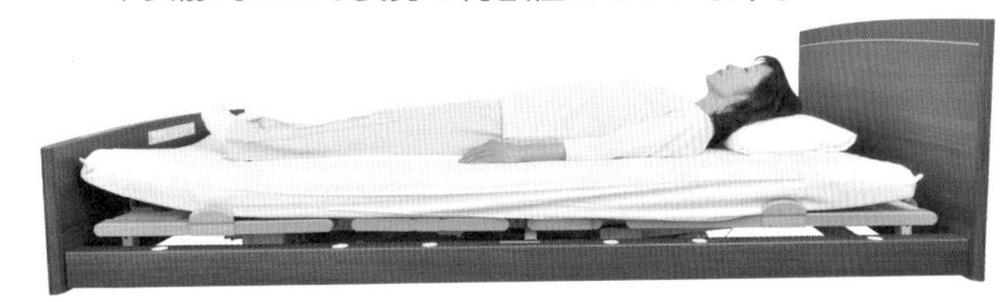

腹臥位（ふくがい）

腹ばい（うつ伏せ）で寝ている姿勢のこと。

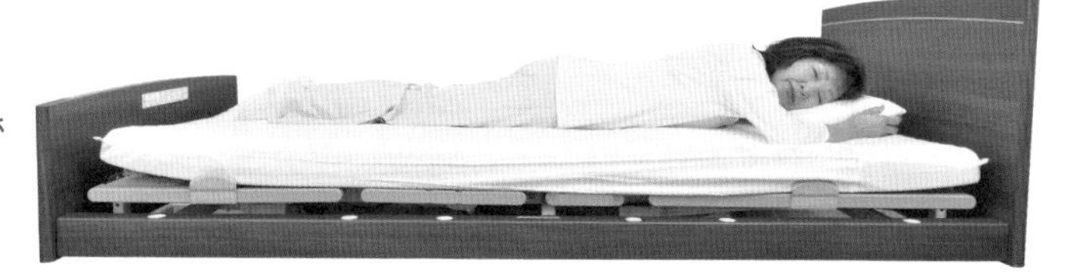

側臥位（そくがい）

横向きになって寝ている姿勢のこと。右半身が下の場合は右側臥位、左半身が下の場合は左側臥位といいます。

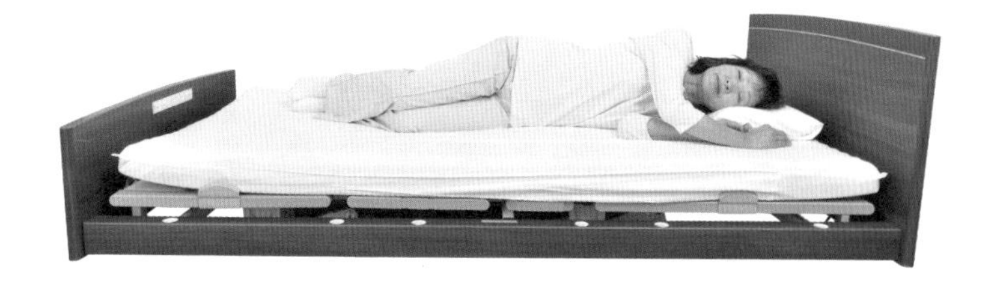

7 介助の練習方法

介助の動きはすぐにできるものでもありません。順番はもちろん、体が介助の動きを覚えるまで何度も繰り返します。介助する側とされる側を体験してみましょう。

●介助される側の体験が大事

被介助者側になったときには、1回ごとに体への触れ方や力の加減、誘導法などが適切だったのかを伝えます。被介助者側になって介助されたように動けるようになると、自身の介助も格段に上達し、指導能力も上がります。

●方向、スピード、タイミングの感覚をつかむ

力を引き出す介助では被介助者の動きについていきながら、介助している手や体から相手の動きの方向やスピードを感じ取るようにします。さらに大切なのはタイミングです。「方向」「スピード」「タイミング」の3つの感覚をつかむことを意識して練習しましょう。

自然に介助のコツが身につく練習例

本書で紹介している実例写真を見ながら、以下の順に練習してみてください。

1 触れ方、持ち方、支え方（p.28）、**介助者の体で動きを伝える**（p.32）

↓

2 歩く
- ●歩行の介助（p.116）

↓

3 立ち上がる・座る
- ●いすからの立ち上がりの介助/両手を支えて（p.82）
- ●いすに座る介助/両手を支えて（p.85）
- ●立ち上がりの介助/脇を支えて（p.88）
- ●いすに座る介助/脇を支えて（p.90）
- ●立ち上がりの介助/体幹を支えて①（p.92）
- ●いすに座る介助/体幹を支えて①（p.94）
- ●立ち上がりの介助／体幹を支えて②（p.96）
- ●いすに座る介助/体幹を支えて②（p.98）

↓

4 移乗
- ●ベッドから車いすへの移乗/脇支え（p.138）
- ●ベッドから車いすへの移乗/体幹を支えて（p.140）
- ●ベッドから車いすへの移乗/おしりをずらして（p.142）

↓

5 寝返り
- ●寝返りの介助/基本（p.44～）
- ●寝返りの介助/患側（マヒ側）へ（p.48）
- ●寝返りの介助/健側（非マヒ側）へ（p.50）

↓

6 ベッドでの移動
- ●おしりを上げる/自力で・介助で（p.58～）
- ●左右への移動の介助（p.60）
- ●上下への移動の介助（p.62）

↓

7 起き上がり
- ●起き上がりの介助/上肢をついて（p.66）
- ●起き上がりの介助/肩と頭を支えて（p.70）

2章

動作の介助

生活するうえで必要になるさまざまな介助法を動作別に紹介します。自力、介助・小、介助・大の手順で解説していますので、被介助者の体の状態を見ながら、取り入れていきましょう。被介助者が自力で行うときも、できるだけ介助者が見守るようにしてください。

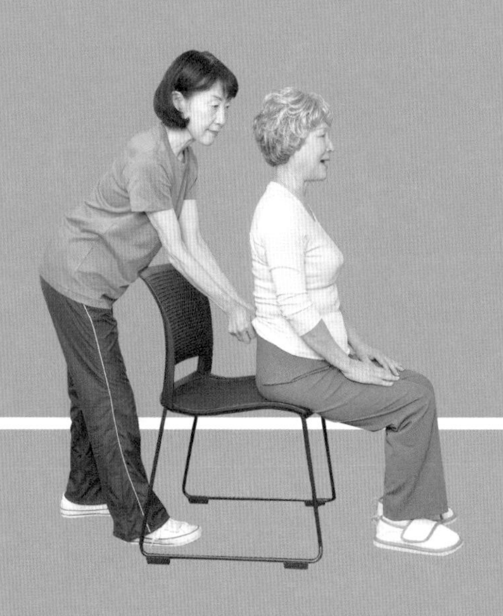

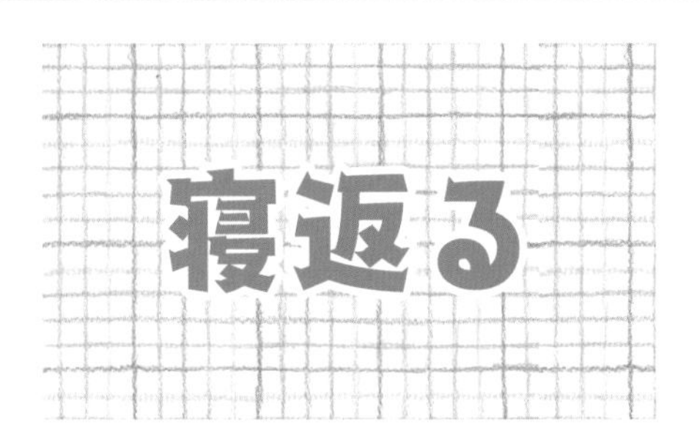

寝返る

● 寝返りの準備

寝返りがしやすく、痛みを起こさない姿勢になってもらいましょう。安心して寝返りをするために、ベッドの広さや位置を確認します。

●準備の姿勢

寝返りの基本は「まっすぐに寝た姿勢からはじめること」です。本人はまっすぐのつもりでも、斜めになっていたり、左右にゆがんでいたりすることがあります。寝返りをする前に、必ず姿勢を確認し、ゆがみがある場合は修正してから行うようにしましょう (p.44)。

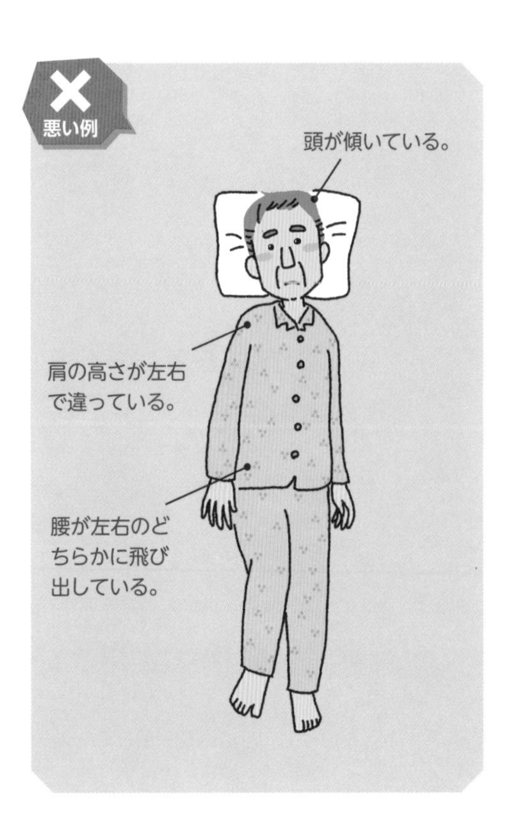

悪い例
頭が傾いている。
肩の高さが左右で違っている。
腰が左右のどちらかに飛び出している。

基本の姿勢

頭、首、胸の真ん中、おへそを結ぶ体の中心がまっすぐになっている。

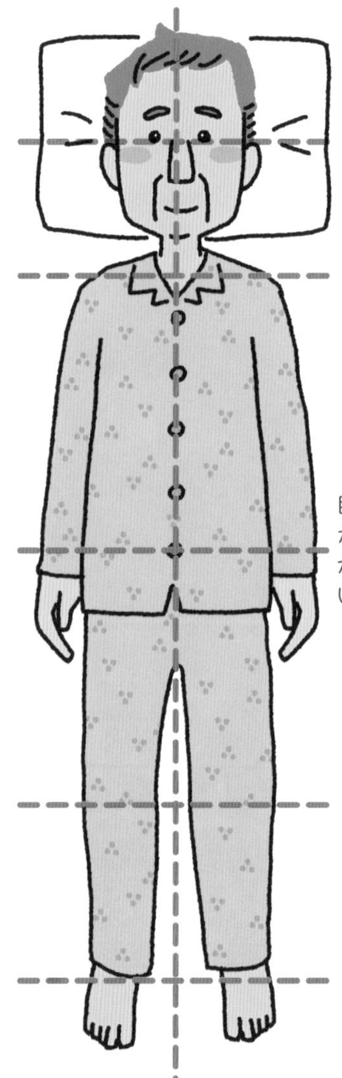

目、肩、骨盤、ひざ、かかとの位置や高さが左右同じになっている。

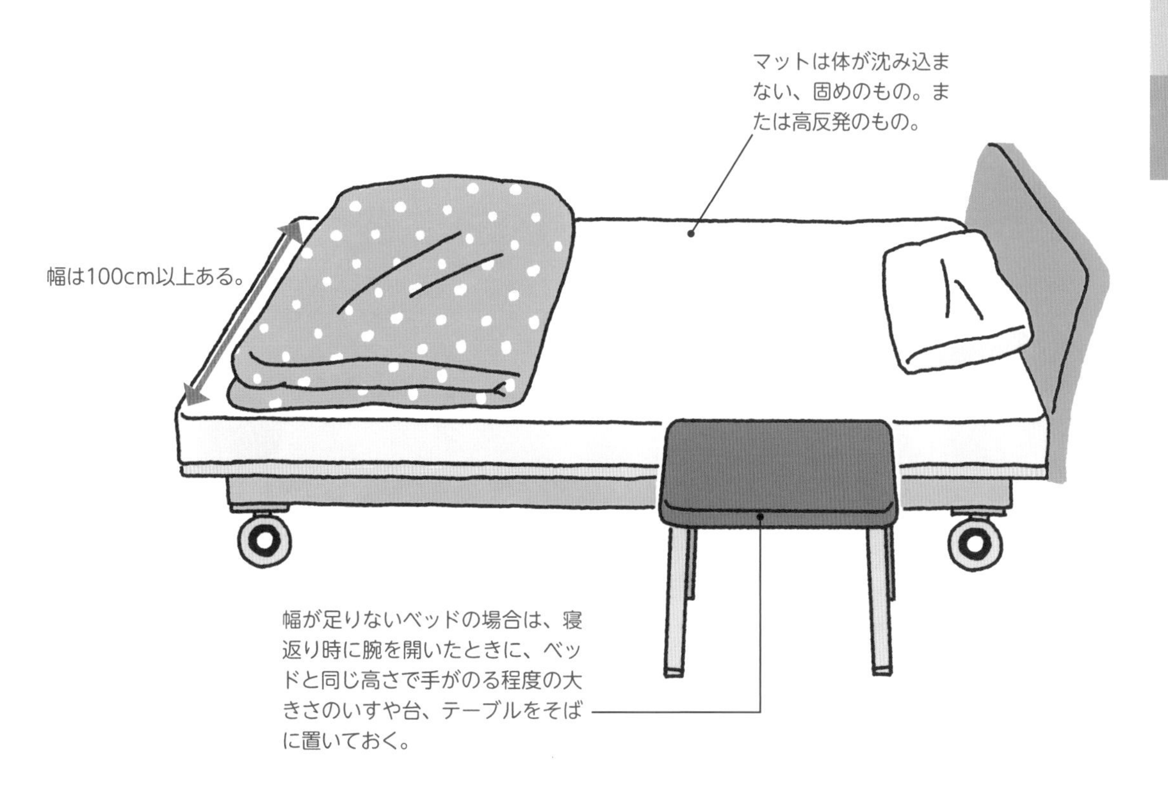
マットは体が沈み込まない、固めのもの。または高反発のもの。
幅は100cm以上ある。
幅が足りないベッドの場合は、寝返り時に腕を開いたときに、ベッドと同じ高さで手がのる程度の大きさのいすや台、テーブルをそばに置いておく。

●寝返りしにくいベッド

通常の介助用ベッド（幅90㎝）では、寝返りの前に体の移動が必要に。
幅が狭いうえに柵があると、寝返りが完全にできない。
体が沈み込みやすい、やわらかいマットや低反発、エアマットは体の動きを妨げる。

介助小 1 マヒによるゆがみを修正

片側にマヒがある人は、マヒ側と非マヒ側で差が出て体がゆがみがちです。
寝返りなどの介助を行う前に、できる範囲でまっすぐな姿勢に修整します。

▶片マヒの人の特徴

頭や肩、体の側面、骨盤などがマヒ側に傾きやすくなっています。また筋肉の緊張や拘縮がある場合もあります。

▶ゆがみを修整する理由

体がゆがんだ状態のままで寝返りや起き上がりをすると、体が変にねじれたり、痛みを引き起こしたりするからです。

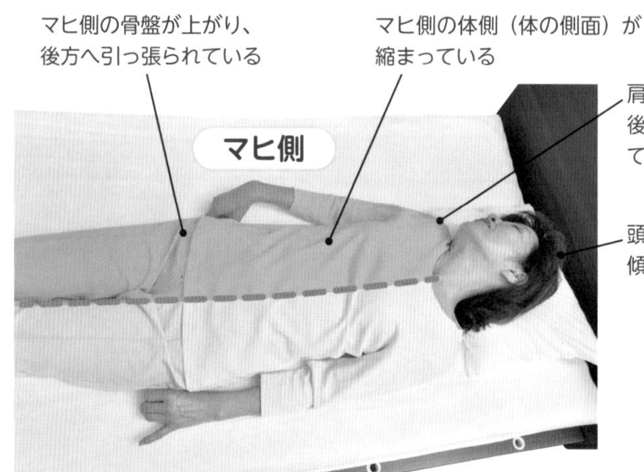

マヒ側の骨盤が上がり、後方へ引っ張られている
マヒ側の体側（体の側面）が縮まっている
肩が上がっている後方へ引っ張られている
頭がマヒ側に傾いている
マヒ側

1 手首とひじを持つ

手首とひじを持ち、腕を外に開きます。

声かけのコツ
「体をまっすぐにします」「肩にさわりますね」などと、これから行うことを伝えます。

Point

- 患側（マヒ側）と健側（非マヒ側）のゆがみをチェックする。
- ゆがみを直すときは痛みを感じない程度に、動作を何度か繰り返して少しずつ修正する。

2 ひじと肩に手を添える

手を持ち替えて、ひじと肩に手を添えます。

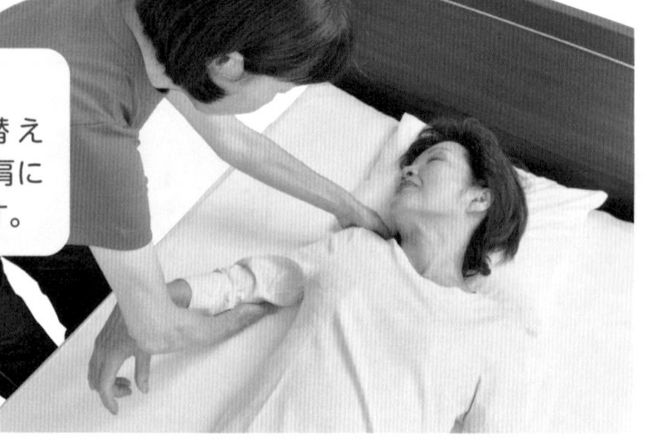

3 左右の肩を調整する

介助者の左手で肩、右手でひじを支えた状態で、被介助者の右上肢を外へ開く→右肩を下げる→右上肢を外へ開く→右肩を下げるを繰り返して、左右の肩を同じ高さに調整します。

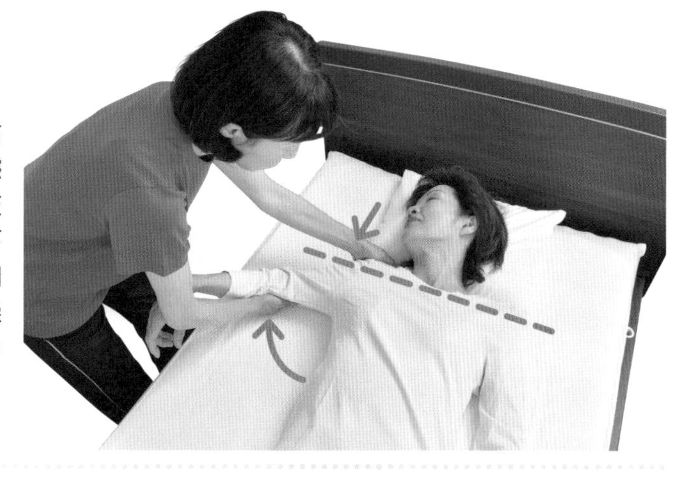

4 首を調整する

片手を肩に添え、もう一方の手を顔の側面にあて、傾いた首を直します。

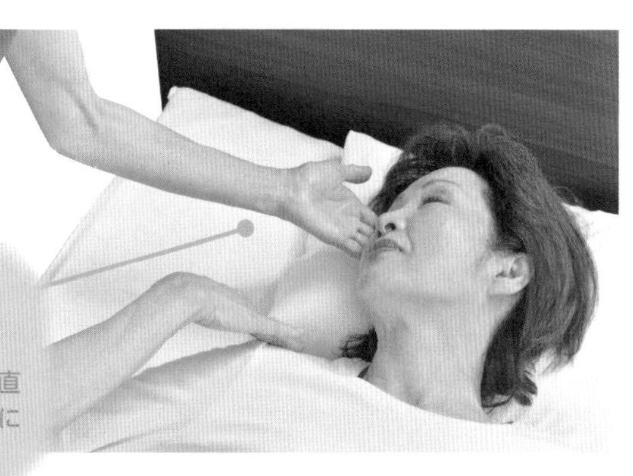

介助のコツ

肩の高さを揃えたり、首の傾きを直したりするのは、無理のないように少しずつ行います。

5 頭の反りを直す

被介助者の頭の後ろに両手をあて、頭の反りを直します。

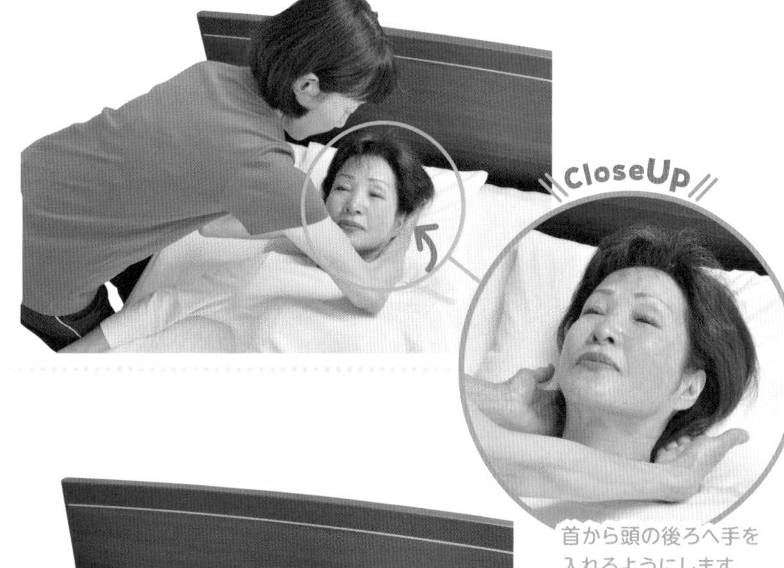

首から頭の後ろへ手を入れるようにします。

6 ゆがみの修正が完了

頭がまっすぐになり、全身の緊張がゆるんだら完了です。

自立 2 自力での寝返り 基本

ゆっくりでも自分で動ける人は、体のねじれを元に戻す力を利用して、自力で寝返りをしてもらいます。

Point

- 寝返りは体のねじれ（体軸内回旋）を利用する。
- 両ひざを曲げることで、ベッドとの接地面積が少なくなり、重心が高くなって寝返りがしやすくなる。
- 90°側臥位まで寝返る。

左へ寝返る場合

1 左腕を開く

左腕を60～90度に開いてもらいます。

60～90度

2 両ひざを曲げる

両ひざを曲げて、足裏がしっかりベッドにつくようにします。あごは引いておきます。

Check!

両ひざを立てることで接地面積が小さくなり重心も高くなっています。

3 右手を重ねる

右手を左手の上に重ねるようにします。先に両ひざを左に倒してから上半身を回旋させてもいいでしょう。

Check!

足下半身と上半身がねじれています。

4 右手のひじを伸ばすように動かす

右手のひじを伸ばすようにして動かすと自然に体が寝返ります。

自立 3 自力での寝返り
右手にマヒがある場合

片マヒがあっても、コツを押さえれば寝返りが自力でできます。

1 右足を引っかけ、左手で右手首をつかむ

右足は左足の上に引っかけるようにします。
左手でマヒの右手の手首を持ちます。

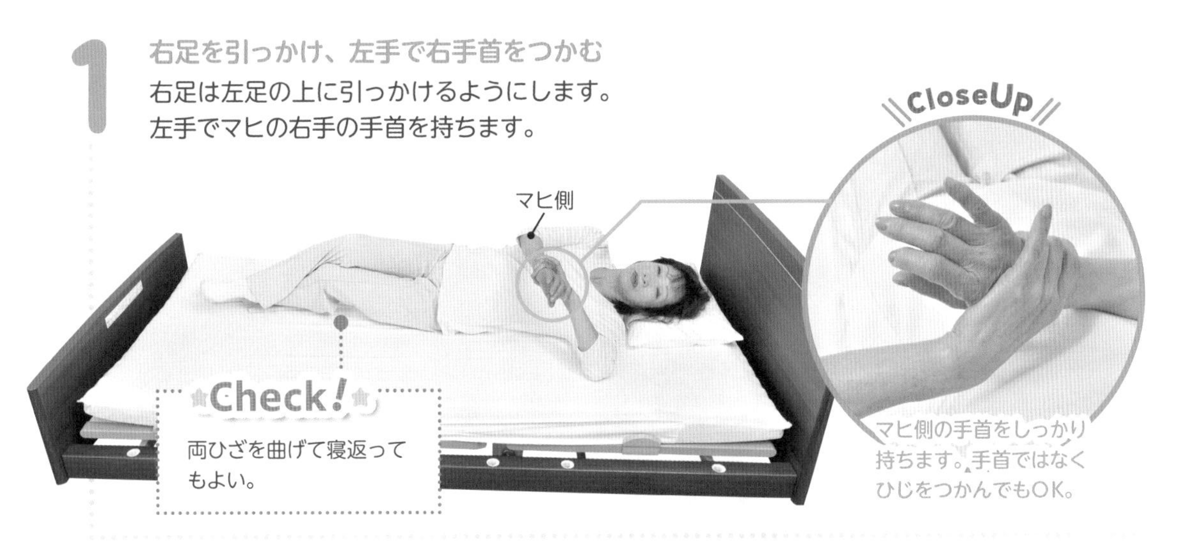

Check!
両ひざを曲げて寝返ってもよい。

マヒ側の手首をしっかり持ちます。手首ではなくひじをつかんでもOK。

2 右手を左側に引く

つかんだ右手を左側に引きます。肩が動き、それに腰もついてきて寝返ることができます。

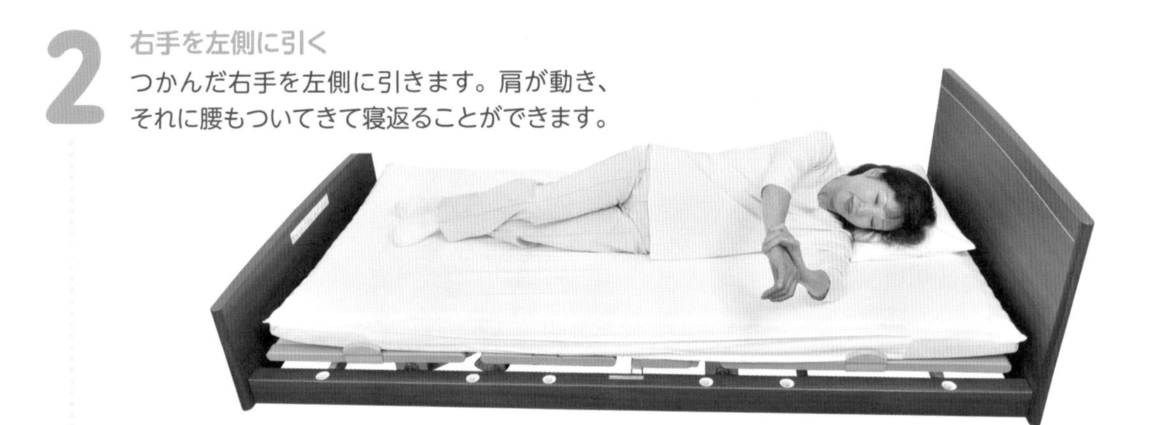

はなまるサポート
ベッドの幅が狭いときの工夫

ベッドの幅が狭いと寝返り時に転落の危険があります。その場合は、いすや台を使うことで安心して寝返りできる環境を作ることができます。ベッドと同じ高さの机や台を置くのがポイントです。

介助小 4 寝返りの介助 基本

ある程度、動ける人にはできるだけ手を出さないことが大切です。動けるところは自分で動いてもらうように介助しましょう。

右へ寝返る場合

1 声かけしてベッドを調節

まずは、目線を合わせて声をかけます。介助者が介助しやすい高さにベッドを調節します。

声かけのコツ

「こちらに寝返りをしましょう」などと、まずは目的を伝えます。
「ベッドを上げますね」などと、リモコンを見せながら伝えます。

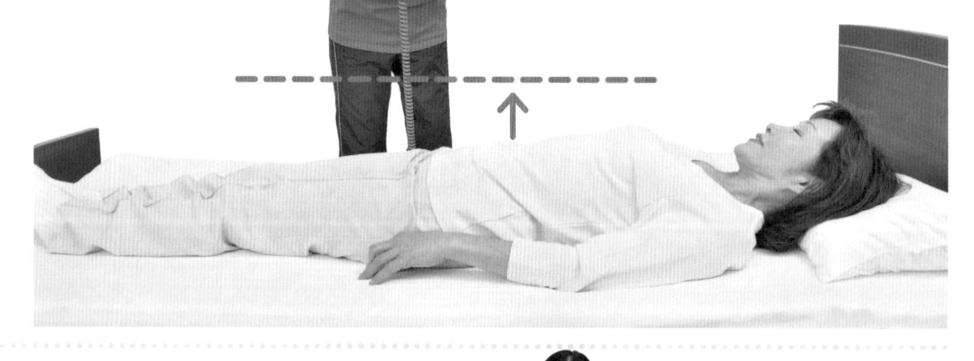

2 右手を開き、両ひざを曲げてもらう

右手を60～90度に開いてもらいます。次に両ひざを曲げて、足裏がしっかりベッドについているか確認します。

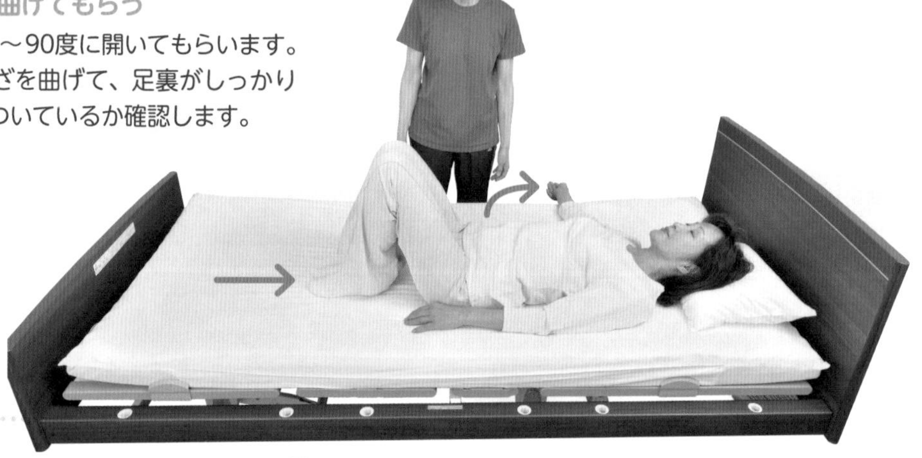

Point

- ベッドと介助者の体の接地面積をなるべく小さくする。
- 体のねじれを利用して、できるだけ自力で寝返ってもらえるように最低限の介助をする。
- 立ち位置や目線など、被介助者に圧迫感を与えないように注意する。
- 仰臥位から側臥位(p.35)、側臥位から仰臥位、どちらの場合でも、介助者は絶えず被介助者の表情を見続ける。何かあればすぐに対応できるように、介助者は自分の体の位置、向き、両手の位置などに注意しながら介助をする。

3 左ひざ側面に手をあてる

左手をおなかの上に置いてもらいます。介助者は被介助者の脇と股関節の間に立ちます。被介助者の左ひざの側面の平坦なところに指をあてます。

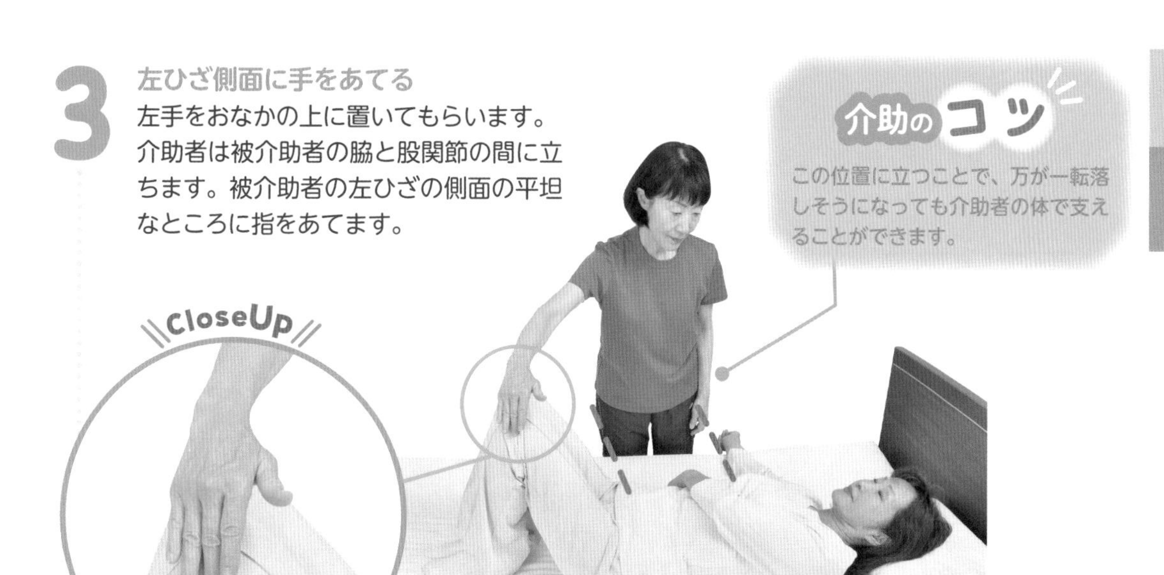

CloseUp
介助のコツ
この位置に立つことで、万が一転落しそうになっても介助者の体で支えることができます。

垂直にし指先をそらせて、中指の第1関節のあたりをひざの横にあてます。

4 ひざを手前に寄せる

介助者は、被介助者のひざを手前に引き寄せるようにします。

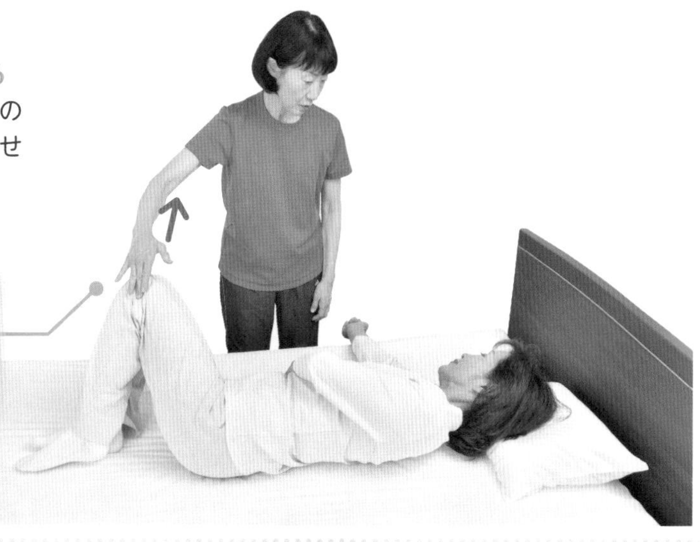

5 自発的な動きを見守る

被介助者のひざと上半身に自発的な動きが出はじめたら、介助者はそれ以上ひざを押しつけるような介助をしないようにしましょう。90度の側臥位まで寝返ってもらいます。

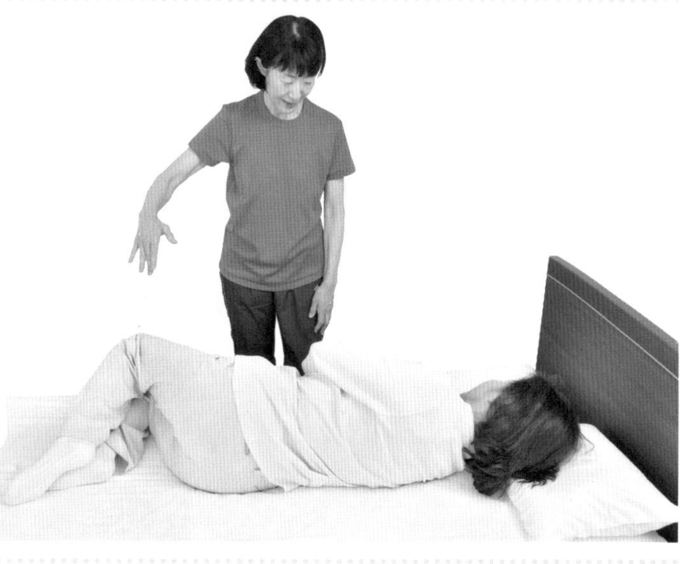

介助小 5 仰臥位に戻る①

側臥位(そくがい)から仰臥位(ぎょうがい)に戻るときも、可能な限り被介助者の動きを引き出しながら介助しましょう。

Point

- 動作に入る前には声かけをする。
- 介助者が動かすのではなく、被介助者の動きを引き出しながら行って。
- まっすぐで自然な状態に戻すようにする。

1 ひざに手をあてる

下になっている足のひざの外側（下側）に手をあてます。

声かけのコツ

「あお向けに戻っていただけますか？」などと、声をかけましょう。

2 ひざにあてた手を上に持ち上げる

被介助者のひざが戻るように、ひざにあてた手を軽く上に持ち上げます。

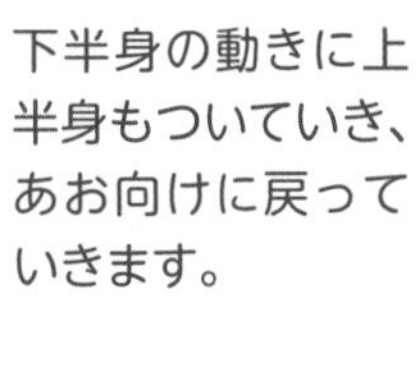

3 あお向けに戻る

下半身の動きに上半身もついていき、あお向けに戻っていきます。

4 両ひざを伸ばしてもらう

両ひざを伸ばしてもらい、おなかにのっている手を戻したら完了です。

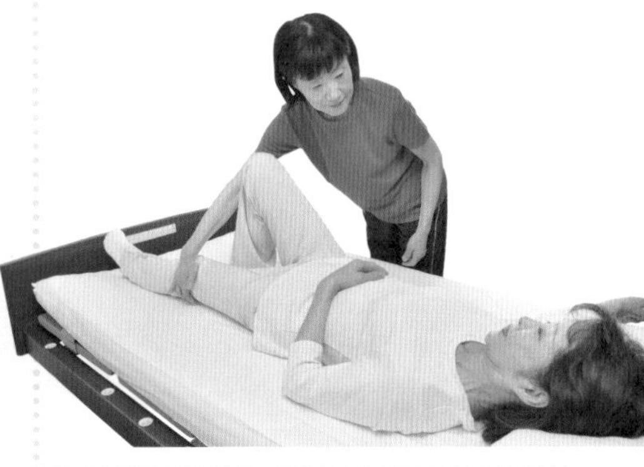

介助小 6 仰臥位に戻る②

ひざが自分で支えられない被介助者の場合の介助方法です。

1 両ひざの裏を支える

介助者は、中指を被介助者のひざの裏にあて、両ひざを支える。

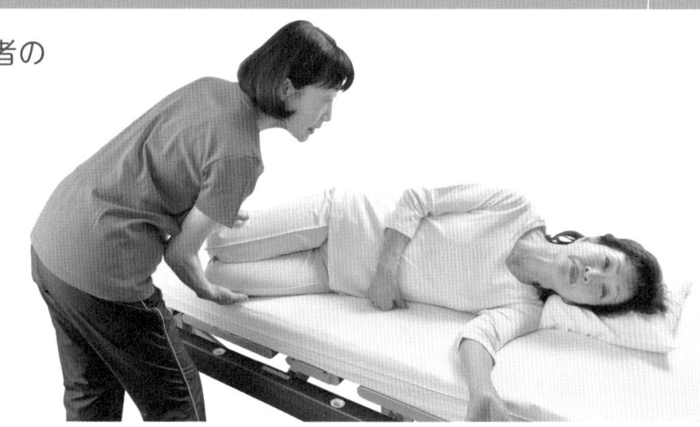

2 両ひざを立てる

両ひざを支えながら脚をもどしていきます。ひざの動きにあわせて被介助者の上半身が上を向いてきます。

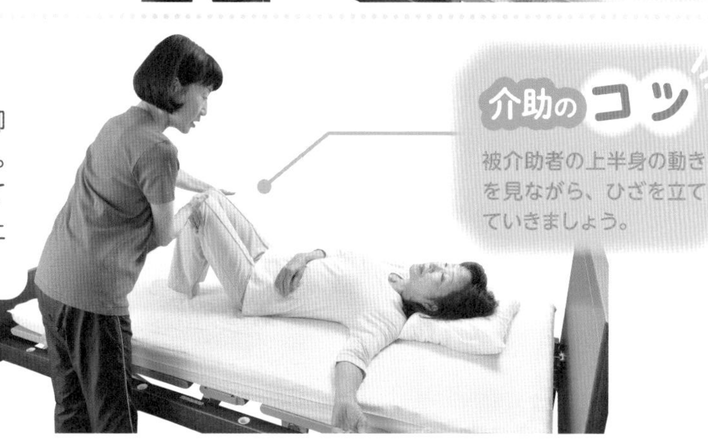

介助のコツ

被介助者の上半身の動きを見ながら、ひざを立てていきましょう。

3 両方のひざを伸ばす

健側は自分で、患側もできるだけ動かしてもらうようにして伸ばしていきます。

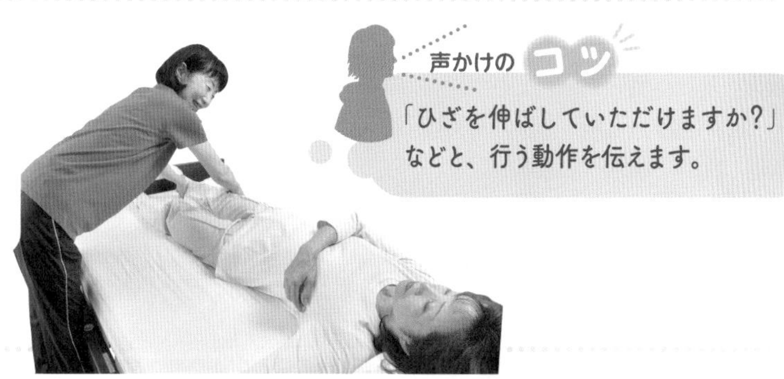

声かけのコツ

「ひざを伸ばしていただけますか？」などと、行う動作を伝えます。

4 おなかの腕を戻す

おなかにのせていた腕を脇に戻します。ひじと手首、手を支えて、痛みが出ないように戻します。

CloseUp

ひじと手首を支え、ゆっくりまっすぐになるよう誘導します。

介助のコツ

被介助者の腕や手を強くつかんだり、握ったりはしないようにしましょう。

介助小 7 寝返りの介助 患側（マヒ側）へ

被介助者のゆがみを直し、姿勢を整えたら、できるだけ被介助者自身の動きを引き出すように介助して、寝返ってもらいます。

1 腕を開き、ひざを曲げる

寝返る側（マヒ側）に立ちます。マヒ側の腕を脇から60～90度開き、健側（非マヒ側）のひざを曲げてもらいます。

声かけのコツ

「こちら側に寝返りをしましょう」
「ひざを曲げていただけますか？」
などと、どのような動作をするのか伝えます。

CloseUp

マヒ側手首とひじを支えて脇から60～90度離します。

! 肩や腕の緊張や拘縮（こうしゅく）が強い、痛みがある

腕を脇から離すのはできるところまででOKです。

2 マヒ側のひざを立てる

マヒ側のひざ裏と足裏に手を添えて、ひざを立ててもらうように誘導します。

- 片側にマヒがある場合は、体のゆがみを修整（p.44～45）してから行う。
- 患側（マヒ側）の肩や腕が体の下側になると痛みを感じることがあるので、被介助者の表情や反応を注意深く観察しながら行う。

介助のコツ

あくまで本人の動きを誘導するのがポイントです。足裏を無理に押さないようにしましょう。

CloseUp

ひざ裏に中指をあてると筋肉の動きがわかりやすく、介助の加減ができます。

介助のコツ

ひざ裏に手をあてたとき、緊張や弛緩など筋肉の細かい変化を見逃さないようにしましょう。

3 健側のひざを手前に引く

健側のひざの外側に右手をあて、声かけをしてから軽く手前に引きます。

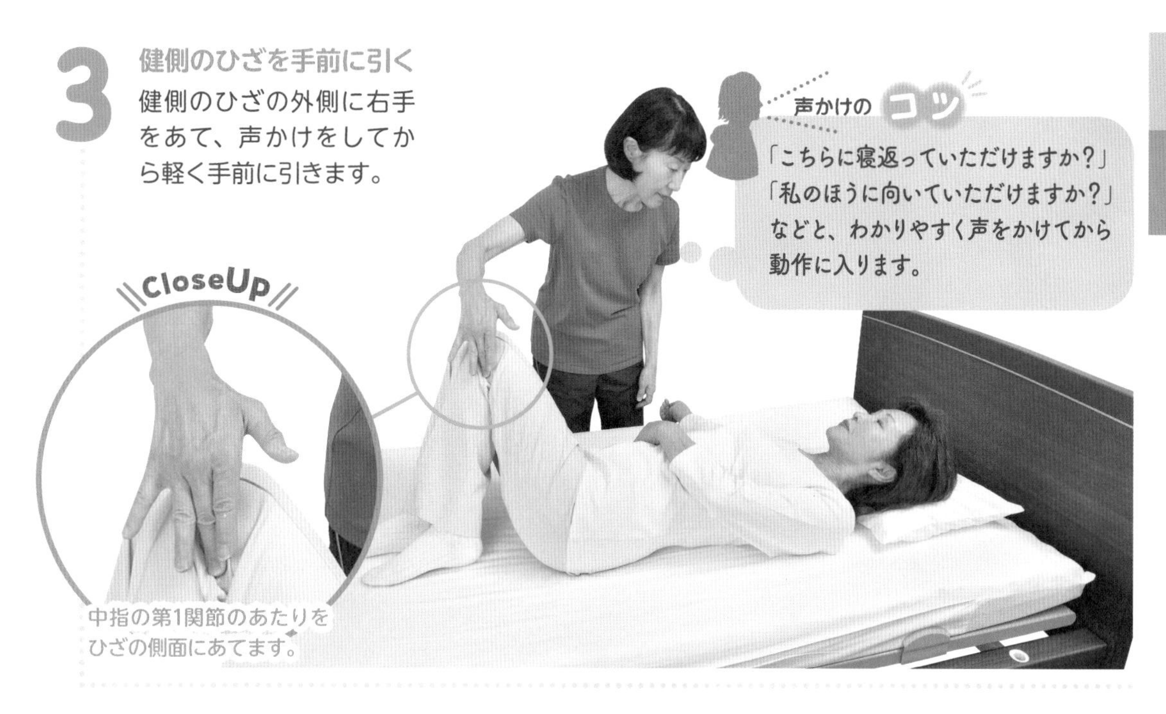

声かけのコツ
「こちらに寝返っていただけますか？」
「私のほうに向いていただけますか？」
などと、わかりやすく声をかけてから動作に入ります。
CloseUp

中指の第1関節のあたりをひざの側面にあてます。

4 自発的な動きが出たら手を離す

ひざを手前に引くと、被介助者の自発的な動きが出ます。ひざを床に押しつけるような介助は、非介助者の自発的な動きの邪魔になるので、避けましょう。

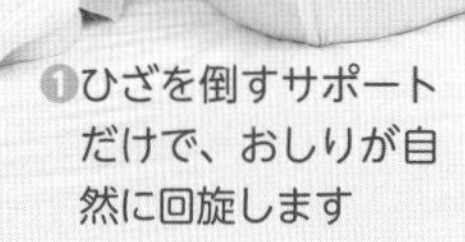

❶ひざを倒すサポートだけで、おしりが自然に回旋します

❷下半身が回旋すると、上半身も自然に回旋しはじめます

Point

- マヒ側へうまく動きが伝わらないときの原因は、ひざを誘導している介助者の手の支えが不十分であることが考えられる。
- 患側（マヒ側）の肩や上肢の痛みが出る時は、無理をせずに仰臥位に戻り、何度か寝返りの動きをくり返します。

! 途中で止まってしまう

途中で動きが止まってしまった場合のみ、肩かひじでの誘導を加えます。決して最初から両方で介助しないようにしましょう。

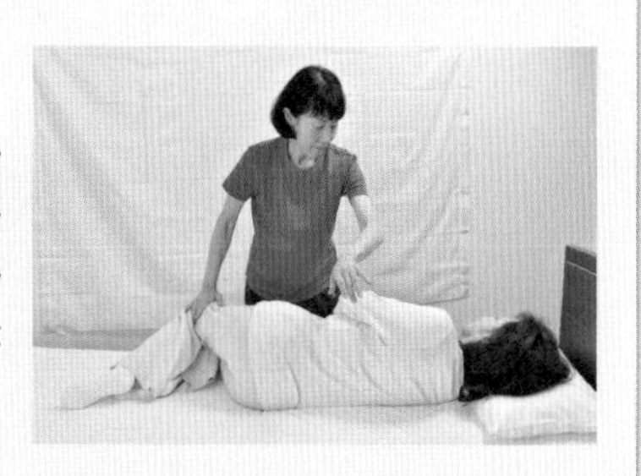

8 寝返りの介助
健側（非マヒ側）へ

健側への寝返りは、マヒ側が体の動きについていけない場合もあります。
介助はそこがポイントになります。

右片マヒ等、左の機能のほうがいい場合

※右片マヒの場合は左右を逆にして行う。

1 健側の腕を開く

被介助者の寝返る側（健側）に立ちます。健側の腕を脇から60～90度開いてもらいます。

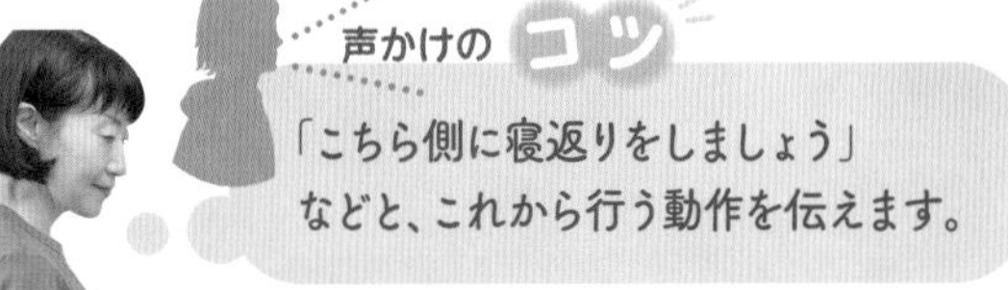

声かけのコツ

「こちら側に寝返りをしましょう」
などと、これから行う動作を伝えます。

60～90度

2 マヒ側の腕をおなかの上へ

マヒ側の腕を被介助者のおなかの上へのせます。

声かけのコツ

「手をおなかの上にのせていただけますか？」
などと伝え、動作をうながします。

寝返りの途中で腕が落ちないように、ひじまで体にのせます。

3 マヒ側のひざを立てる

声かけをして、マヒ側のひざ裏と足裏に手を添えて、ひざを立ててもらいます。緊張や拘縮（こうしゅく）、痛みがあるときはできるところまでで。

介助のコツ

ひざ裏にあてた手で、緊張や弛緩など筋肉の細かい変化を逃さないようにします。

CloseUp

中指でひざ裏を支えます。

CloseUp

もう一方の手は足裏に添えます。

声かけのコツ

「足を曲げていただいていいですか？」
などと、動作をうながします。

4 健側のひざを立ててもらう

介助者は左手で、被介助者の患側（マヒ側）のひざ裏を支えます。健側のひざも立ててもらいます。

Point

- 体にゆがみがある場合は修整（p.44～45）してから行う。

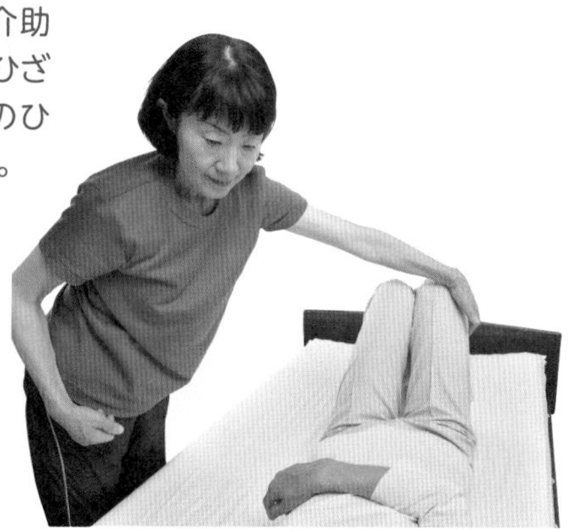

！ マヒ側の足が倒れてしまう

マヒのある足は、支えがないと外側に倒れたり、曲げても保持できずに伸びたりしてしまいます。ひざ裏を支え続けながら、動作を行います。

5 マヒ側のひざを手前に引く

マヒ側のひざの裏面から支えながら、手前に引いて寝返りを介助します。

声かけのコツ

「こちらに寝返っていただけますか?」などと、動きを伝える

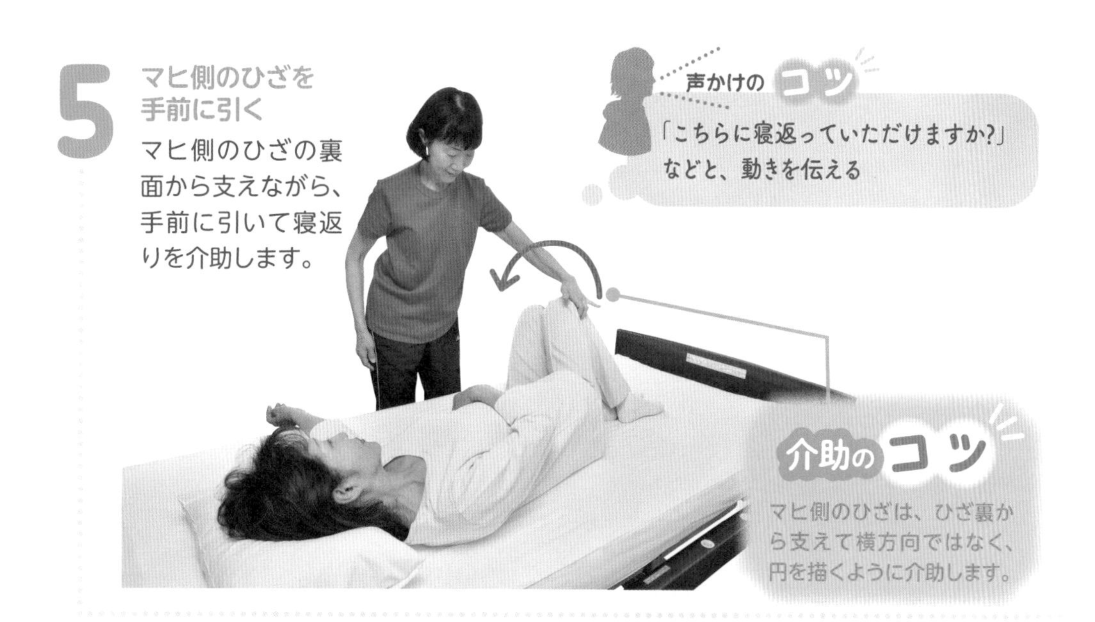

介助のコツ

マヒ側のひざは、ひざ裏から支えて横方向ではなく、円を描くように介助します。

6 マヒ側の動きが出るかを確認する

マヒ側の肩、体幹、骨盤の動きが出るか確認しながら介助します。側臥位（90度）まで寝返ったら完了です。

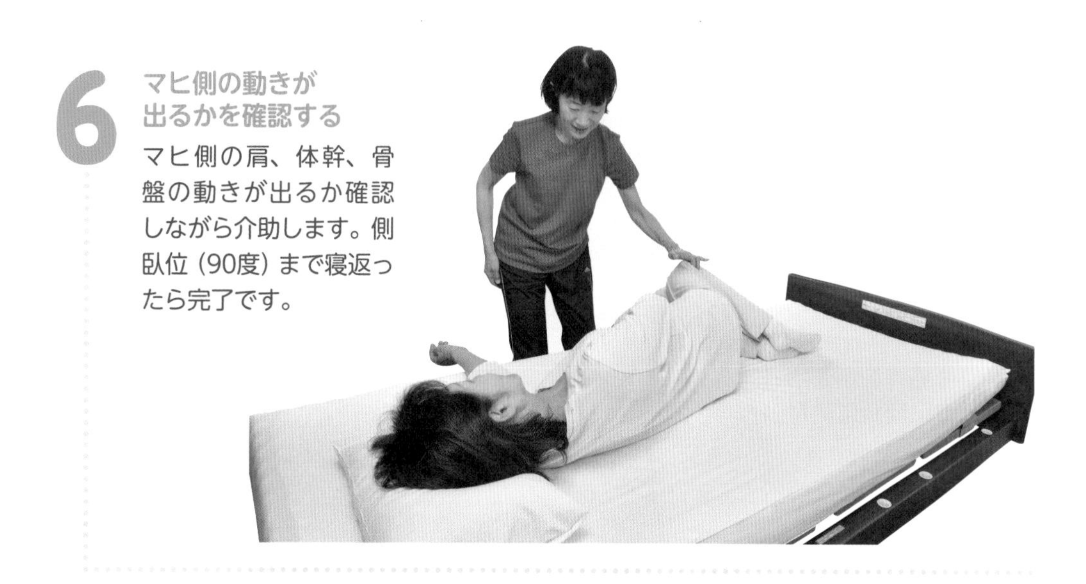

介助 大

9 寝返りの介助
反応がない人

反応のない人こそ、床ずれや拘縮予防のために適切な寝返りが必要です。
動きや反応がなくても声かけをしながら行いましょう。

1 声かけしてから体に触れる

介助者は寝返る側に立って、ゆがみがあれば修正（p.44～45）します。声をかけてから体に触れます。

声かけのコツ
「こちらに寝返りをしましょう」などと、声をかけます。

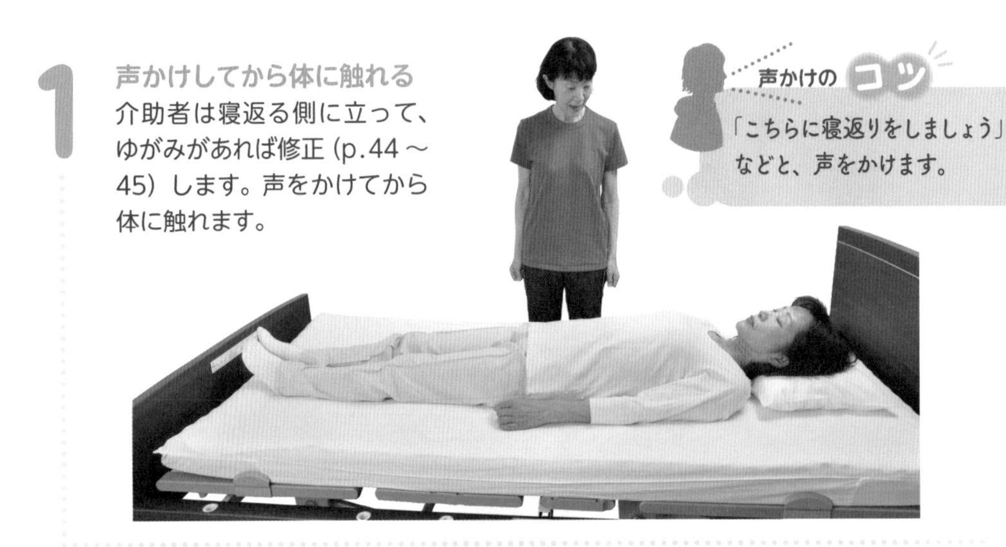

2 腕を脇から離す

寝返るほうの腕を脇から60～90度開きます。

声かけのコツ
「手首に触れますね」などと、そのつどこれから行う動作を伝えます。

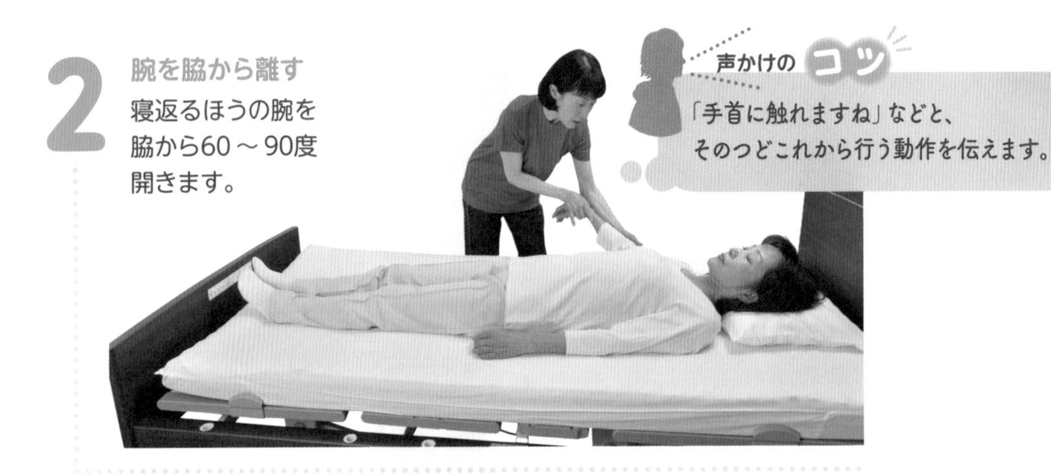

3 反対側の腕はおなかの上へ

反対側の腕はおなかにのせます。

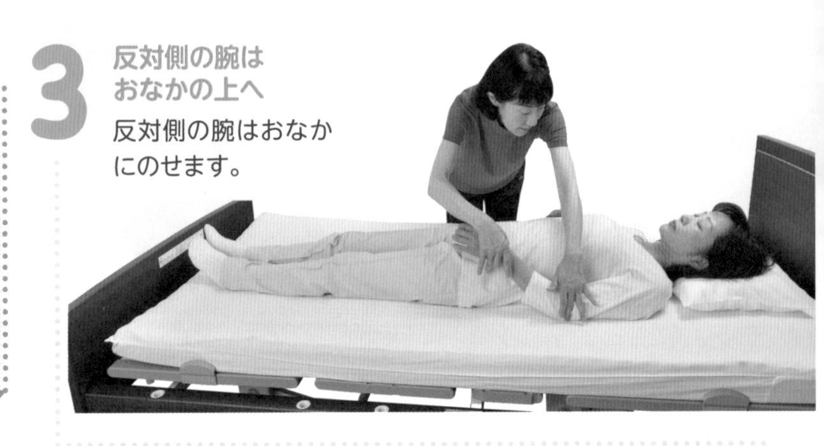

Point

- 被介助者は、痛みや不快感を伝えられません。表情や筋肉の緊張などの細かい変化に注意します。
- 被介助者に痛みや緊張が出ないように誘導します。

4 両ひざを立てる

片足ずつひざを立てます。

Check!

被介助者の顔を見て、痛みや不快感がないか常に確認します。

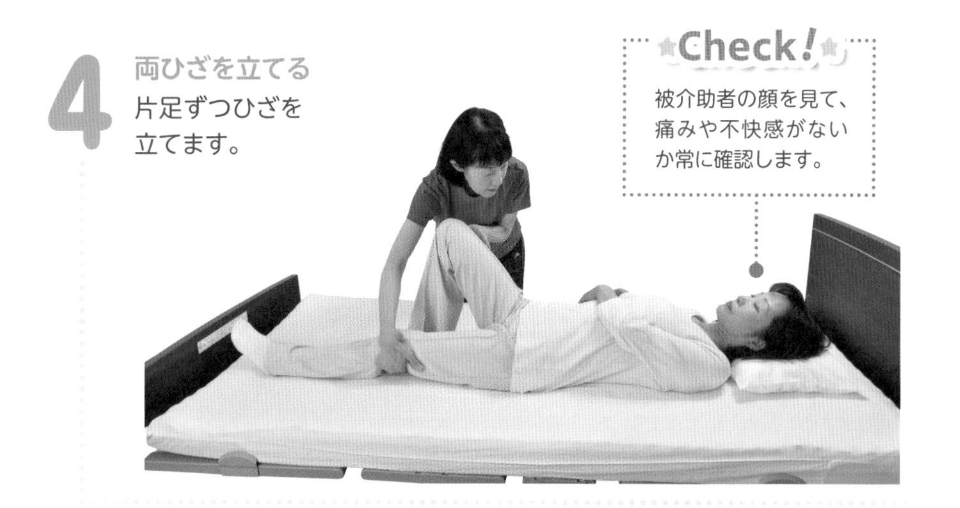

5 ひざを手前に引く

介助者はひざの側面に手を添えて、ひざを手前に引きます。

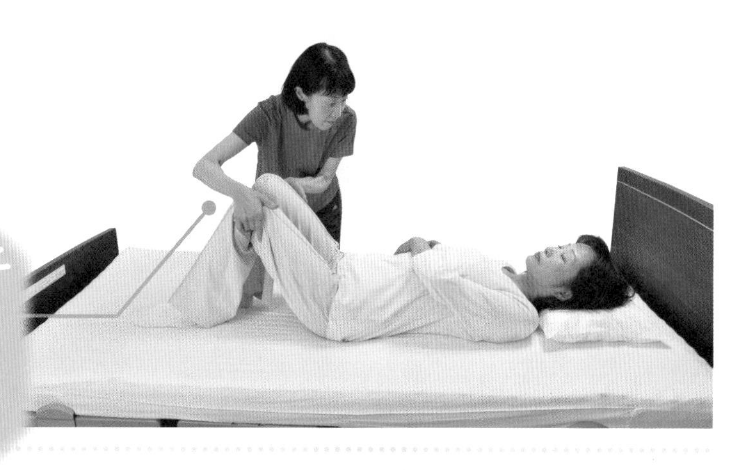

介助のコツ

ひざ裏に手をあてたとき、緊張や弛緩など筋肉の細かい変化を見逃さないようにしましょう。

6 姿勢が安定したら完了

上半身がついてこない場合は、ひじや肩を手前に引いて誘導します。姿勢が安定したら完了です。

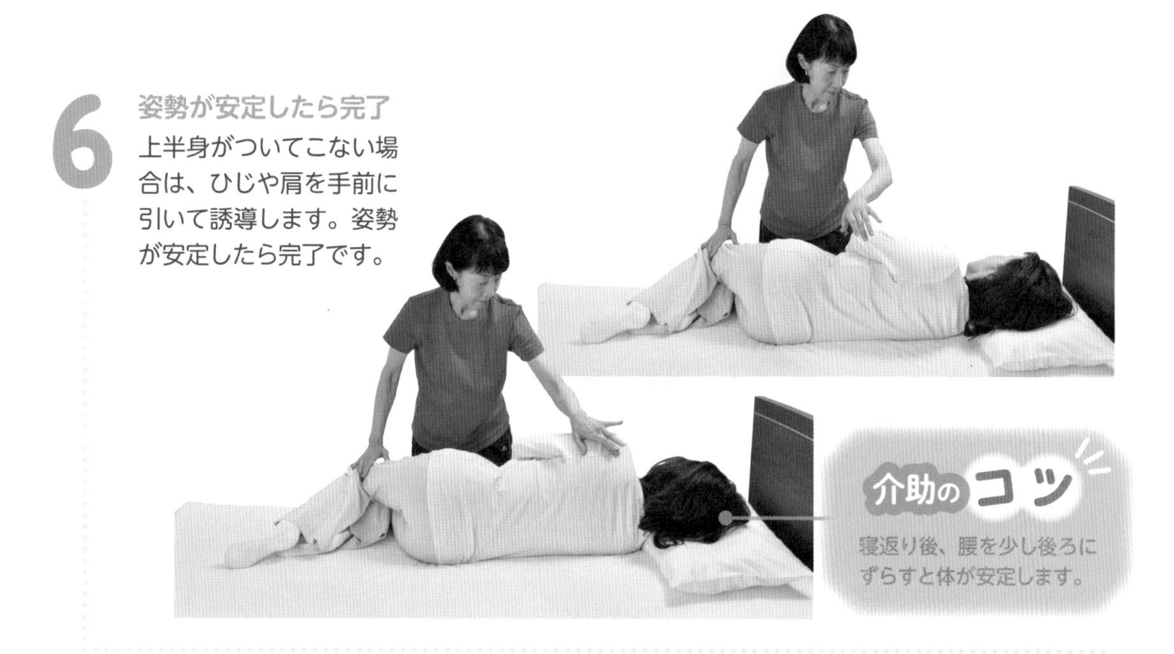

介助のコツ

寝返り後、腰を少し後ろにずらすと体が安定します。

介助 大

10 仰臥位に戻す 反応がない人

反応のない人の寝返りを覚えたら、あお向けの状態に戻す方法も知っておきましょう。

Point

- 被介助者は痛みや不快感を伝えられないので、介助者は全身を使ってゆっくりていねいに誘導する。
- 被介助者の小さな変化を見逃さないように注意する。

1 両ひざ裏に手をあてる

声をかけてから体に触れます。まずは両ひざ裏に手をあてます。

声かけのコツ

「あお向けに戻りましょう」「ひざ裏に触れますね」などと、そのつどこれから行う動作を伝えます。

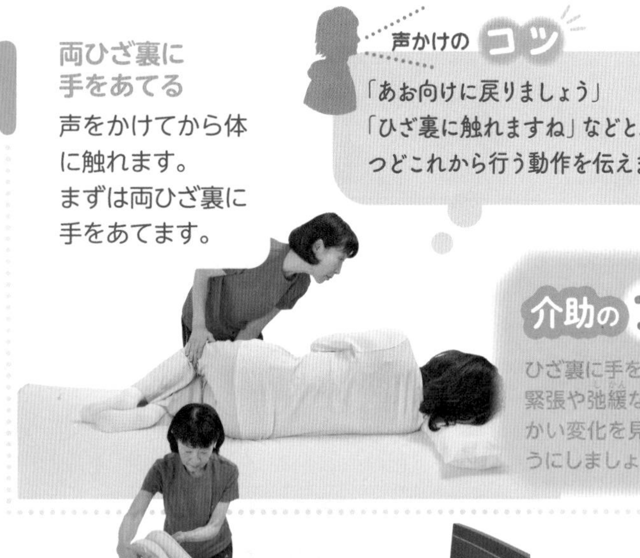

介助のコツ

ひざ裏に手をあてたとき、緊張や弛緩など筋肉の細かい変化を見逃さないようにしましょう。

2 両ひざを起こす

両ひざを支えながら起こしていきます。ひざの動きについてくるように被介助者の上半身が上を向いてきます。

3 左腕をひざ裏に差し入れる

左腕を被介助者のひざ裏に差し入れます。

介助のコツ

ひざがバタンと伸びてしまわないように、腕に両足をかけているイメージです。

4 両足を伸ばす

左手でひざの裏を、右手で下腿の下部か足底を支えながら片足ずつ伸ばします。

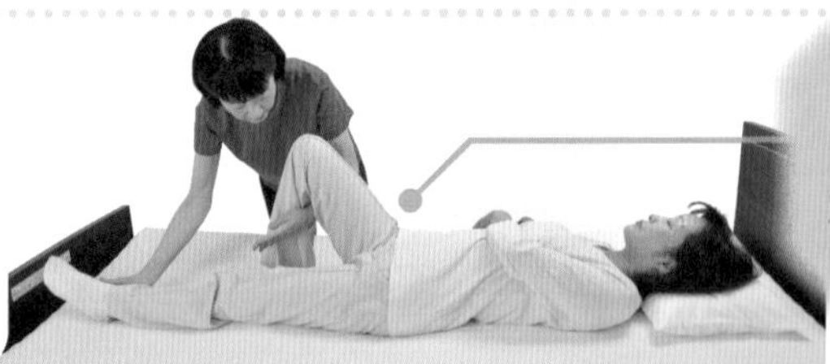

介助のコツ

足を伸ばすのは片足ずつ、ゆっくり行いましょう。

5 おなかの腕を戻す

被介助者の体がまっすぐになったら、おなかにのせていた腕を脇側に下ろして完了です。

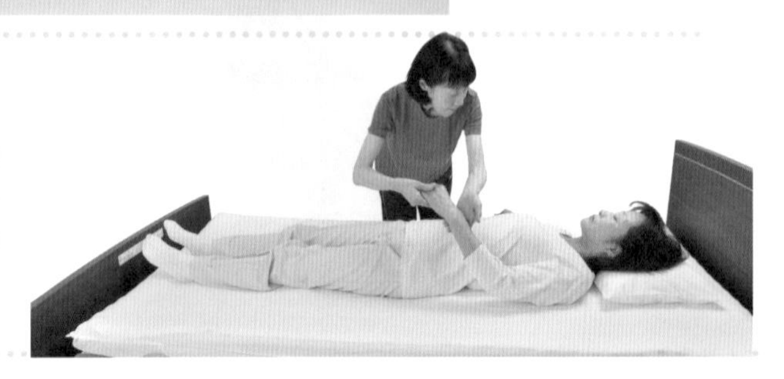

介助 小

11 寝返りの介助
股関節・膝関節に拘縮（こうしゅく）のある人（片側）

2章 動作の介助／寝返る

股関節 ひざ関節に拘縮があって、下肢を曲げることが難しい人でも、少しの介助で寝返ることができます

Point

- 体の軸をまっすぐに保つことに注意をはらいながら、寝返りを誘導する。
- 被介助者の表情を確認しながら行い、無理な動きや痛みが出ないようにする。

声かけのコツ

「こちらに寝返りをしましょう」「こちらの足のひざを立てていただけますか？」などと、声をかけましょう。

1 拘縮した足のひざの側面に手をあてる

介助者は寝返る側に立って、ゆがみがあれば修正（p.44 ～ 45）します。健側のひざを立ててもらい、腕は脇から60 ～ 90度開いてもらいます。反対側の手はおなかにのせてもらいます。拘縮した足のひざの裏に手をあてます。

中指をひざ裏にあて、人さし指、くすり指を添えます。

2 ひざを持ち上げながら手前に引く

患側のひざを曲げるように持ち上げながら手前に引きます。被介助者の動きを引き出しましょう。安定したら完了です。

声かけのコツ

「こちら側に寝返っていただけますか？」「ひざを支えますね」などと、声をかけます。

介助のコツ

下肢に拘縮があると、上半身は寝返りができても腰がついていかず、不安定な姿勢になることがあります。体の軸がまっすぐであることを確認しながら、介助しましょう。

介助小 12 寝返りの介助 両下肢に拘縮（こうしゅく）のある人

拘縮は床ずれや寝たきりに直結します。介助によってできる限り自分で動いてもらうようにしましょう。

Point

- 拘縮がある場合は、体の軸をまっすぐに保つことを意識して寝返りを行う。
- 被介助者の表情を確認しながら、無理な動きや痛みが出ないようにする。

声かけのコツ

「こちら側に寝返りをしましょう」「腕を開いていただけますか？」「手をおなかの上にのせていただけますか？」などと、声をかけましょう。

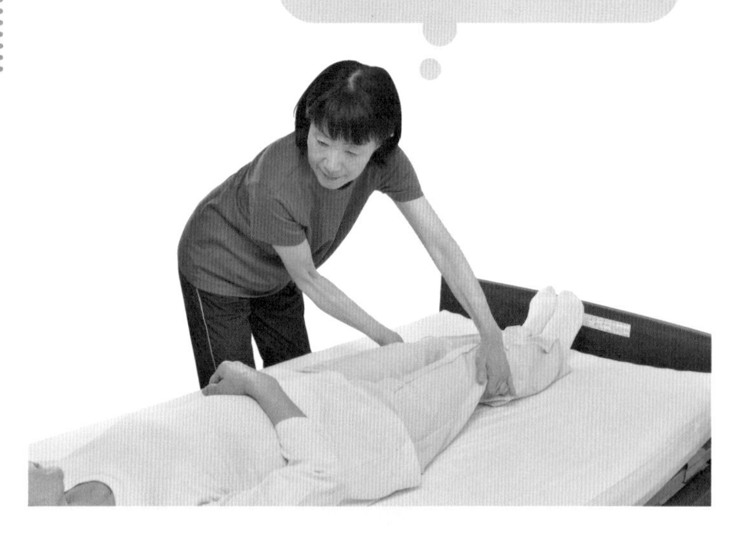

1 拘縮した両足のひざ裏へ手をあてる

介助者は寝返る側に立って、ゆがみがあれば修正（p.44～45）します。寝返るほうの腕を脇から60～90度開いてもらいます。反対側の手はおなかにのせてもらいます。介助者は拘縮した両下肢のひざの裏へ中指をあてます。

2 両ひざを持ち上げながら手前に引く

介助者は、両手でひざを曲げるように持ち上げながら手前に引きます。側臥位で体が安定したら完了です。

Check!

体の軸がまっすぐに保たれているか確認しながら、介助しましょう。

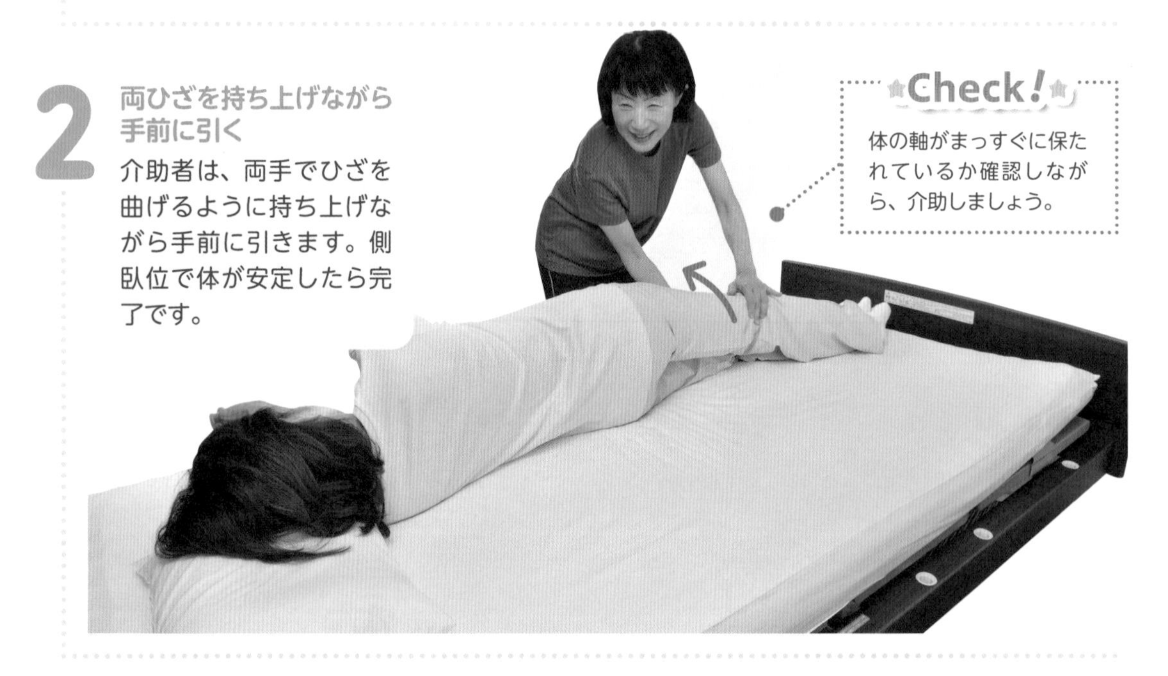

介助 大

13 寝返りの介助 腰に痛みがある人

体を少しひねるだけで腰に強い痛みが生じる人がいます。その場合は、体をねじらないように介助します。

Point

- 体がまっすぐの状態で寝返りができるようにする。
- 相手の表情や体の状態を常に見ながら、また痛みが出ていないか確認しながら行う。
- ゆっくりでも自分で寝返ってもらうことができれば、それが最善の痛みを回避できる方法。

1 肩とひざ、太ももに手をあてる

被介助者の寝返る側に立って、ゆがみがあれば修正（p.44～45）します。寝返る側の腕を脇から60～90度開き、反対側の手はおなかにのせてもらいます。両ひざは立ててもらいます。左手を被介助者の肩に、右ひじをひざに、右腕を太ももにあてます。

声かけのコツ

「こちら側に寝返りをしましょう」
「ひざを立てていただけますか？」などと、行う動作を伝えてから介助に入ります。

介助のコツ

痛む部分を被介助者に事前に伝えてもらいましょう。

介助のコツ

左右同時に引かないと、被介助者の体がゆがんでしまうので注意しましょう。

2 両手を同時に手前に引く

左右のねじれがでないように、介助者は両手を同時に手前に引いて寝返りをさせます。体が安定したら完了です。

● あお向けに戻す

1 ひじとひざの側面に手を入れ押し上げる

被介助者の下側にあるひじとひざの側面に手を入れ、そのまま同時にまっすぐゆっくり上へ押し上げます。あお向けの状態になったら、足を伸ばし、手を脇側へ戻してもらいます。

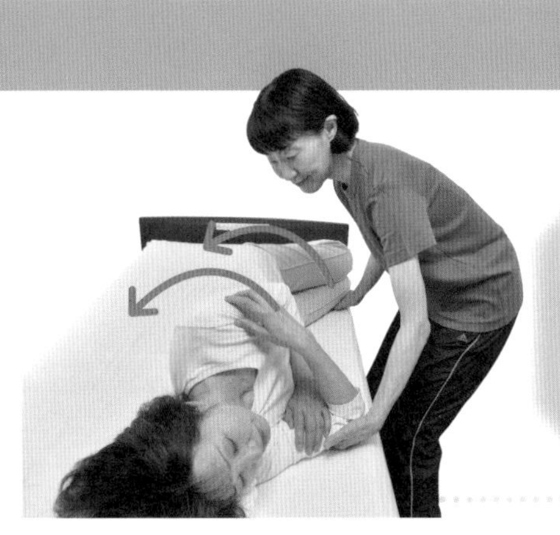

介助のコツ

被介助者の体がねじれないように、介助者は両手を必ず同時に動かすようにします。

14 おしりを上げる 自力で・介助で

自力、または一部介助でおしりを上げることができると、床ずれや拘縮（こうしゅく）の予防にもつながり、おむつ交換やシーツ交換も楽になります。

自立 自力でおしりを上げる

被介助者が、おしり上げをできるようになるとできることが広がり、介助者の負担も減らすことができます。

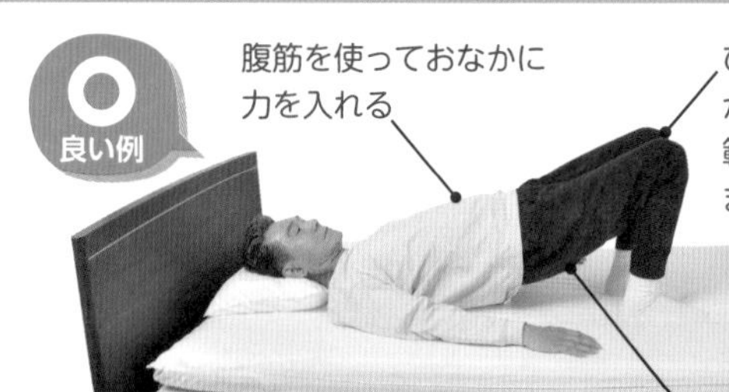

良い例

腹筋を使っておなかに力を入れる

ひざを垂直に立てて、(ひざが曲がらない場合はできる範囲で) ひざからかかとまでまっすぐになるようにする

おしりの筋肉を使っておしりの穴をキュッと締め、おしりを上げ股関節を伸ばす

悪い例

ひざを伸ばしておしりを上げようとする。足も滑ってしまう

手に力を入れマットを押すことで体を支えようとする

介助小 一部介助でおしりを上げる

４つのパターンを紹介します。非介助者の体の動きの状態や、介助者のやりやすいパターンを選んで行いましょう。

パターン 1

右前腕でおしりを上げる

被介助者には、まっすぐ寝た状態から両ひざを立ててもらいます。介助者の前腕を被介助者のひざの少し上に置きます。前腕を矢印の方向に押し、被介助者のかかとに力が加わるようにします。

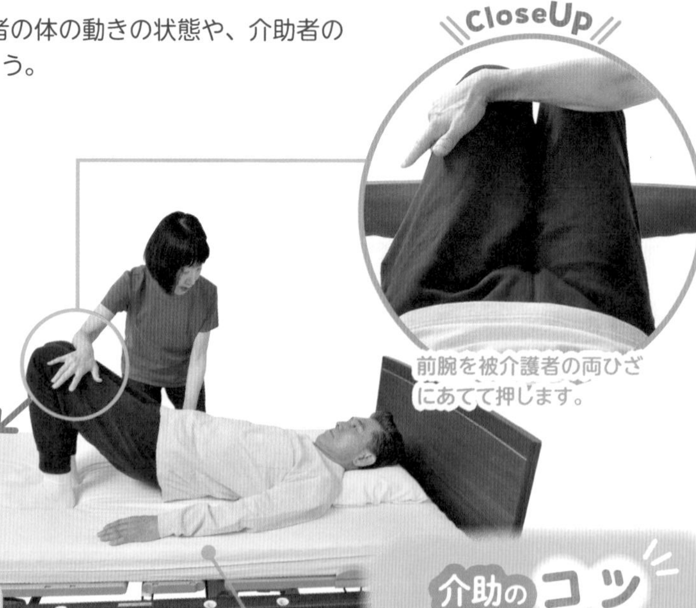

CloseUp

前腕を被介護者の両ひざにあてて押します。

声かけのコツ

「おしりを上げましょう」
「両ひざを立てていただけますか？」
などと、伝えましょう。

介助のコツ

左手は腰が上がりやすくなるように、被介助者の仙骨にあてて誘導します。

パターン 2

ひざの少し上から体重をかける

被介助者に、両ひざを立ててもらいます。両手を被介助者のひざの少し上に置き、かかとの方向に体重をかけるようにしておしり上げを介助します。

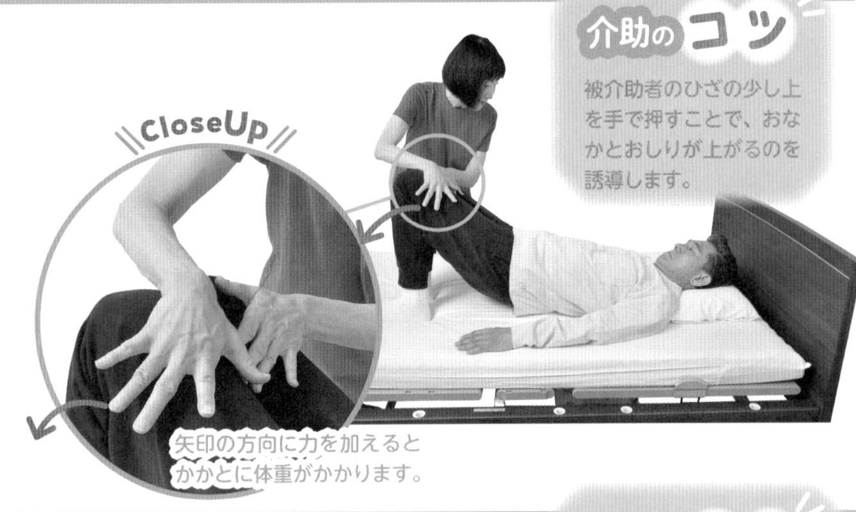

矢印の方向に力を加えるとかかとに体重がかかります。

介助のコツ

被介助者のひざの少し上を手で押すことで、おなかとおしりが上がるのを誘導します。

パターン 3

両腕をひざに力をかける

被介助者に両ひざを立ててもらい、介助者は両前腕を被介助者のひざに置きます。前腕に力をかけておしり上げを介助します。

左右の前腕を被介助者のひざにしっかり置きます。

介助のコツ

被介助者のひざを介助者の前腕で押すことで、おなかとおしりが上がるのを誘導します。パターン2の手のひらよりも力が入りま

パターン 4

ひざと骨盤に手をあてる

被介助者に両ひざを立ててもらいます。右の脇で被介助者の右のひざの上、上腕で左のひざの上を抱えるようにします。両手は被介助者の骨盤にあて、おしり上げを誘導します。

介助のコツ

右の脇と上腕だけでおしり上げを介助できれば、両手が自由に使え、ズボンの上げ下げや着脱もできます。

CloseUp

介助者の脇と上腕で、被介助者の足をブロックするように抱えこみます。

Point

- おしり上げをマスターすると自分で動ける範囲が広がる。
- ひざを立ててもらったとき、ひざの下にかかとがきて、足裏全体がしっかり床につく姿勢がとれているか確認する。

介助 小 15 左右への移動の介助

上げたおしりを水平移動する方法です。寝返りの前や床ずれの予防にも欠かせない動きになります。p.58 ～ 59 1～4のパターンでも可能です。

パターン 1

1 おしりを上げてもらう

おしり上げの**パターン1**(p.58)と同じ方法で、被介助者におしりを上げてもらいます。

声かけのコツ

「おしりを上げていただけますか？」「おしりを左（右）へ動かしていただけますか？」などと、これからの動きを伝えます。

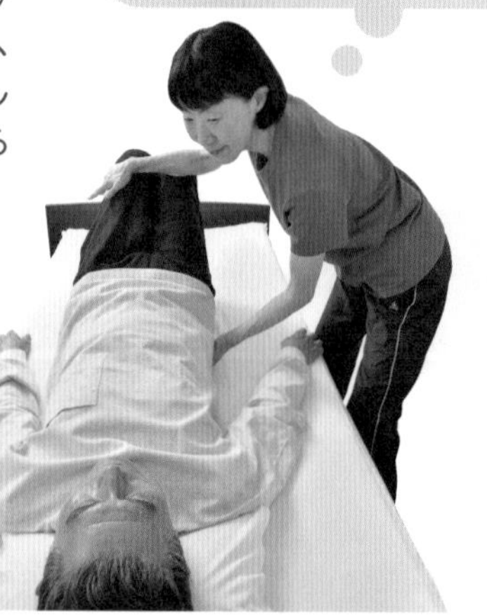

2 仙骨に手をあて水平に誘導する

おしりを浮かせたまま、被介助者の仙骨にあてた左手で下半身をベッドの端へ誘導します。

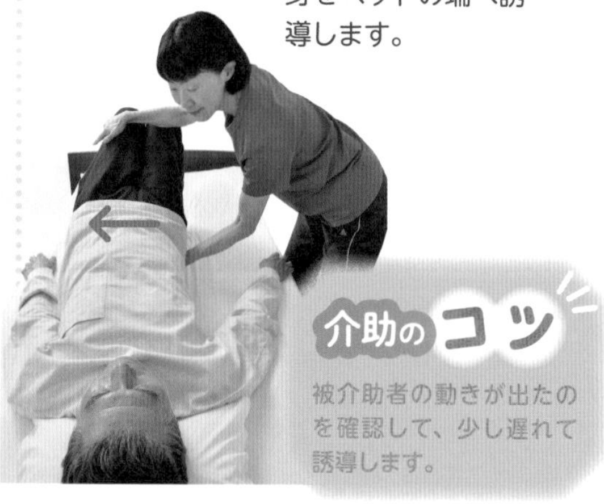

介助のコツ

被介助者の動きが出たのを確認して、少し遅れて誘導します。

パターン 2

1 ひざと骨盤に手をあてておしりを上げる

おしり上げの**パターン4**(p.59)と同じ方法で、被介助者におしりを上げてもらいます。

2 おしりの左右にあてた両手で横に誘導する

おしりを浮かしてもらったまま、両手で軽く支え骨盤をベッドの端へ誘導します。

Point

- 床ずれや拘縮（こうしゅく）予防のためにも、体を移動させる動きは大切。
- 被介助者と介助者のタイミングが重要。
- 被介助者の動きを引き出すように心がける。

介助のコツ

両手に強い力を入れる必要はなく、あくまでも軽くはさんで下半身の横移動を引き出します。被介助者の動きが出るのを待ち、少し遅れて誘導します。

パターン3

1 首の後ろに左手を差し入れる

ひざを立ててもらいます。肩を少し持ち上げるようにしながら、首の後ろに左手を差し入れます。

声かけのコツ

「体を移動しましょう」
「首の後ろに手を入れますね」
などと、動きの説明をしてから動作に入ります。

手のひらを下にして差し入れます。その後、手をかえして手のひらを上に向けます。

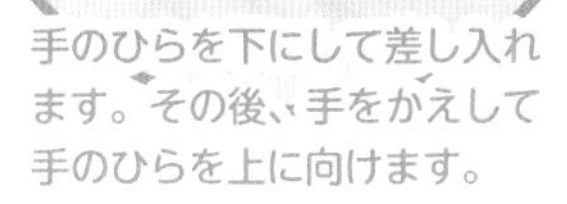

2 被介助者の上半身を左へ誘導

右手を被介助者の脇から左肩のほうへ差し入れ、被介助者の上半身を誘導します。被介助者も一緒に動いてもらうようにします。

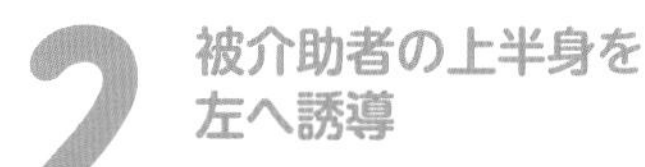

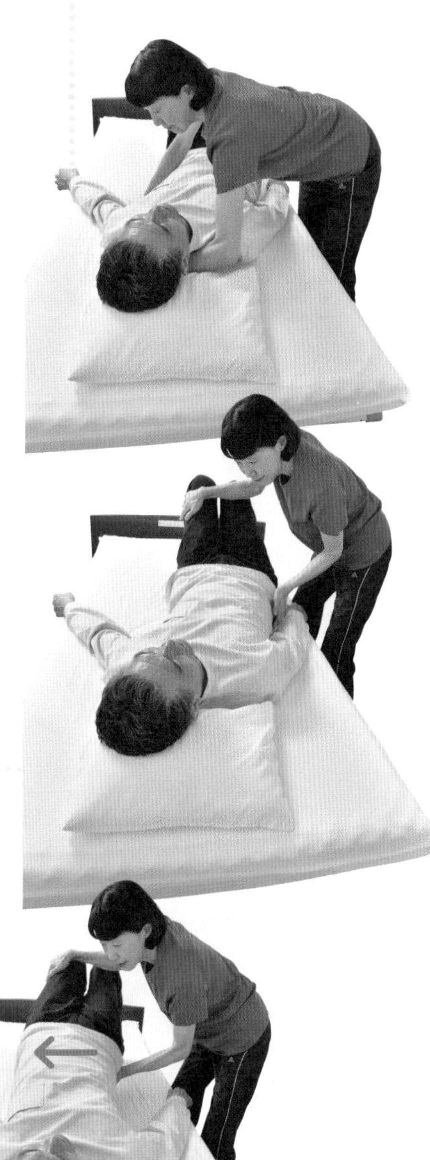

3 おしりを上げてもらう

おしり上げの**パターン1**(p.58)のように、おしりを上げてもらうように声かけします。

介助のコツ

上半身を先に移動させてから、腰を移動します。

4 体がまっすぐになるように左へ誘導する

上げてもらったおしりが上半身とまっすぐになるよう、左のほうへ誘導します。

5 ひざを伸ばす

ひざを伸ばしてもらい完了です。

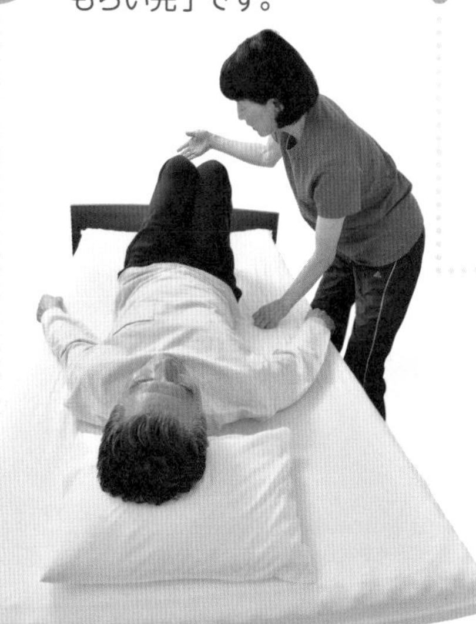

介助小 16 上下への移動の介助

被介助者の体がベッドの下や上へずれてしまった場合などに、おしり上げの動きを使って元の位置に戻します。

上へ

1 右前腕をひざの上にあてる

横に立ち、声をかけて、おしり上げのパターン1（p.58）と同じように手をあてます。

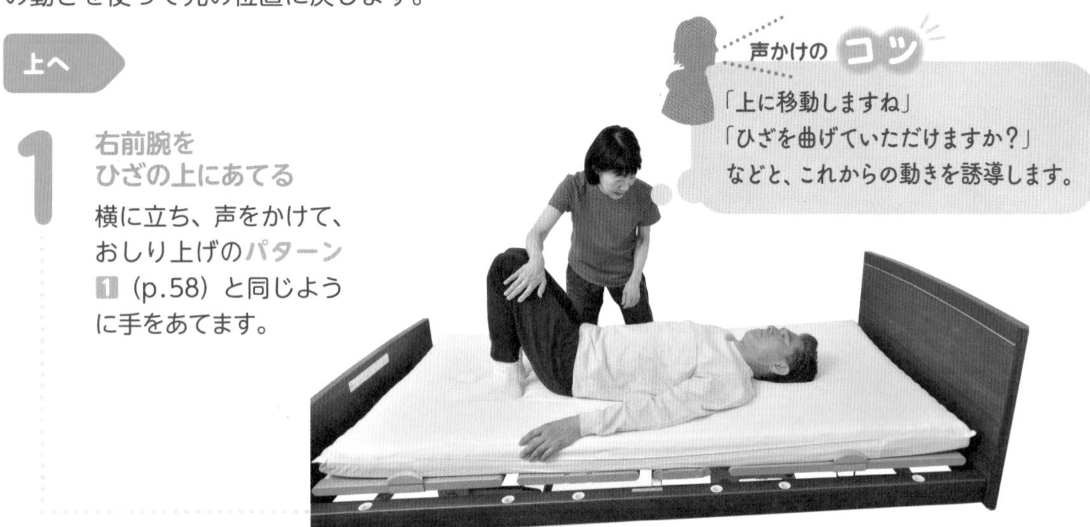

声かけのコツ

「上に移動しますね」「ひざを曲げていただけますか？」などと、これからの動きを誘導します。

2 おしりを上げてもらう

右前腕でひざ上を押しながらおしりを上げてもらいます。

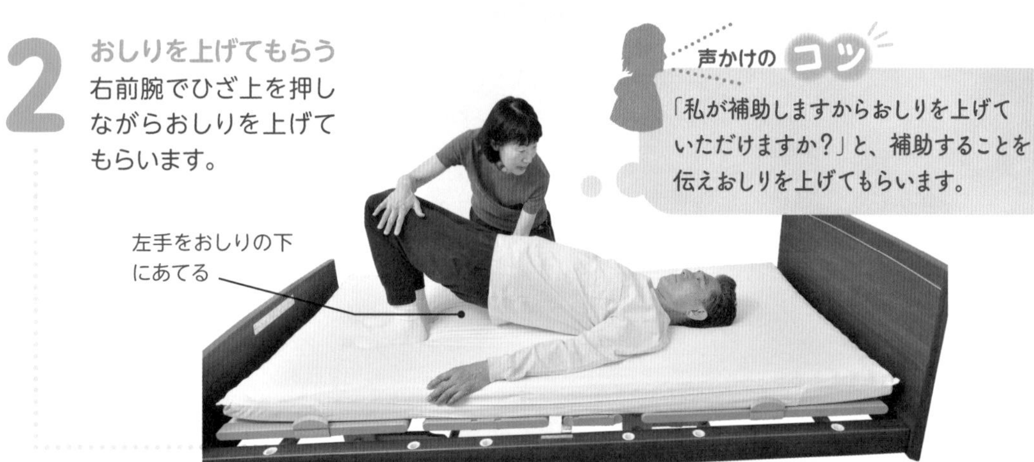

声かけのコツ

「私が補助しますからおしりを上げていただけますか？」と、補助することを伝えおしりを上げてもらいます。

3 タイミングを合わせて上に誘導する

声かけをして、被介助者の動きが出るのを確認したら、仙骨にあてた左手で上に誘導する。

介助のコツ

被介助者の動きに少し遅れて介助する。

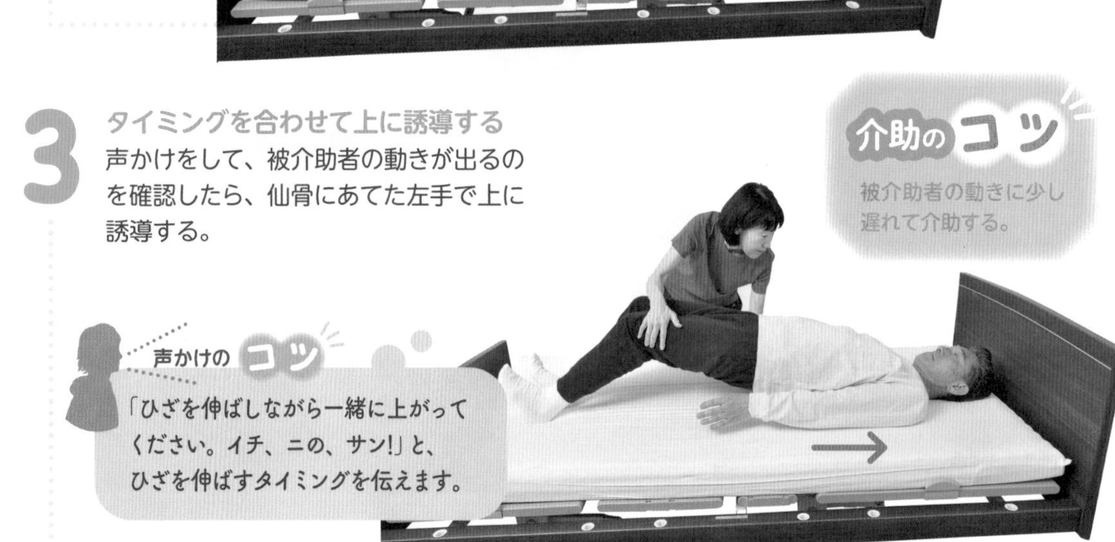

声かけのコツ

「ひざを伸ばしながら一緒に上がってください。イチ、ニの、サン！」と、ひざを伸ばすタイミングを伝えます。

下へ

1 声かけをする

「下へ移動しますね」と声をかけます。

声かけのコツ

「下に移動しますね」
「ひざを曲げていただけますか？」
などと、これからの動きを誘導します。

2 おしりを上げてもらう

おしり上げのパターン4(p.59)と同じ方法で、被介助者のおしりを上げます。p.62上への移動と同じ介助法でもよいです。

声かけのコツ

「私が補助しますから、おしりを上げていただけますか？」と、補助することを伝えおしりを上げてもらいます。

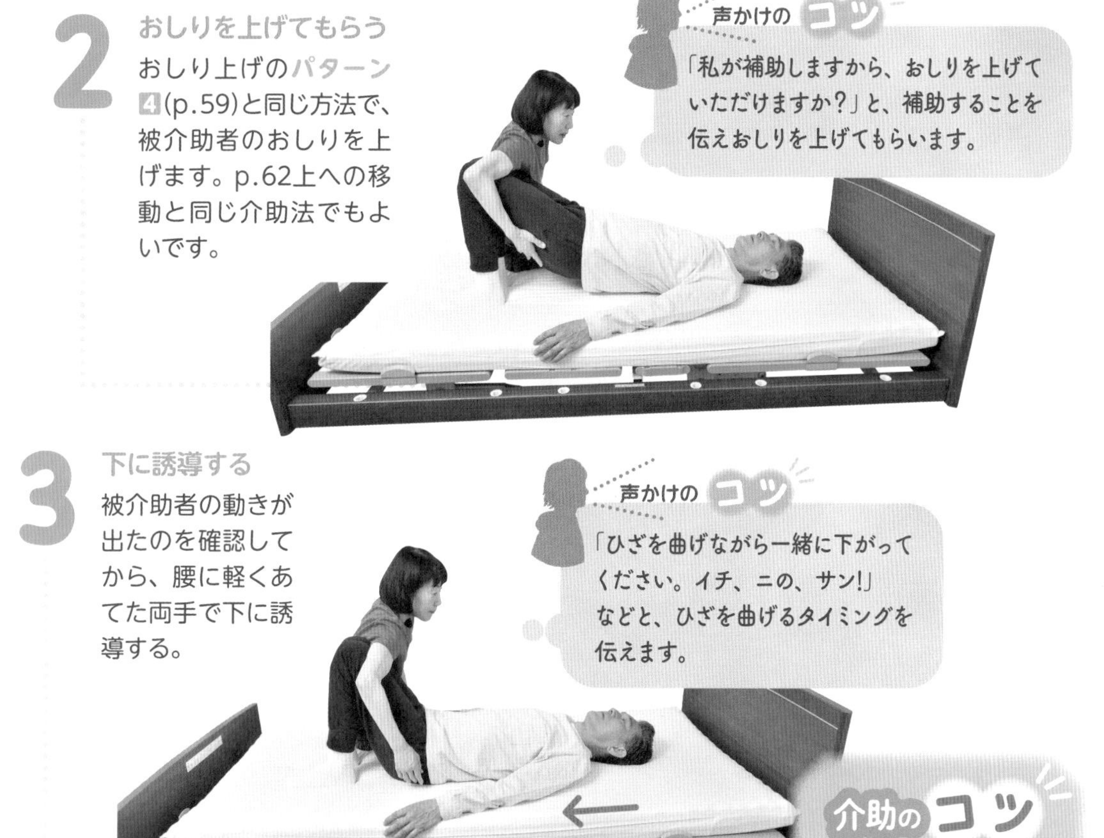

3 下に誘導する

被介助者の動きが出たのを確認してから、腰に軽くあてた両手で下に誘導する。

声かけのコツ

「ひざを曲げながら一緒に下がってください。イチ、ニの、サン!」
などと、ひざを曲げるタイミングを伝えます。

介助のコツ

力を入れて無理に腰を引っ張らないようにしましょう。

はなまるサポート

移動がうまくいかないときは、シーツの上にスライディングシートを敷くと滑りがよくなります。

スライディングシートを敷く

1 寝返りの姿勢（p.44）でスライディングシートを敷きます。

2 おしりを上げてもらい、被介助者の動きに合わせて上下移動を介助します。

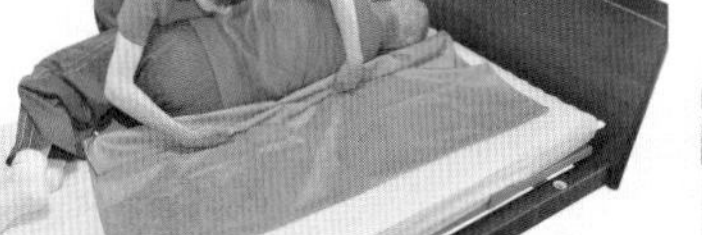

大型ポリ袋でも代用可

頭から背中をカバーする大きさのポリ袋を敷いて、スライディングシートと同様の手順で上下移動を介助します。

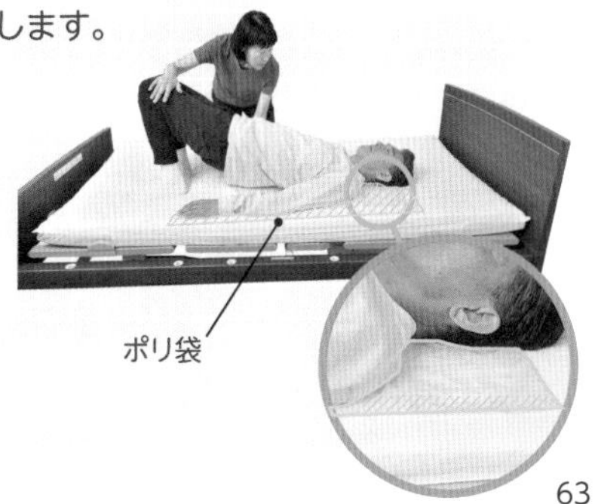

寝返りしてから起き上がる、ベッドに座ってから寝る姿勢に戻ることは、日常の自然な動きの流れなので、スムーズにできるようになるのが理想です。生活の幅も広がります。

● ひじをつきながら自分で起き上がることの重要性

介助者が被介助者の肩やひざを持ち、お尻を支点にして一気に起こしてしまう介助方法では、被介助者の力を引き出せません。
被介助者がひじをつきながら起き上がると、介助されて起き上がった後、一人で端坐位（p.34）が取れるようになります。腰や肩が拘縮していても、くり返すことでひじがつけるようになり、動きが出てきます。

● 起き上がる前の準備

起き上がる前の基本姿勢として体をベッドに対して斜めにするのがポイントです。安心して起き上がりの動作ができるように、ベッドの幅や向きも確認しましょう。

●準備の姿勢

図のように斜めに寝てもらいます。まっすぐの姿勢になり体の軸を整えます。

※イラストは被介助者から見て左側に起き上がる場合です。

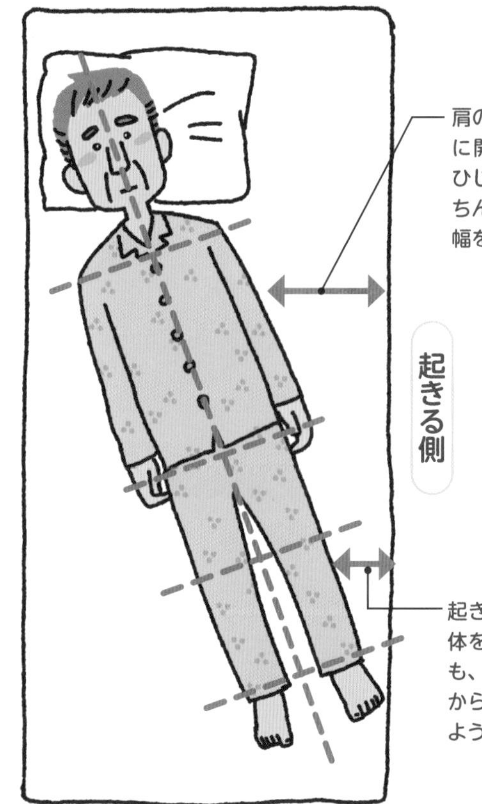

肩の辺りは腕を横に開いたときに、ひじがベッドにきちんとのるだけの幅を開けておく。
起きる側
起きる際に大きく体を動かさなくても、ひざがベッドから下に降ろせるような距離。

起き上がるときはひじをつき、それを支点に起き上がることになります。ひじで体を支えることができれば、自力でも起きることができます。

●環境を整える

起き上がりの動作は、寝返りからの流れで行います。ベッドの幅や置く位置、柵など、動作の妨げにならない環境を整えましょう。

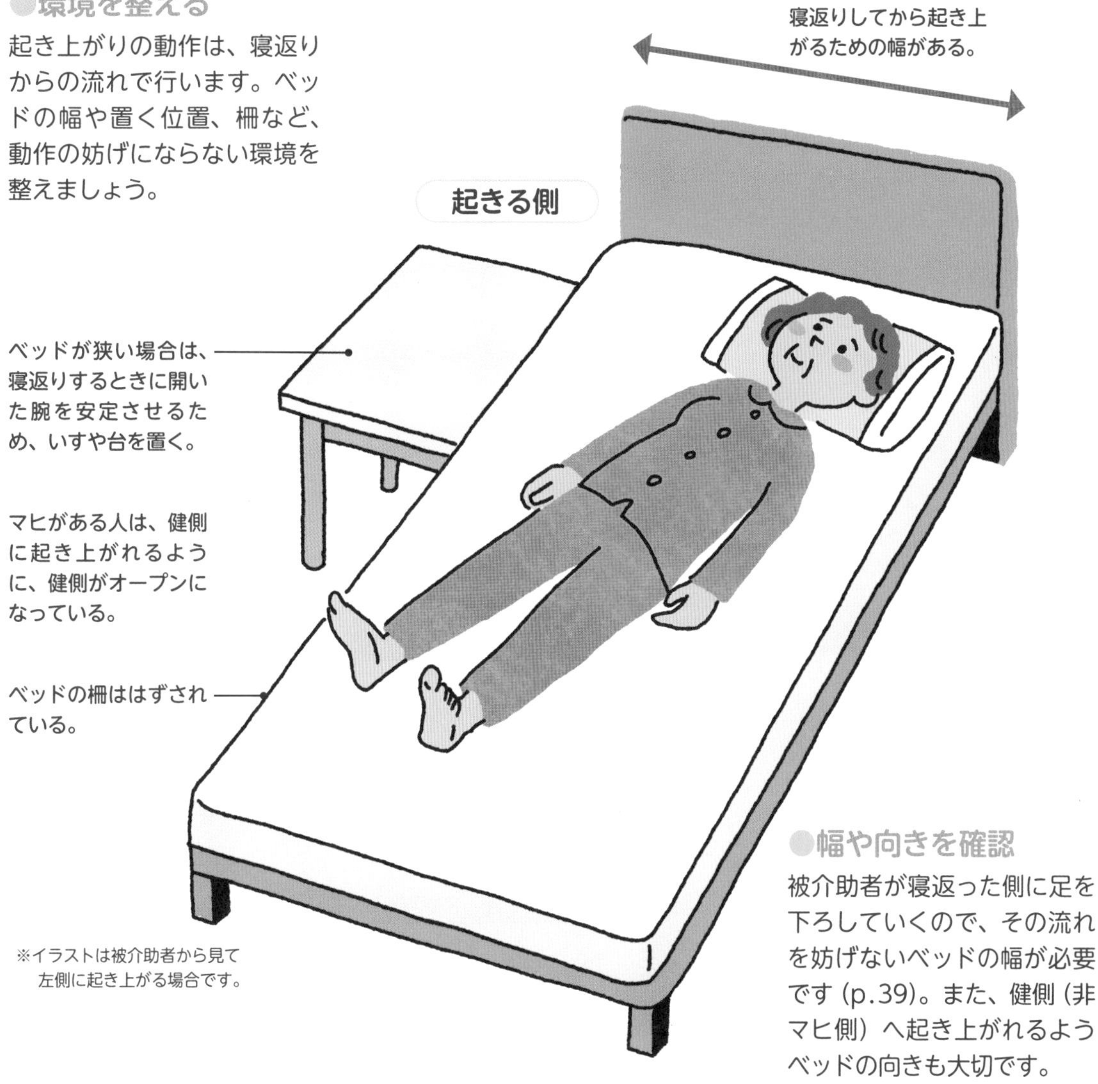

寝返りしてから起き上がるための幅がある。
起きる側
ベッドが狭い場合は、寝返りするときに開いた腕を安定させるため、いすや台を置く。
マヒがある人は、健側に起き上がれるように、健側がオープンになっている。
ベッドの柵ははずされている。

※イラストは被介助者から見て左側に起き上がる場合です。

●幅や向きを確認

被介助者が寝返った側に足を下ろしていくので、その流れを妨げないベッドの幅が必要です（p.39）。また、健側（非マヒ側）へ起き上がれるようベッドの向きも大切です。

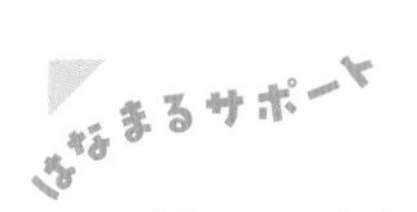

ギャッジベッドを利用

介助が必要な人で、介助者の体力や筋力がないとき、被介助者の体力がないときはギャッジベッドを利用する方法もあります。

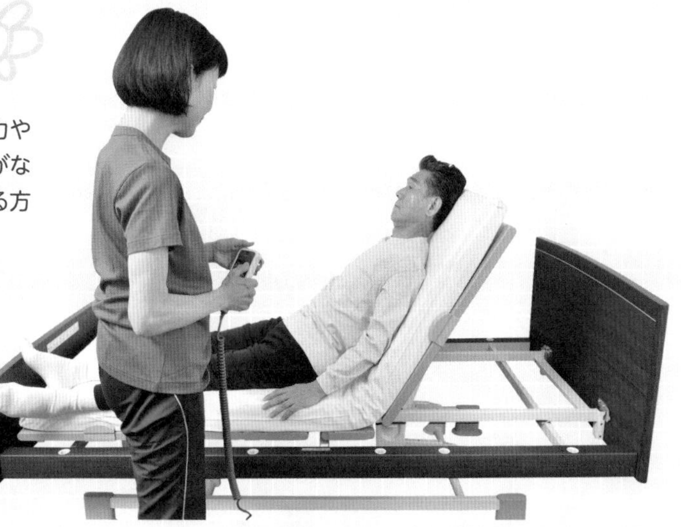

ギャッジベッドを使った起き上がり介助はp.72～73参照。

介助小

1 起き上がりの介助
上肢をついて

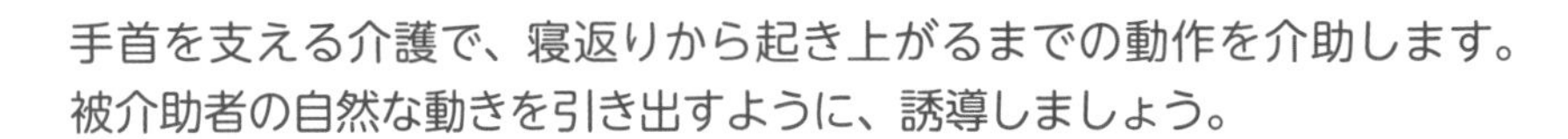

手首を支える介護で、寝返りから起き上がるまでの動作を介助します。
被介助者の自然な動きを引き出すように、誘導しましょう。

車いすから立つ場合→p.226

1 体を斜めにする

おしり上げでの横移動（p.60 ～ 61）の介助法で、被介助者の体をベッドの上で斜めにします。被介助者のゆがみを確認、修正し（p.44 ～ 45）体の軸を整えます。

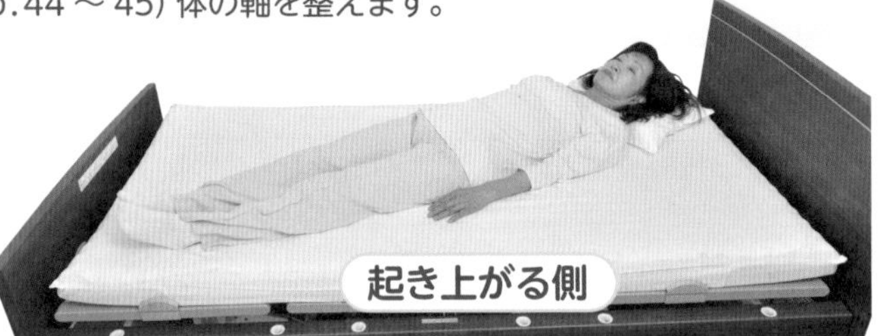
起き上がる側

Point

- 動作に入る前には声かけを忘れずに行う。
- ベッドの上での上体の移動や、寝返りを組み合わせて行っていく。

2 寝返りをする

自力、もしくは基本の寝返りの介助（p.42 ～ 43）で寝返りをしてもらいます。

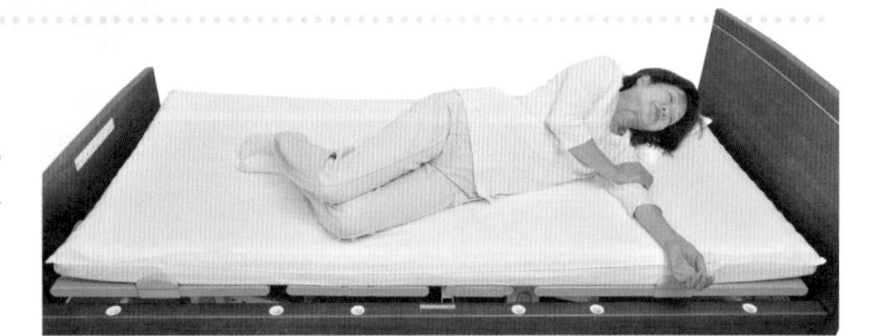

3 ひざを伸ばす

足先が少しベッドから出るくらいまで、ひざを伸ばしてもらいます。

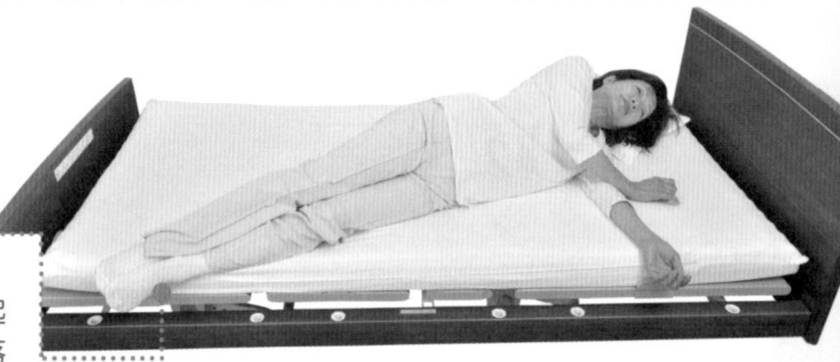

Check!

足先が出すぎていると体がねじれたり、起き上がるときに下半身がベッドからずり落ちたりする危険があるので注意しましょう。

声かけのコツ

「これから起き上がりましょう」
「手を持たせていただいていいですか？」などと、
これから行う動作を伝えます。

4 上になったほうの手を持つ

被介助者の上になったほうの手を持ちます。

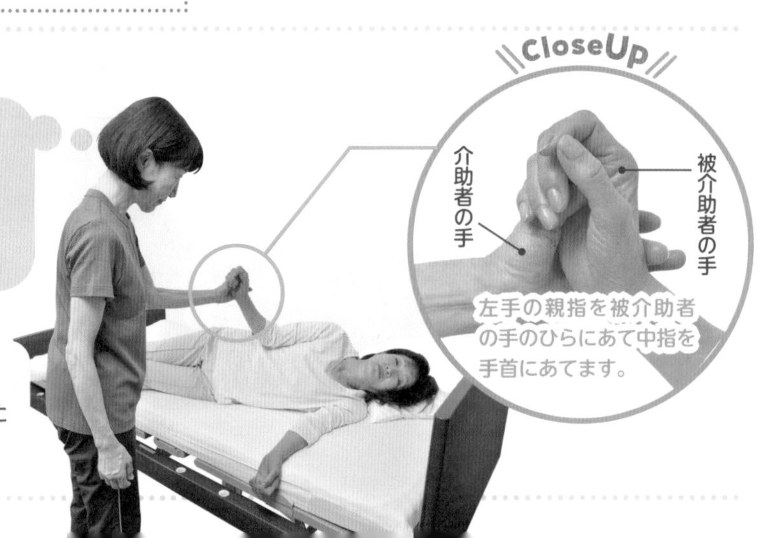
CloseUp
介助者の手
被介助者の手
左手の親指を被介助者の手のひらにあて中指を手首にあてます。

5 手を支え起き上がりを誘導する

上の手を支えにして、下側のひじをついてもらい、起き上がれる姿勢になるまで誘導します。

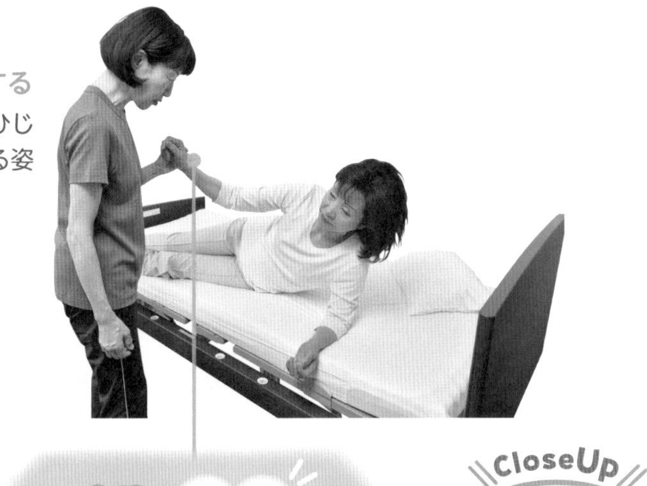

こんなやり方も！

被介助者のひじを支えて誘導することもできます。

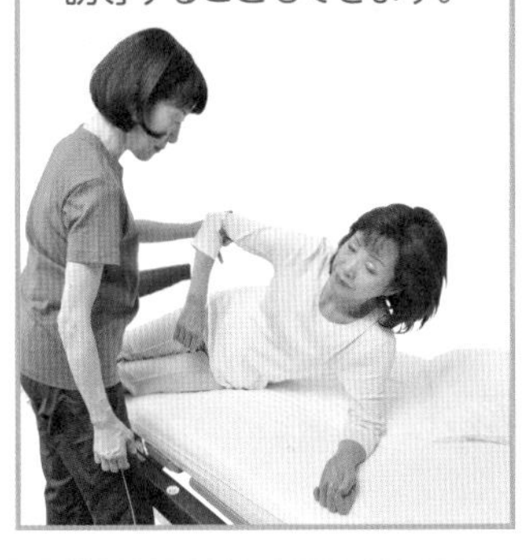

介助のコツ

決して手を引っ張ってはいけません。手を引っ張ると痛みがでるので注意します。被介助者は自分のひじをつくことで自分の力で起きてきます。

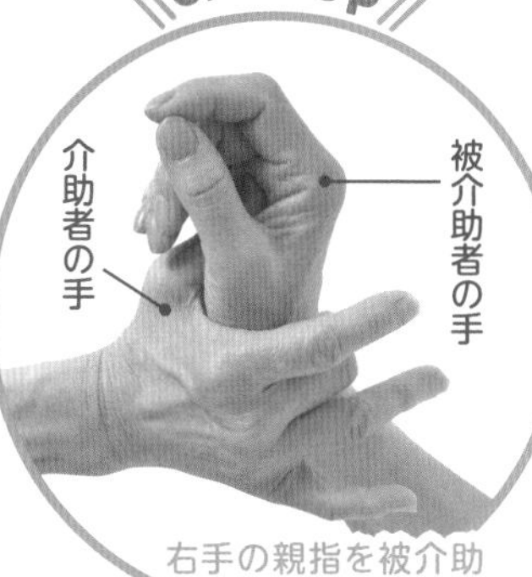

右手の親指を被介助者の手のひらにあて軽く手首を持ちます。

6 左手でひざを支え誘導する

被介助者がひじをついた状態のまま、ひざから下をベッドから下ろしてもらいます。できないときは、支えているほうの左手を右手にかえて、左手でひざを抱えて下ろします。

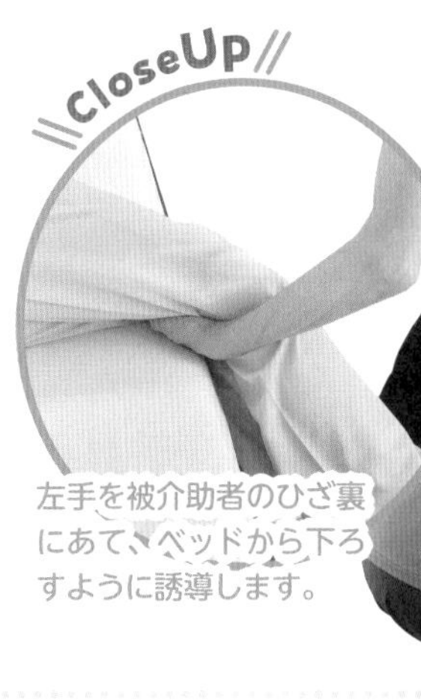

左手を被介助者のひざ裏にあて、ベッドから下ろすように誘導します。

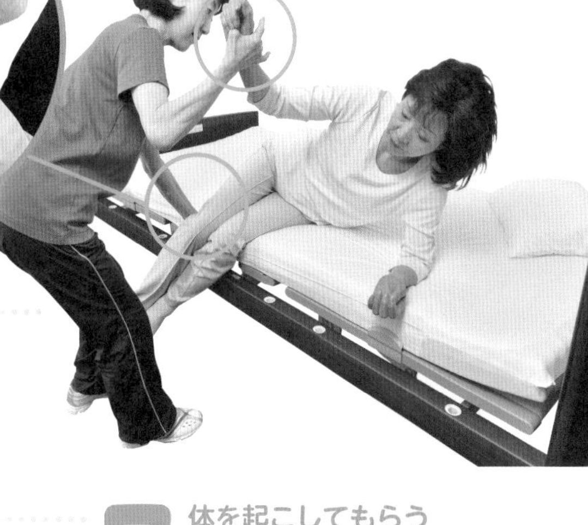

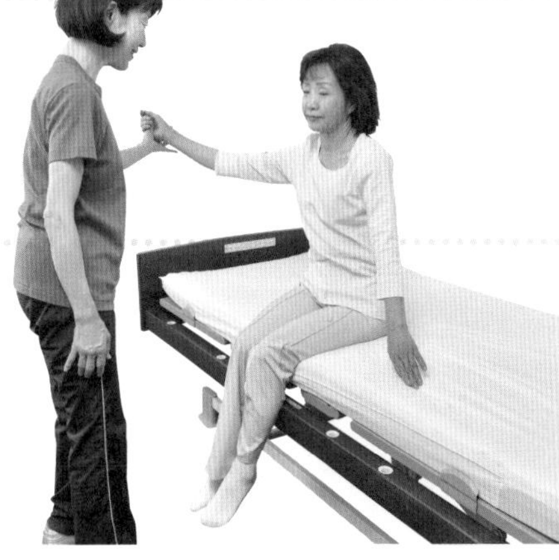

7 体を起こしてもらう

被介助者のひじを後ろに引いて、手のひらをついて、ひじを伸ばしながら体を起こします。介助者は左手で被介助者の右手を誘導します。

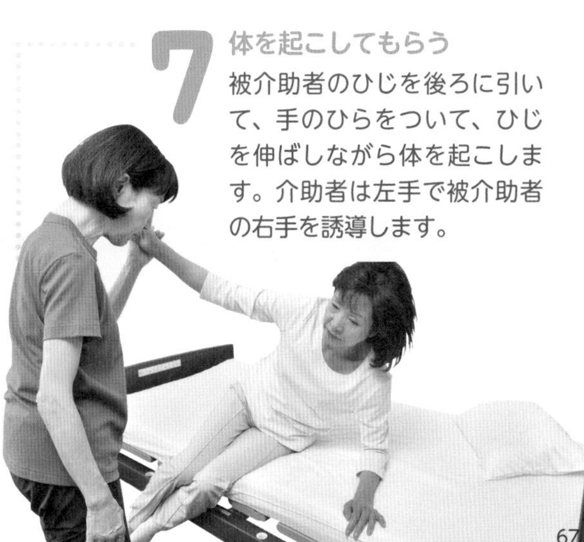

8 起き上がり、座位が安定すれば完了

起きたあと、被介助者の両方のおしりに同じように体重がかかり、姿勢が左右対称になるよう整えます。両足裏がついて座位が安定すれば完了です。

介助小

2 仰臥位に戻る

座った状態から横になる方法です。介助者は手すりの代わりなので、支える ことに徹します。

1 手のひらをついてもらう

被介助者にまっすぐ座ってもらいます。枕側の手（左手）のひらを体から少し離した位置についてもらいます。

声かけのコツ
「横になりましょう」
などと、伝えます。

2 右手を支える

介助者の左手で非介助者の右手を支える。

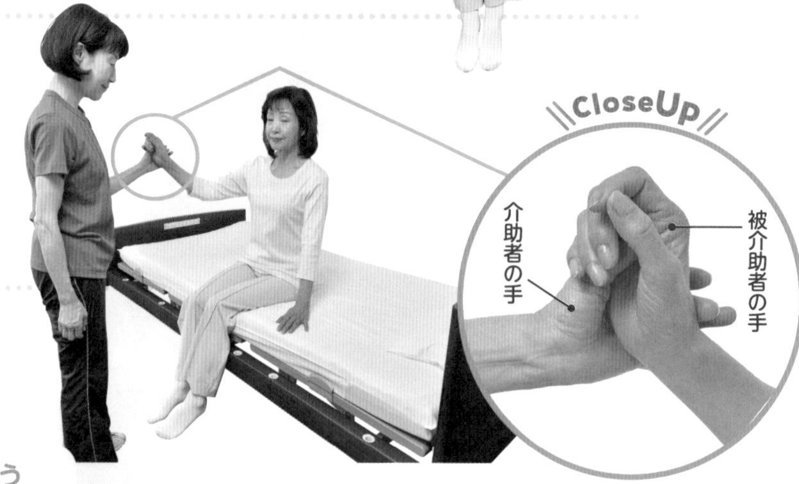

3 左ひじをベッドにつけてもらう

被介助者がひじを曲げてベッドにつくように誘導します。介助者は左手で被介助者を支え続けます。

声かけのコツ
「左のひじをついて、横になっていただけますか？」
などと、伝えます。

介助のコツ
介助者は左手で被介助者を支え続けます。決して寝る方向には押さないようにします。

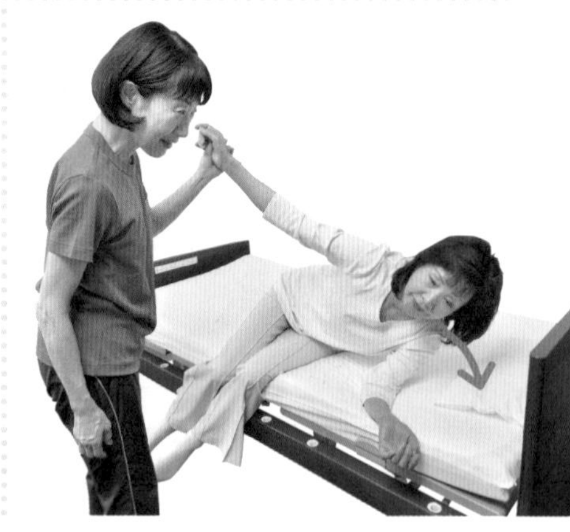

4 ベッドに横になってもらう

被介助者はひじを前方に移動し、ひじから肩がつくように寝ていき、介助者は右手を支え続けます。

5 横向きに寝た姿勢になってもらう

枕に頭を置くように誘導し、横向きの寝た姿勢になれるようにします。

- 介助者は手すりの代わりとして右手を支えるようにし、被介助者の動きについていかないようにする。
- 側臥位に寝てもらうように誘導し、いきなりあお向けにならないように注意する。
- 仰向けになると、おしりがずり落ちたり、体がねじれて痛みが出たりするので危険。

声かけのコツ

「ベッドに足を上げていただけますか？」などと、動きを伝えます。

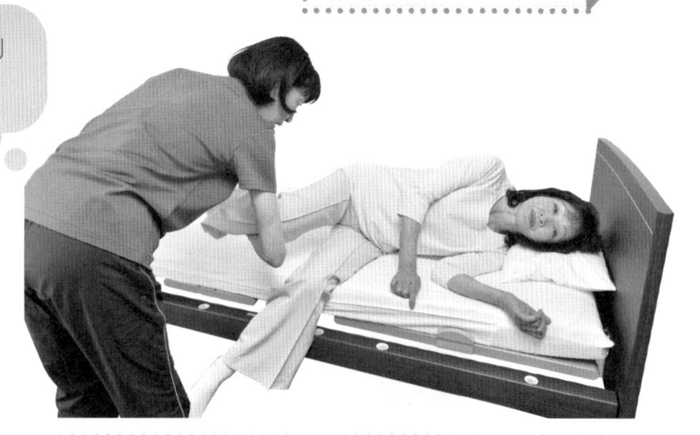

6 両足を上げてもらう 右足は支える

マヒ等があってベッドに足を上げられない場合は、動かせないほうの足だけを介助します。

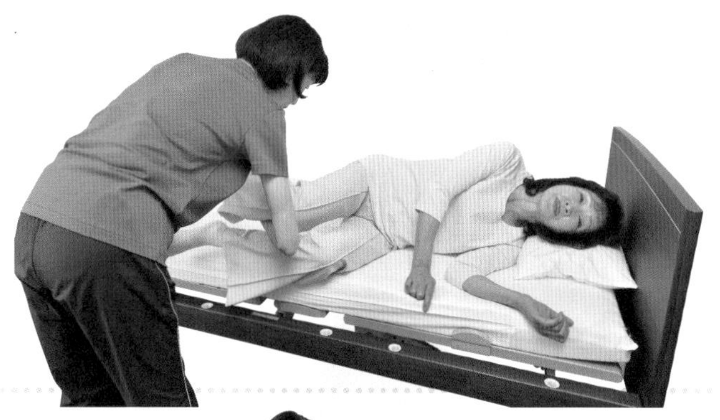

7 動かせる足は自分で上げてもらう

動かせる足は自分でベッドに上げてもらいます。

8 あお向けに寝てもらう

側臥位の状態になってから、あお向けに寝返ってもらいます。できないときは介助します。ひざを伸ばし姿勢を整えたら完了です。

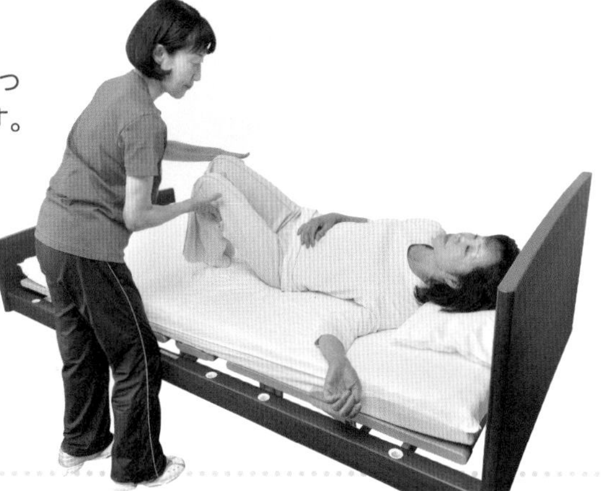

介助のコツ

被介助者が自力でベッドに足を上げられたり、寝返りができたりするようなら、声をかけてやってもらいます。

介助小

3 起き上がりの介助
肩と頭を支えて

被介助者の手を持つと痛みが出る場合や脱臼の危険性が高い場合、ひじの拘縮が強い場合、頭がついてこない場合などは、肩と頭を介助して誘導します。

1 頭部と肩に手をあてる

おしり上げでの横移動（p.60〜61）を利用して、ベッド上で斜めになるように寝てもらいます。体の軸が整っているのを確認したら、寝返りをしてもらいます。
右手を被介助者の頭部に、左手は肩にあてます。

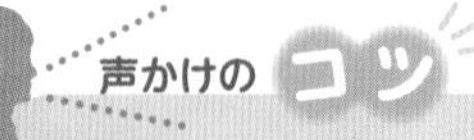

「起き上がりましょう」
「頭に手をあてさせていただきます」
「肩に手をあてさせていただきます」
などと、動作を伝えましょう。

介助のコツ

頭部や顔はとても繊細な部分なので、さわられるのをいやがる人もいます。必ず声をかけてから行います。

2 起き上がりを誘導する

肩を引きながら頭を支えてひじに体重がかかるように起き上がりを誘導します。

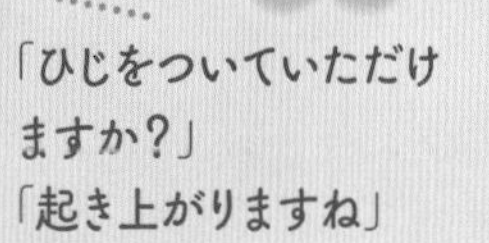

「ひじをついていただけますか？」
「起き上がりますね」
などと、動作を誘導します。

Point

- 被介助者の力が弱く介助がより必要な場合も、できるだけ本人の動きを引き出すように誘導する。あくまでも被介助者のひじをついて起きてもらうことを忘れないようにする。

3 手のひらで体を支えてもらう

ひじを後ろに引くように誘導して、手のひらがベッドにのったらひじを伸ばしてもらい、自分の手のひらで体を支えて起き上がってもらいます。

声かけのコツ

「ひじを後ろに引いていっていただけますか？」
「手のひらをベッドについて、ひじを伸ばしていただけますか？」
などと、動作を誘導します。

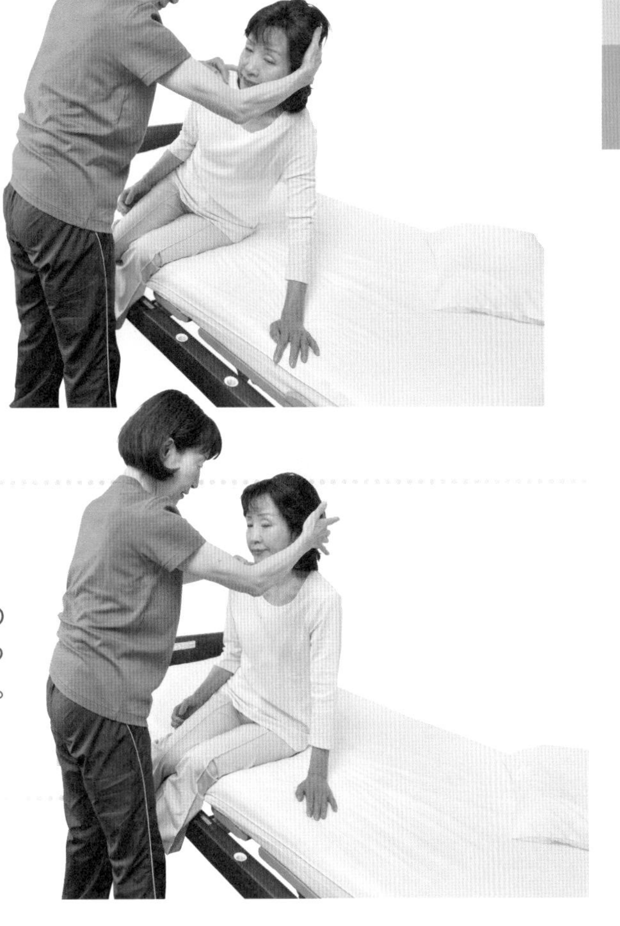

4 起き上がる

起き上がったら被介助者の姿勢がまっすぐになるように、姿勢を整えて完了です。

！ 布団で寝ている体勢から長座位へ 左（健側）から起き上がる

和室などに布団を敷いて寝ている人に長座位になってもらう介助です。

1 頭の下に介助者の右手を差し入れ、左手は肩に手をあてます。

2 頭と肩を支えて被介助者の左ひじの方向に体重をかけ、左ひじで支えるところまで誘導します。

介助のコツ

起き上がるのは（動きを出すのは）被介助者です。介助者が一方的に押さないようにしましょう。

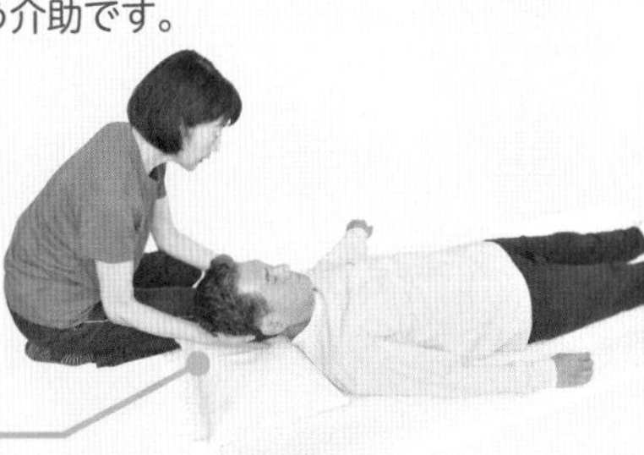

3 ひじに体重がのったら、頭にあてていた手を肩や背中に移動し、右上方に介助しながら、被介助者に右ひじ→前腕→手のひらと体重をかけてもらいます。

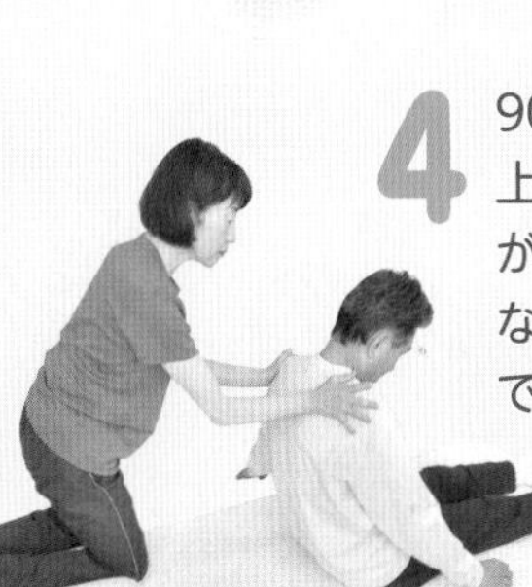

4 90度まで起き上がり、姿勢がまっすぐになったら完了です。

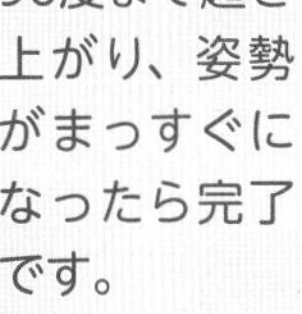

介助大

4 起き上がりの介助
ギャッジを使って

被介助者の体を支える力が弱かったり、介助者が高齢で力がなかったりする場合は、ギャッジベッドを利用するのもよいでしょう。

1 声かけして動作を伝える

起き上がって端座位(p.34)になるために、ギャッジベッドの背もたれを起こすことを伝えます。

声かけのコツ

「起き上がりますので、ギャッジベッドの背もたれを起こします」などと、伝えます。

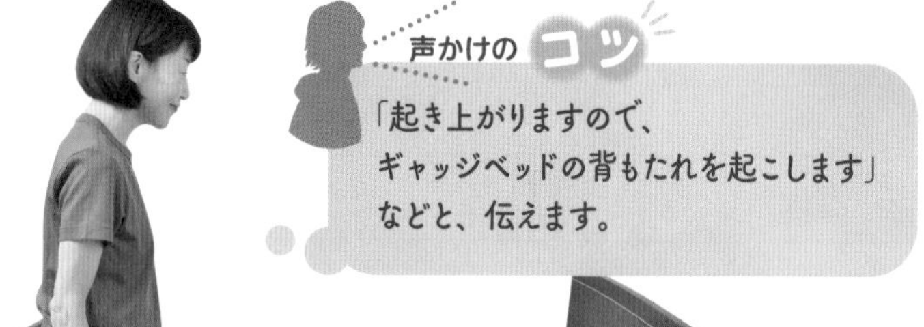

2 背もたれを上げる

介助者はベッドのボタンを操作して背もたれ部分をゆっくり上げていきます。

介助のコツ

被介助者の姿勢が不自然にならないよう、股関節とギャッジの折れる位置を合わせておきましょう。

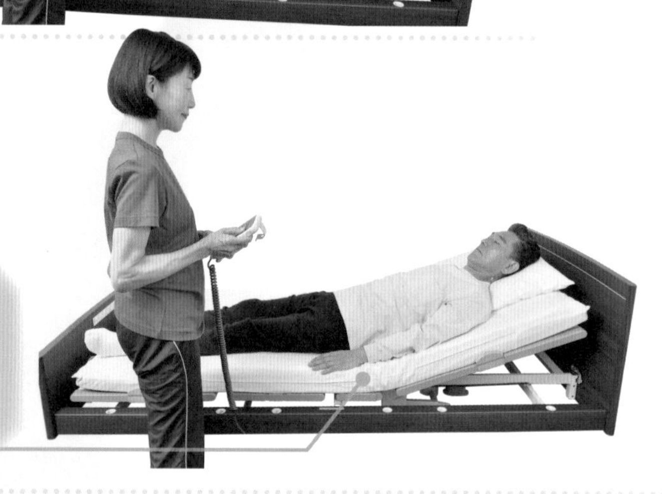

3 足先をベッドの端にずらす

上半身が少し上がってきたところで、足先をベッドの端の方にずらします。

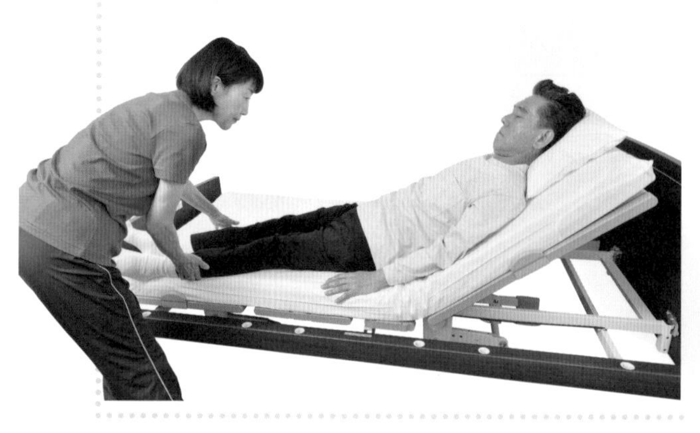

4 枕を取りさらに起こす

枕を抜き取り、さらに背もたれを起こしていきます。

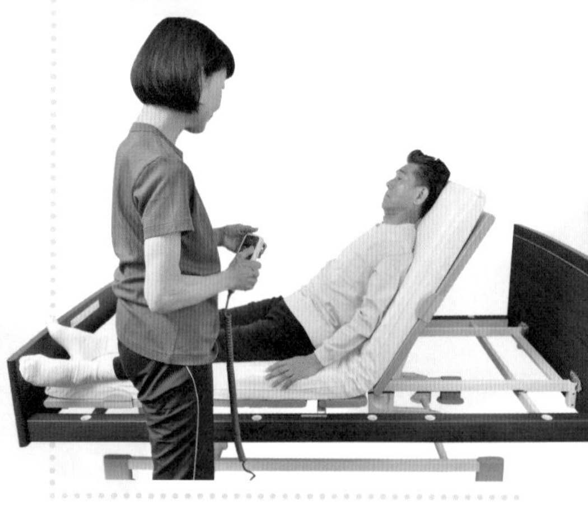

5 上半身をベッドから離す

背もたれの角度を60度～最大になるまで起こし、被介助者の首の下の背中を右手で支えて上半身をベッドから離します。

6 左足をベッドから下ろす

右手で背中を支えながら、左手で被介助者の左足と右足を少しずつベッドの端方向に動かしてもらいます。

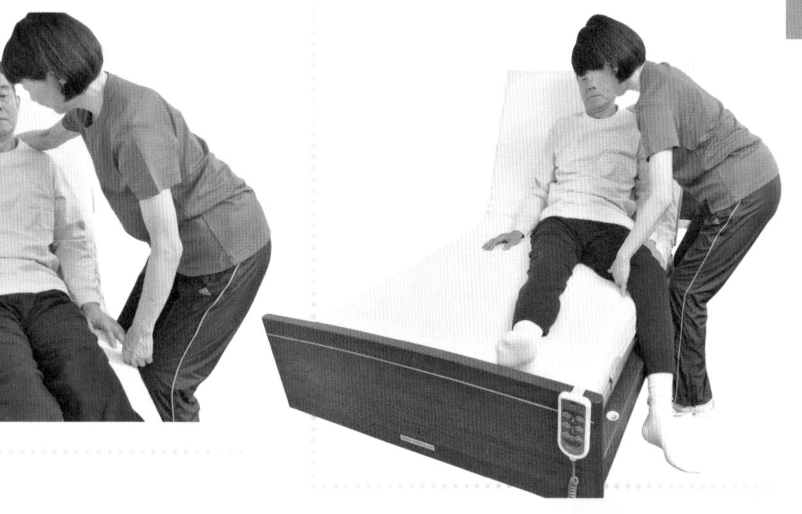

介助のコツ

背もたれの角度は、被介助者が体をどの程度支えられるか、または介助のしやすさで調整します。

Point

- 被介助者の姿勢に無理がないか確認しながら起こしていく。
- 被介助者が自分でボタンを押して、自分の力で起き上がることもできれば、起き上がり端座位が自立する。

7 両足をベッドから下ろす

被介助者の右足もベッドから下ろすように誘導します。

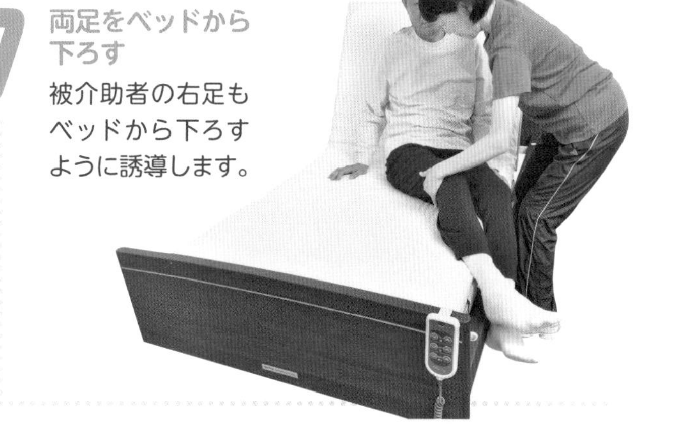

8 両足を完全に下ろす

被介助者の両足のひざがベッドの端にくるまで介助し、ベッドから下ろしてもらいます。

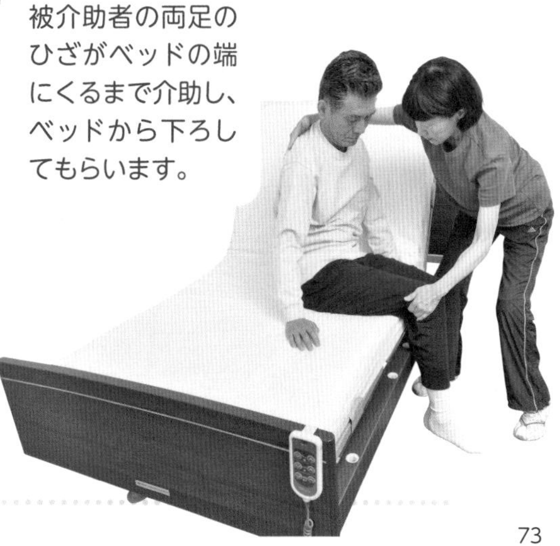

9 まっすぐになったら完了

姿勢が左右対称になり、両足裏に体重がかかっていることを確認します。まっすぐ座った姿勢になったら完了です。

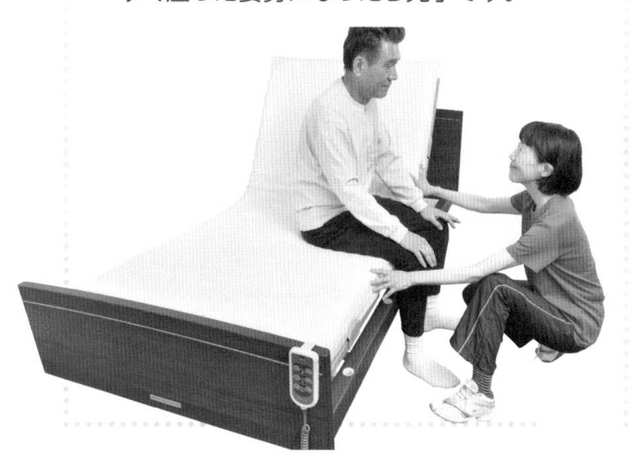

座る・立ち上がる

座位がとれると、食事や排泄も自然な形で行うことができます。また、立ち上がることができれば、車いすやトイレへの移乗もしやすくなります。お風呂、トイレ、着替え、洗面などのADL（日常生活の動作）でも、座る、立ち上がる動きは重要です。

●基本の姿勢

背筋がまっすぐに伸び、あごを引きます。食事や立ち上がる前の前傾姿勢は、基本姿勢とはまた異なります。姿勢が崩れたときは、この基本の姿勢に戻すようにしましょう。

❶おしりを前に出す
❷足を後ろに引く
❸軽く前傾

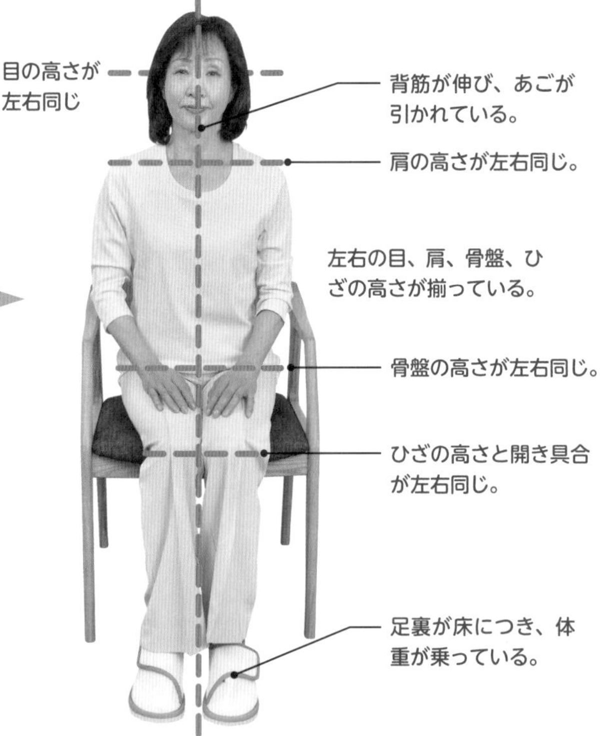

頭頂、鼻筋、首、胸の真ん中、おへそ、ひざ、両足の中心を結ぶ線が一直線で左右対称。
目の高さが左右同じ
背筋が伸び、あごが引かれている。
肩の高さが左右同じ。
左右の目、肩、骨盤、ひざの高さが揃っている。
骨盤の高さが左右同じ。
ひざの高さと開き具合が左右同じ。
足裏が床につき、体重が乗っている。

注意

同じ姿勢は長時間しない

座位の基本姿勢はまっすぐで、体に余計な負担はかけない姿勢ですが、やはり長時間になると負担がかかります。自分で姿勢の調整ができない被介助者の場合は、おしりや足の位置を少し変えるなどしましょう。

●座位を横から見た姿勢

横から見ると正しい姿勢は背筋も伸び、肩や腰、ひざ、足などが左右揃っています。悪い例は背中が後ろに行き曲がっています。立ち上がりのための前傾姿勢もとりにくい姿勢です。

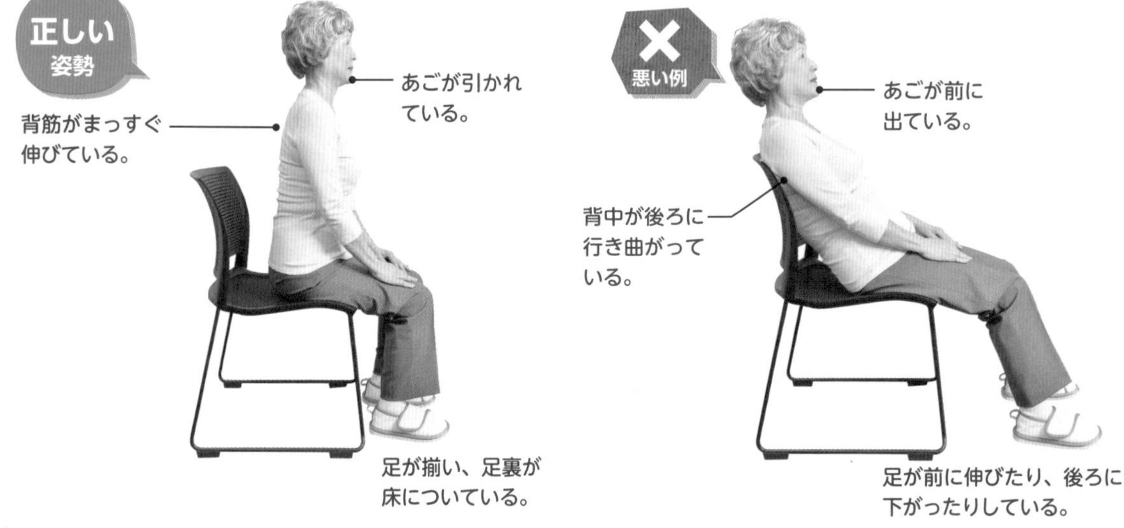

正しい姿勢
あごが引かれている。
背筋がまっすぐ伸びている。
足が揃い、足裏が床についている。
悪い例
あごが前に出ている。
背中が後ろに行き曲がっている。
足が前に伸びたり、後ろに下がったりしている。

●片マヒの人に多い座り方

片マヒのある人は、マヒ側の筋肉が縮みによって体の左右に差が出てしまうので、座り方にも特徴が現れます。姿勢をチェックし、できるだけ基本の座位になるよう修正しましょう。

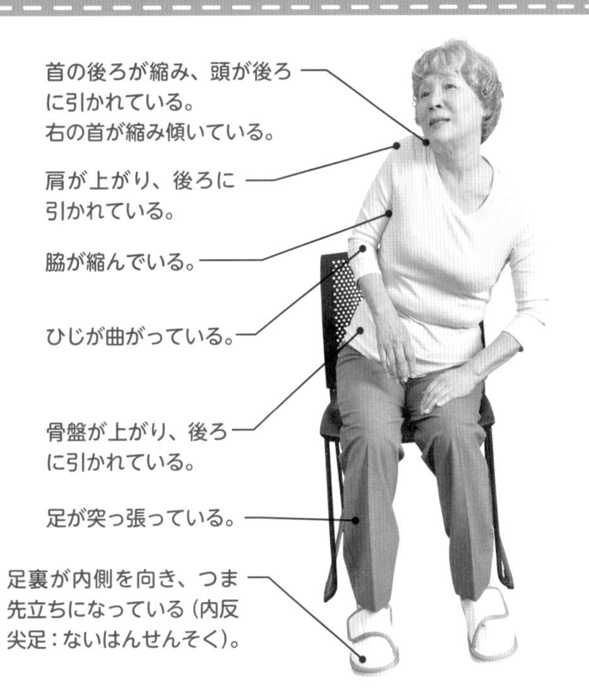

首の後ろが縮み、頭が後ろに引かれている。右の首が縮み傾いている。

足が突っ張っている。
足裏が内側を向き、つま先立ちになっている（内反尖足：ないはんせんそく）。

●立ち上がりの準備の姿勢

被介助者がこの姿勢をとってから立ち上がると、介助の要・不要にかかわらずスムーズに立ち上がることができます。立ち上がる場合は、どんな場合でも必ずこの準備の姿勢をとるようにします。
この姿勢をとることで、立ち上がる際に、両足裏に重心が乗りやすくなります。

❶おしりを前に出す
❷足を引く
❸軽く前傾姿勢をとる

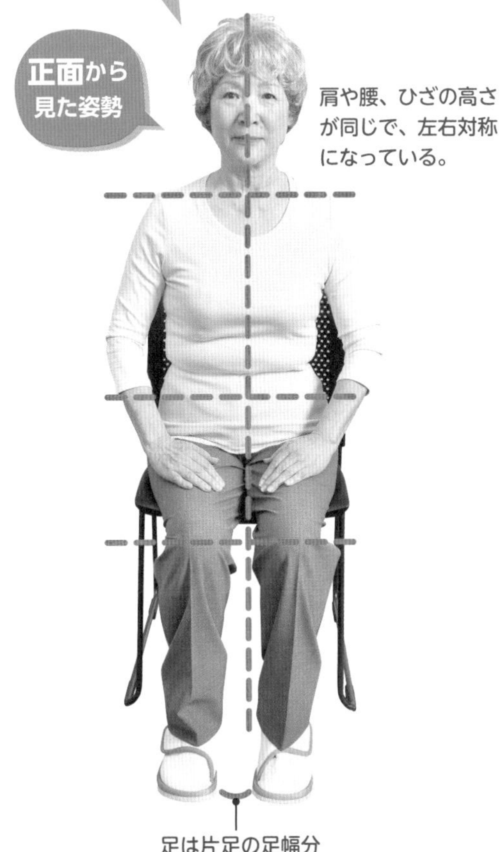

正面から見た姿勢
肩や腰、ひざの高さが同じで、左右対称になっている。

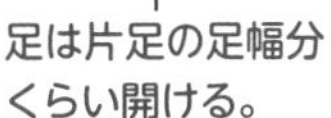

足は片足の足幅分くらい開ける。

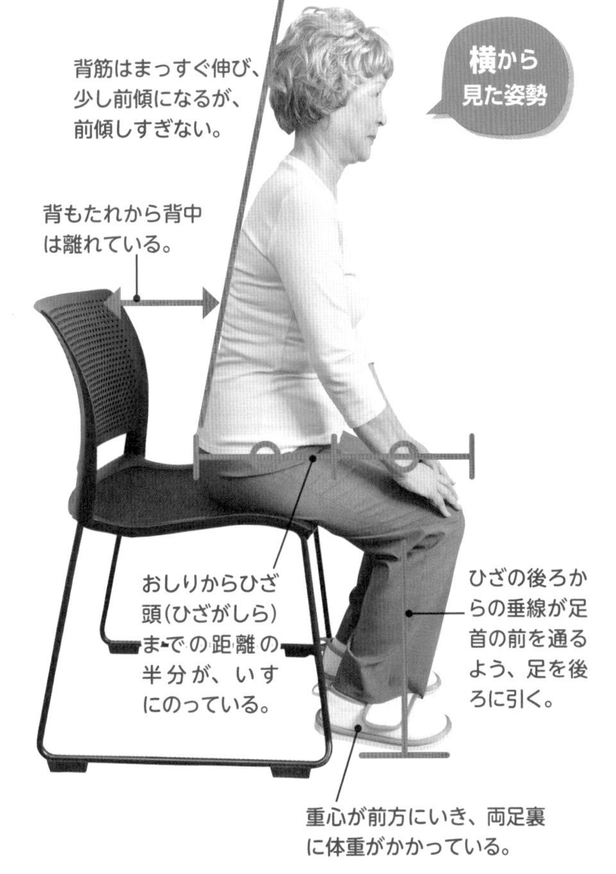

背筋はまっすぐ伸び、少し前傾になるが、前傾しすぎない。

おしりからひざ頭（ひざがしら）までの距離の半分が、いすにのっている。
ひざの後ろからの垂線が足首の前を通るよう、足を後ろに引く。

介助小 1 座り方を直す

片マヒがあったり、体幹を保つ力がないと、座っていても体がゆがんだり、体がずり落ちてしまいがちです。できるだけ基本の座位の姿勢になるように誘導します。

● ゆがみをまっすぐに

1 姿勢を確認する

介助者は骨盤の位置をチェックし、骨盤のゆがみを直します。左右の高さの違いやひざの位置、開き具合が揃っているか確認します。

介助のコツ

親指の腹を被介助者の骨盤（上前腸骨盤）にあてると、位置のずれが確認しやすいです。

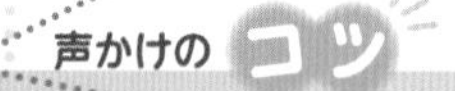

声かけのコツ

「体をまっすぐに直させてくださいね」
「腰のあたりをさわってもいいですか？」
などと、これからの動作を伝えます。

Point

- マヒや筋肉の緊張、拘縮（こうしゅく）がある場合は無理のない範囲で修整する。
- 顔、首、頭はデリケートな部分なので、さわるときは必ず声かけをする。
- 左右対称になるように直す。

2 脇と骨盤を伸ばす

マヒ側の脇が縮んで骨盤が上がっているときは、脇と骨盤に手をあててゆっくり伸ばしましょう。

3 首の横を伸ばす

マヒ側の首が縮んで首が傾いているときは肩と頭に手をあて、優しく伸ばします。

4 両肩を揃える

マヒ側の肩を前方に出して、健側の肩と前後や高さを揃えます。

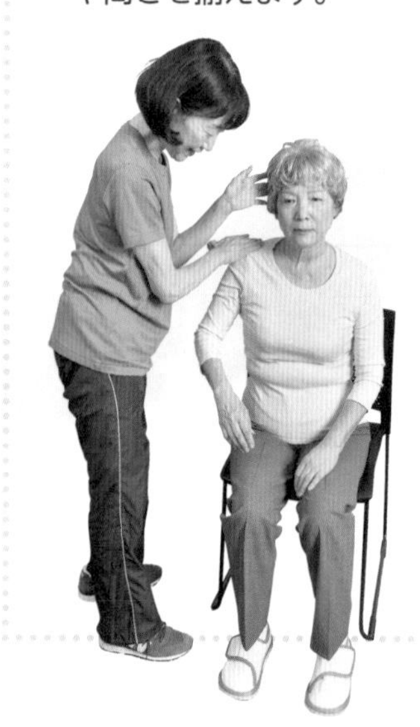

5 後頭部を伸ばす

頭の後ろに手をあてて、まっすぐに伸ばすようにします。

「もう少しあごを引いていただけますか？」
などと、これからどこをさわろうとしているのかを伝えます。

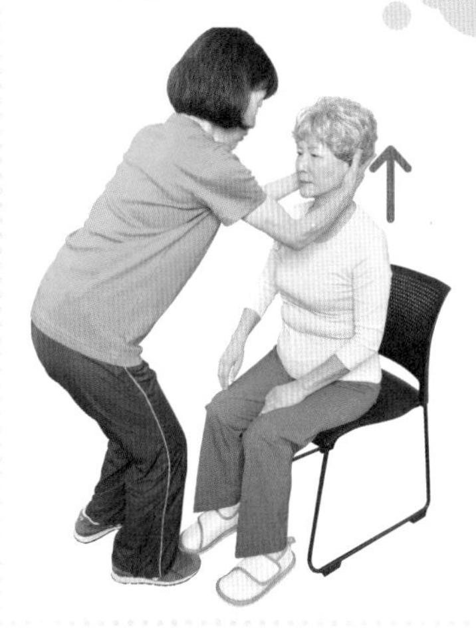

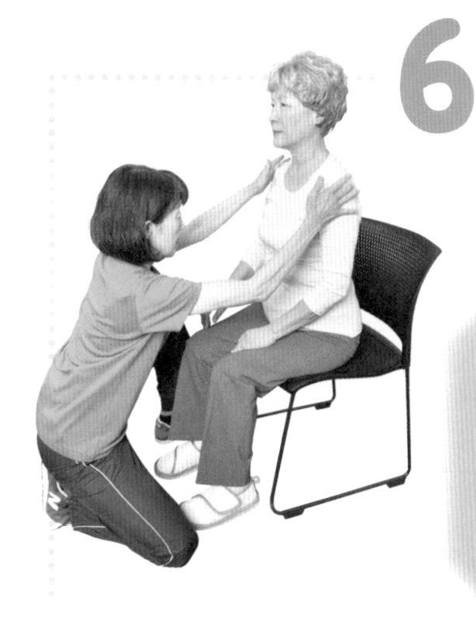

6 体を左右対称に整える

頭の傾きや肩の高さなどバランスを見ながら少しずつ整えて、左右対称にします。

介助のコツ

顔や首、頭などはさわられるのをいやがる人もいます。不快感を表すようなら無理に直さなくてもいいでしょう。

●くずれた姿勢を直す

1 声かけをする

声かけをして姿勢を直すことを伝えます。

「もう少し体を起こしましょうか？」
「背もたれから背中を離していただいていいですか？」
などと、これから行うことを伝えます。

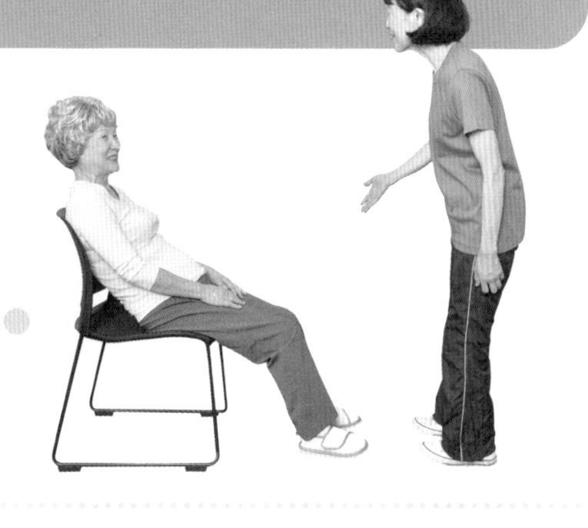

2 片足ずつ足を引く

被介助者のひざ裏と足先に手をあてて、足を引いてもらいます。
片足ずつ誘導し、揃えます。

介助のコツ

声かけをして、自分で動かせるようなら動かしてもらいましょう。

3 上体を起こす

被介助者の背中に手をあてて、上体を誘導します。まっすぐの姿勢になったら完了です。

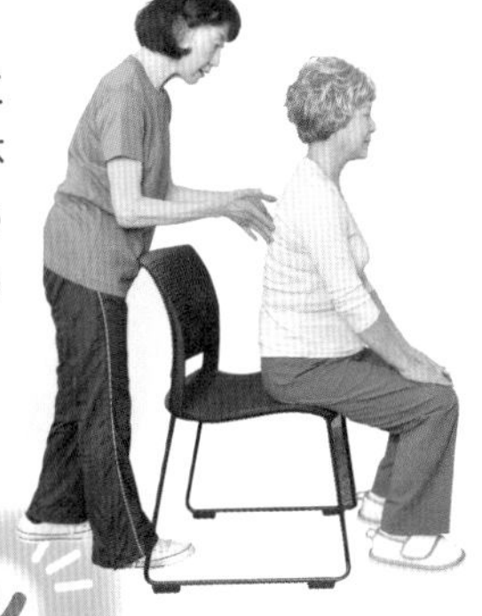

介助のコツ

正しい姿勢になると、座り直したり、立ち上がったりと、次の動作へ移りやすくなります。

2 座位での移動
前後

座ったまま、体の位置を変える介助法です。座っている場所や被介助者の動きなどによってやり方を変えてみましょう。

介助小 一部介助で深く腰かける

p.79の介助方法でも可能

1 被介助者のズボンを支える
軽く前傾姿勢になってもらい、ベルト部分を支えます。

声かけのコツ
「いすの後ろにおしりを引きましょう」「深く座り直してください」などと、これからの動作を伝えます。

Point
- 一度に座り直しができなくても、少しずつ動作を繰り返して希望の位置に移動する。
- 被介助者を引っ張ったり、押したりして移動するのはNG

ズボンを持ち上げたり引っ張ったりは禁忌です。被介助者が介助者の手の存在が気になるようなら正しく持てていません。

介助のコツ
ズボンのベルト布部分を支える介助は、禁止されることが多いのですが、人が立位や座位になった際の体重心の位置に近いので、持ち方を注意すれば座ったり、座り直したり、車いすやトイレなどに移乗するときに使える介助法です。動きを誘導しやすく、被介助者に負担を与えず自然な動きを引き出しやすくなります。

声かけのコツ
「いきますね。イチ、ニの、サン、はい」と、言い終えてから介助をする

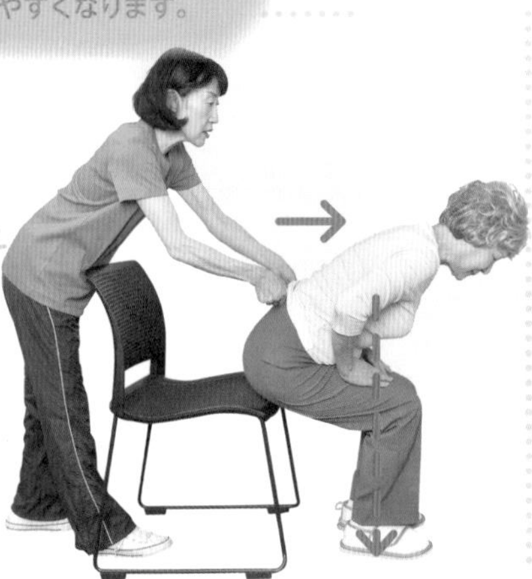

2 被介助者を前方に押し出す
被介助者を前に押し出すと、重心が前方に移動しておしりが上がります。被介助者の重心が両足底の上にくるまで前傾になってもらいます。

3 深く座り直してもらう
体重が足裏にかかった後、被介助者のおしりを引く動きが出てきたら、一瞬遅れて深く座り直すように後ろに誘導します。

介助小 一部介助で浅く腰かける

1 被介助者の左のおしりのカーブに添える

介助者は片ひざを立てて、右手の手のひらはベッドにあてます。前腕から親指の内側を被介助者の左のおしりのカーブに合わせます。

Point

- 介助者は肩〜上肢を固定したままで、体重移動していく。
- 被介助者を無理に動かそうとしないで、ひとつひとつの動作をていねいに行う。
- 立ち上がりの準備などにも使う動作になる。

声かけのコツ

「浅く座り直しましょう」
「左のおしりから前に出してくださいね」
などと、これからの動きを伝えましょう。

介助のコツ

介助者は体の重心移動を伝えて被介助者を動かします。決して手の力で被介助者を動かさないようにしましょう。

2 被介助者に体重移動を伝える

介助者は左に体重移動する。介助者が左に体重移動すると、対面している被介助者は右に体重移動します。

3 被介助者のおしりと太ももを支える

被介助者の左のおしりが浮いたら、介助者の右手を被介助者の左のおしりに立てるようにしてあてます。右前腕は被介助者の左の太ももを支えます。

CloseUp

介助者の前腕と手のひらで被介助者の浮いたおしりを支えます。

4 被介助者のおしりが前に出る

介助者は自分の右の肩と骨盤を後ろに引きます。対面している被介助者の左のおしりが前に出ます。

5 反対側も1 ～ 4の流れを行う

反対側も同じように介助者が体重移動を伝えて、被介助者のおしりが浮いたらおしりと太ももを支えておしりが前に出るように誘導します。

3 座位での移動 左右

座ったまま、横に移動するときの介助方法です。被介助者の体に負担をかけずに移動させるパターンをいくつか紹介します。左・右どちらでもこの介助法で可能です。この動きがスムーズな立ち上がりにつながります。

自立 自力で横へ移動する

Point

- ベッドの横にベッドと同じ高さぐらいのいすや台を置いて移動する方法。
- 前かがみになれて、手で体を支えられる人向き。

1 台に両手をついてもらう

被介助者の前に台を置き、両手をついてもらいます。

2 前かがみの姿勢でおしりを横に移動

台に体重をかけ、前かがみになるとおしりが浮きます。そのタイミングでおしりを横に移動します。

介助小 一部介助で横へ移動する

パターン1

1 手を腰にあてる

移動する側に座り、被介助者の背中に腕全体をあて、手のひらを腰にあてます。

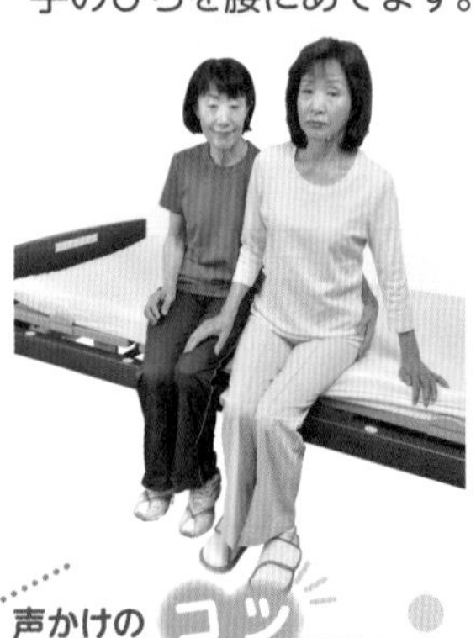

声かけのコツ

「右へ移動してくださいね」などと、声をかけます

介助のコツ

介助者と被介助者の動きが完全にシンクロするとスムーズに移動ができます。

2 一緒に右へ移動する

2人のタイミングを合わせて前かがみの姿勢になり、少しおしりが浮いたときに介助者が右へ移動し、その動きを被介助者に伝え誘導します。

3 腰を下ろす

腰を下ろします。その後、両足も右に移動します。

パターン 2

1 肩を持ってもらう

被介助者の前に座り、介助者の肩に手をあててもらいます。介助者は両手で被介助者の骨盤を持ちます。

声かけのコツ
「左へ移動してください」
などと、声をかけます。

2 肩を支えにしてもらう

被介助者に、手をついている肩を支えにして前かがみになってもらい、おしりが浮いたタイミングで骨盤を支えながら左移動を誘導します。

声かけのコツ
「おしりを上げて左へ移動します」
などと、動きを誘導します。

パターン 3 「体幹を支えての立ち上がり」と同じ介助です。

1 ひざをあてる

被介助者と向き合って、被介助者のどちらかのひざ（患側）に介助者の両ひざをあてます。被介助者に腕を肩にかけてもらい、介助者は被介助者の背中に腕をまわします。

CloseUp
被介助者の右足が患側の場合、右足をはさむような位置に立ち、介助者の両ひざを合わせて被介助者の右ひざにあてます。そこを支点にしておしりを浮かしてもらいます。

2 移動してもらう

前かがみになっておしりを浮かせてもらってから、右横移動を誘導します。

声かけのコツ
「右に動いていただけますか？」
などと、動きを誘導します。

介助のコツ
体幹が弱い人などに向いている方法です。

Point
- 被介助者の体の状態に合わせて、やりやすい方法で移動する。
- 被介助者をせかしたり、引っ張ったりしないよう、被介助者の動きを感じて待つ。

介助小

4 いすからの立ち上がりの介助
両手を支えて

立ち上がるのに介助が必要なのはほんの一瞬です。位置と方向、タイミングを意識しましょう。

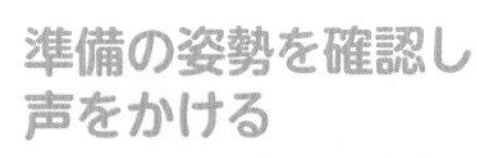

1 準備の姿勢を確認し声をかける

被介助者の目の前に立ち、準備の姿勢を確認し目を見ながら声かけをします。

声かけのコツ

「お食事に行かれませんか？」
「立ち上がっていただけますか？」
などと、これからの動作を伝えます。

Point

- 被介助者の前方への動きを引き出すために、介助者と被介助者の間は広めに間隔をとる。
- 被介助者が立ち上がるまで、同じ位置で支え続ける。

介助のコツ

介助者は足を前後にして前かがみやひざを曲げたりせずまっすぐ立ちます。

2 被介助者に両手をかけてもらう

被介助者に上から手をかけてもらいます。

CloseUp

親指以外の4本の指が直角になる「カギカッコ」の形（p.28）を作って、被介助者に手をかけてもらいます。被介助者も同じ「カギカッコ」の形の手になります。親指は離しておきます。

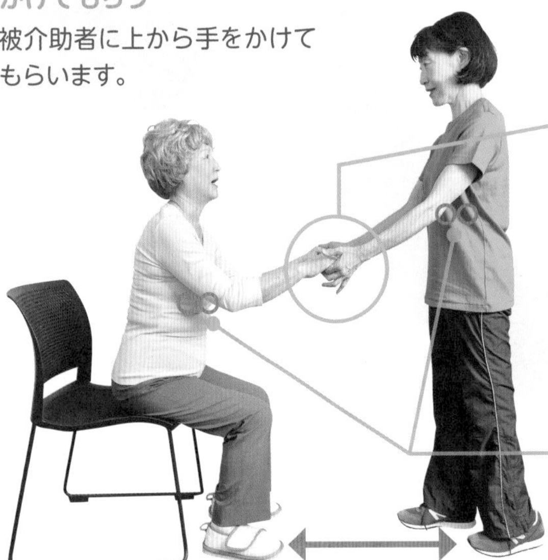

「介助のコツ」の姿勢が保てるように十分距離をとる

介助のコツ

介助者、被介助者共にひじを体の前面からこぶし2個分ほど前に出します。介助者も被介助者もひじは力が抜けて曲がっている状態です。

3 手を引いて前傾を誘導

床と平行に手を軽く後ろへ引き、前傾を誘導します。

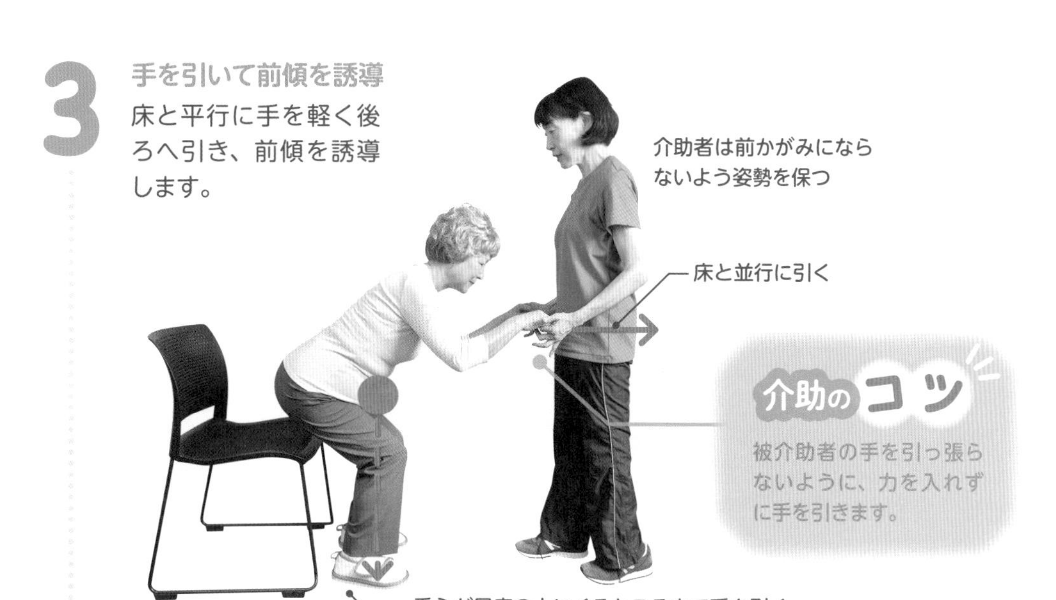
介助者は前かがみにならないよう姿勢を保つ
床と並行に引く
介助のコツ
被介助者の手を引っ張らないように、力を入れずに手を引きます。
重心が足底の上にくるところまで手を引く

4 手を止める

被介助者の重心が両足底の間にのったところで、介助者は後ろに引く手を止めます。

5 体が伸びるのを支える

被介助者のひざ、腰、背中が伸びてくるのを確認しながら、手の位置を動かさないようにして、立ち上がりの動きを支えます。

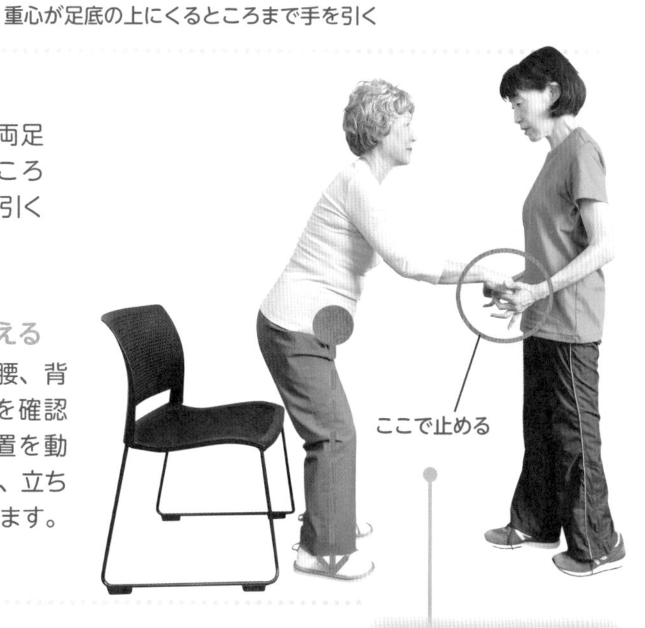
ここで止める

介助のコツ

体重が介助者の手にかかりますが、上に持ち上げたり前後に動かさないようにします。

6 体がまっすぐになるのを確認する

完全に立ち上がり、体がまっすぐになったら手をゆるめ、被介助者も介助者も重心が両足底の間にくるように立ちます。

介助 小

5 いすからの立ち上がりの介助 被介助者に合わせた工夫

被介助者の体の状態や介助の必要量、自分との体格の違いなど、状況に合わせて使い分けてみてください。

声かけのコツ

「食事に行かれませんか？」
「手をかけていただけますか？」
などと、これからの動作を伝えます。

パターン1 片手のみで介助

被介助者が認知症や軽度のパーキンソン病などの場合、この介助法のほうが立ち上がってもらいやすいです。

1 手をかける

被介助者に声をかけて、手をかけてもらいます。

介助のコツ

軽く誘導するのみで、力強く引っ張らないようにします。

2 支えになる

介助者は手をさし出して立ち上がりをうながします。

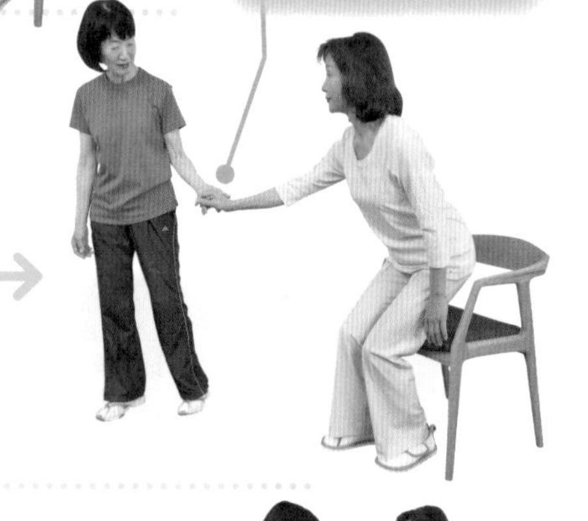

パターン2 両ひじで介助

支える部分がより増えて、安定する介助法です。

重心が両踵の上にくる位置まで

3 体とひざが伸びるのを支える

被介助者が立ち上がるまで、ひざ、腰、背中が伸びてくるのを確認しながら支え続ける。

1 ひじをのせてもらう

介助者は構えの姿勢(p.27)で被介助者に介助者のひじを持ってもらい、肩、ひじの力を抜いてもらいます。

2 前方に体重移動する

介助者は前腕を引いて、被介助者の重心が両足底の間に落ちるところまで前方に誘導します。被介助者の重心が両足底の間に落ちた位置で介助者が手を止めると、被介助者の立ち上がる動きが出ます。

自立 6 いすに座る介助
両手を支えて

立ち上がるのに介助が必要なのはほんの一瞬です。位置と方向、タイミングを意識しましょう。

1 手を持ってもらう
介助者は被介助者と向かい合って立ち、手を持ってもらう。

声かけのコツ
「いすに座りましょう」
「手を持っていただけますか？」
などと、これからの動きを誘導します。

声かけのコツ
「座っていただけますか？」
などと、動作を誘導します。

介助のコツ
介助者はカギカッコ（p.28）の手を作り、被介助者に上から手をかけてもらう。介助者の親指は被介助者の手を持ちません。

CloseUp

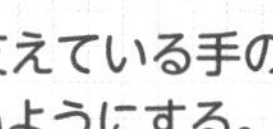

Point
- 介助者は支えている手の位置を動かさないようにする。
- 座っている状態から立ち上がる介助はこの逆の流れをする。

2 前傾姿勢を誘導する
介助者は手を床と平行に少し引いて、被介助者が前傾になるように誘導します。

介助のコツ
手を動かさないようにして、被介助者を支えます。

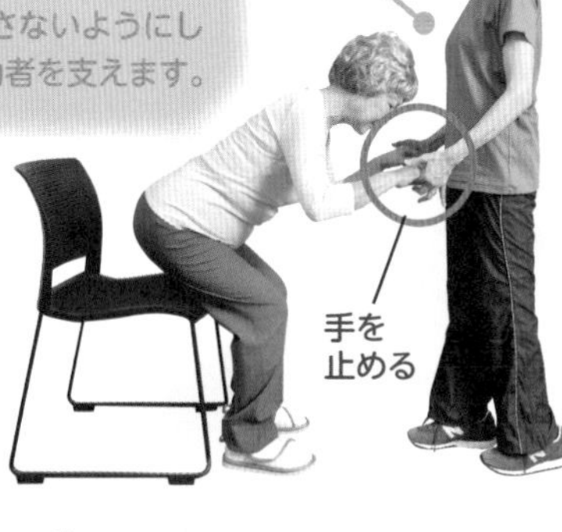

3 手を止める
被介助者が腰を下ろしはじめたら、介助者は手を止めます。

4 手を止めておく
被介助者が座りおえて上体を起こし動きが止まるまで、介助者は手を動かさず止めておきます。

5 手をゆるめる
被介助者が上体を起こす動きが止まったのを確認したら、介助者は手をゆるめます。

7 自力での立ち上がり
手すりを使用

ベッドに介助バーを設置すると座位や立位が安定してできるようになる人が増えます。ベッドの高さを調整して、足裏に体重がかかると前方への体重移動もスムーズになります。介助バーがない場合は右頁のような福祉用具や椅子の背を手すりの代用にします。

自立 介助バーを使って自力で立ち上がる

1 介助バーをつかむ

立ち上がりの準備の姿勢になっているか確認します。ベッドは少し高め、足裏に体重がかかっているか確認します。
足に体重がのっていない場合は、❶おしりを前に出してもらう ❷足を引く ❸少し前傾姿勢になる ❹ベッドを高くする 等で調整します。

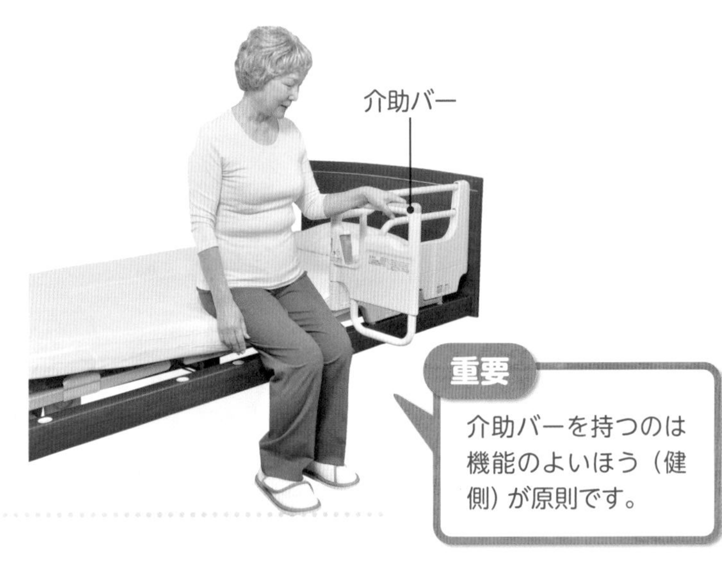

重要
介助バーを持つのは機能のよいほう（健側）が原則です。

2 前傾になり、立ち上がる

前傾になると重心が前方に移動し立ち上がりの動きが出てきます。

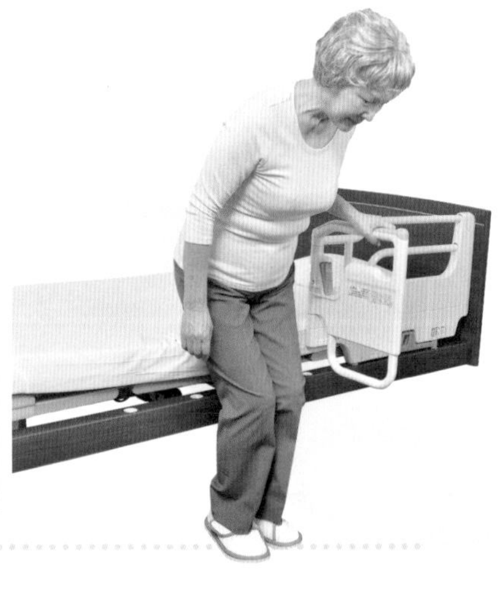

注意
通常のベッドの柵は、ベッドと柵が平行で持ちにくいだけでなく、立ち上がりに必要な重心を前に出す動きが難しくなります。立ったあとも、重心が後方に残り不安定になります。

Point
- 介助バーをつかむ位置は、自分の体を支えて立ち上がりやすい場所を選ぶ。

3 立ち上がり完了

立ち上がりの完了です。

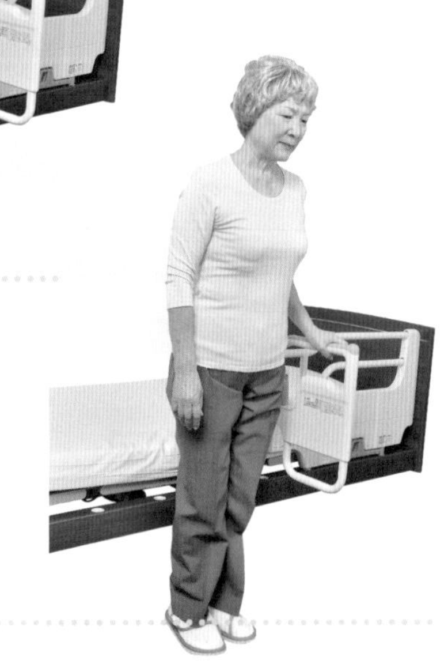

はなまるサポート

立ち上がりを助ける福祉用具

介助者と被介助者の負担を軽減するために、立ち上がりを補助する専用の用具も市販されています。介護保険でレンタルもできますので、必要に応じて利用を検討してみましょう。

立ち上がり補助手すり

コンパクトで場所をとらず、移動手すりとしても用いることができる補助手すりです。床からの立ち上がりやベッド、トイレや浴槽、玄関など、体を保持するさまざまな場所で使えます。

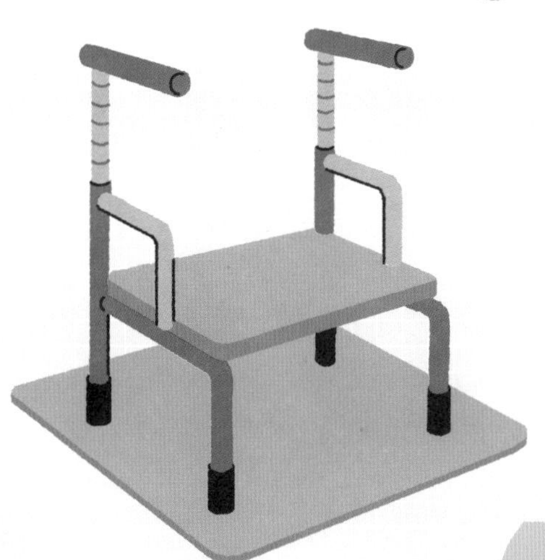

ステップアップバー

手すりと台を組み合わせた立ち上がるための専用の用具です。ベース部分があるため、いすや台に比べて安定感があります。被介助者の身長に合わせて細かく調整できるので、ちょうどいい高さで使えば力が入れやすくなります。

電動座いす

座面の高さが自由に変えられることが大きな特徴です。ベッドや車いすに移乗するときも便利です。畳や床で生活している人の立ち上がりのときにも役立ちます。

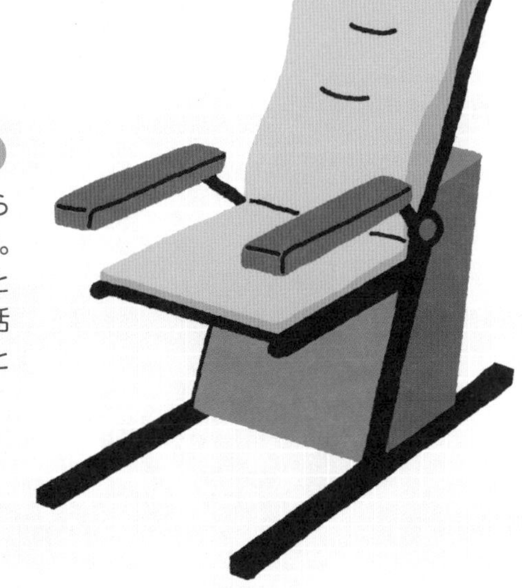

介助小 8 立ち上がりの介助 脇を支えて

介助小 介助バーを使って脇支えの介助で立ち上がる

この介助は、片マヒの人をはじめ認知症の人、運動機能レベルの低い人〜高い人までの介助に使える利用度の高い介助法です。利点は、❶被介助者と介助者が離れて介助できるのでストレスが少ない　❷被介助者の表情や姿勢、動きがよく見える　❸被介助者と介助者とバーが作る支持基底面（体を支えるために必要な床面積）が広く安定性が高い　❹被介助者が自分でバーを持つので安心感がある　❺片マヒの人の左右差を調整できる。などです。
この介助で立ち上がることができる被介助者は、自分で体幹を支えることができる人です。

1 介助バーを持ってもらう

立ち上がることを伝え、介助バーを持ってもらいます。

声かけのコツ

「お食事に行かれませんか？」
「介助バーを持っていただけますか？」
などと、これからの動作を伝えます。

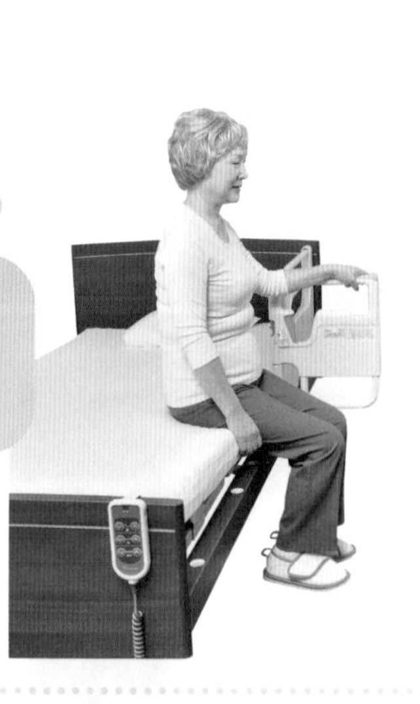

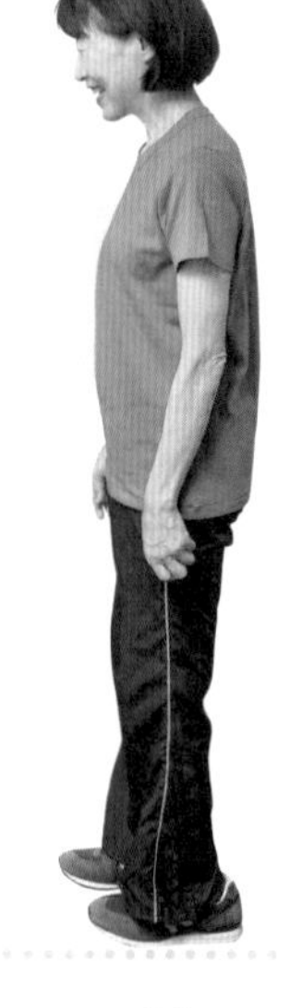

介助のコツ

マヒのある人は、マヒがないほうの手で介助バーを持ってもらいます。

2 手を脇に差し入れる

介助者は右手を被介助者の右脇にあてます。
介助者は足を前後にしますが被介助者のつま先より先には出ないようにします。被介助者と介助者の肩、骨盤は平行になるようにします。

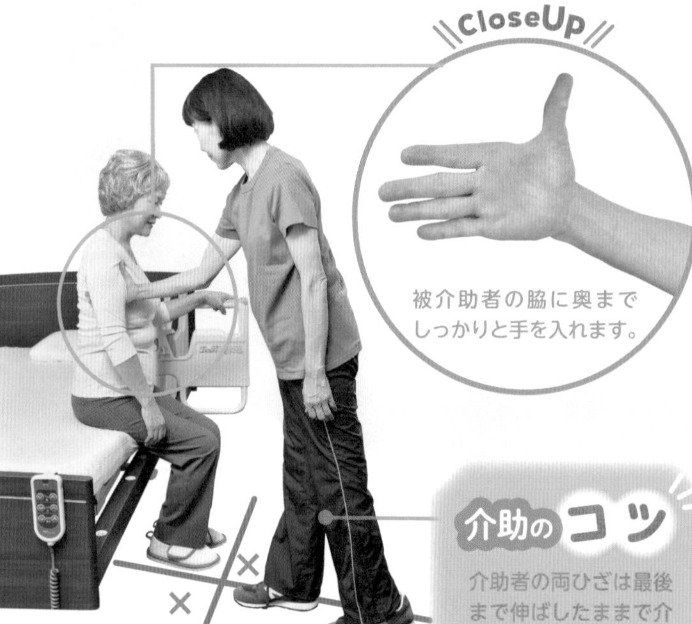

被介助者の脇に奥までしっかりと手を入れます。

Point

- 被介助者が自力で立ち上がるのを誘導する。
- 介助者はできるだけ動かず支えになるようにする。

介助のコツ

介助者の両ひざは最後まで伸ばしたままで介助します。

3 介助者の手を引く

介助者は力を入れず脇に入れた手を床と平行に後ろに引きます。被介助者の身体がついてきて前傾の姿勢になります。

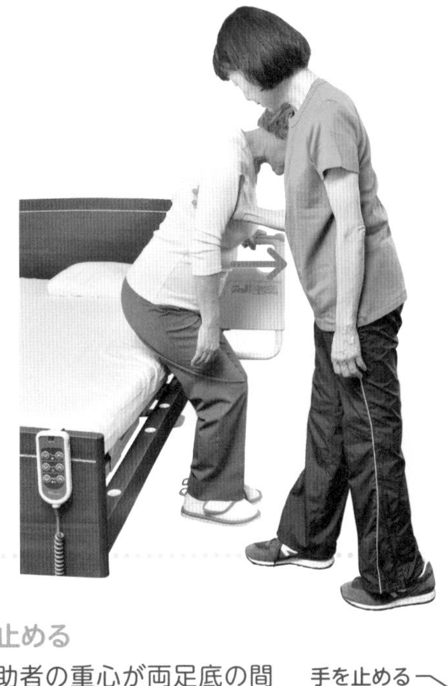

4 手を止める

被介助者の重心が両足底の間にきたら手を止めます。

手を止める

5 立ち上がる動きについていく

被介助者の脇を支えながら、立ち上がる動きについていくようにします。

6 立ち上がりの完了

立ち上がりの完了です。

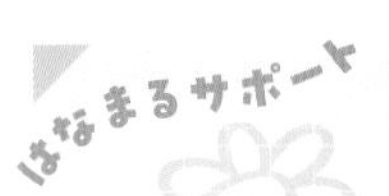

介助バーがないときは

安定したいすの背を介助バー代わりになるように、被介助者の健側に置いて支えにしてもらいます。ベッド以外の場所でも使えます。

9 いすに座る介助
脇を支えて

被介助者に手すり、介助バー、いすの背、机などを持ってもらい介助します。

左が健側の場合

1 まっすぐ立っていることを確認し、声をかける

被介助者がまっすぐ立っていることを確認し、声をかけます。

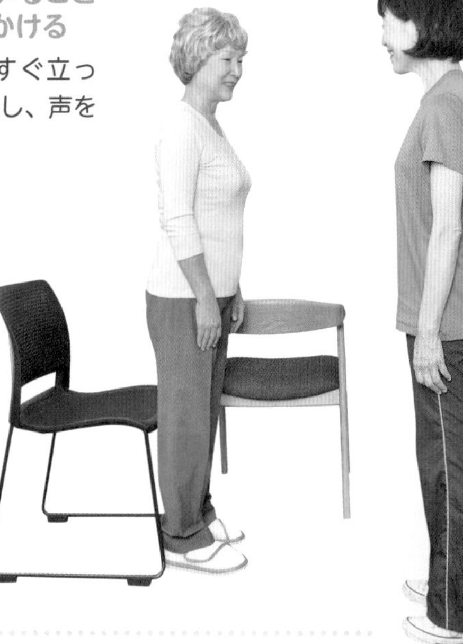

声かけのコツ

「いすに座りましょうか？」などと、これからの動きを伝えます。

2 手を脇に入れて支える

被介助者に、左手でいすの背もたれや介助バーを持ってもらいます。
介助者は右手を被介助者の右脇にあて、支えます。

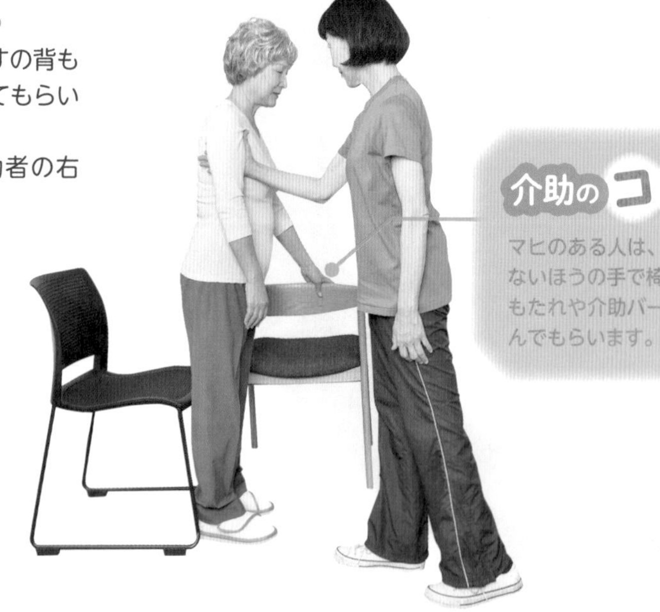

介助のコツ

マヒのある人は、マヒのないほうの手で椅子の背もたれや介助バーをつかんでもらいます。

Point

- 介助者は脇を支えている手を持ち上げたり、ゆるめたりしない。
- 被介助者を重たく感じるなら、支えができていないか、誘導の方向が違う。

3 介助者は右手を床と平行に手前に引く

介助者は差し入れた手を床と平行に手前に引きます。被介助者が前傾姿勢になると、股・ひざ関節がゆるみます。
介助者は被介助者の脇を支えながら、被介助者の動きについていきます。

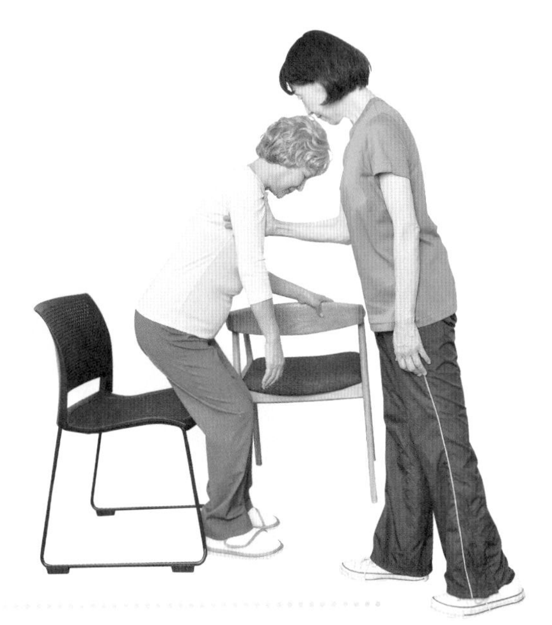

4 介助者は支え続ける

座る直前で被介助者の重心が両足底間より後方に移動すると、被介助者の体も後方へ移動して座面に座ります。
その間も介助者は支え続けます。

5 座って体がまっすぐになったら完了

座って体がまっすぐになったら完了です。

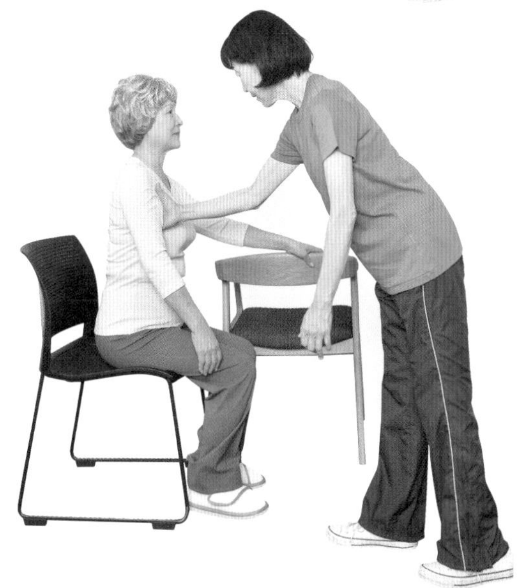

介助大

10 立ち上がりの介助 体幹を支えて❶

体幹が弱くても、ひざを支点にして体重移動を利用すれば、被介助者の力を引き出しながら立ち上がってもらうことができます。

基本 被介助者が手を上げられる場合

声かけのコツ

「お食事に行かれませんか？」
「立っていただけますか？」
などと、これから行う動作を伝えます。

1 声をかけます

被介助者の前に立って声をかけます。

2 被介助者のひざに両ひざをあてる

介助者は自分の両ひざを揃えて被介助者の片方のひざ（原則は患側）に当てます。被介助者と介助者の体格の差があり、ひざが合わせられない場合は上下になっても構いませんが、介助者のひざは被介助者のひざ、大腿下腿のどこかに必ずあたっているようにします。

3 被介助者の肩のラインと介助者のあごのラインを合わせる

被介助者の肩のラインと介助者のあごのラインの前後が合うように互いに前傾姿勢になります。

介助のコツ

介助者はおしりを引かないように注意します。

声かけのコツ

「私の首に手をまわしていただけますか?」
などと、これから行う動作を伝えます。

4 両腕を肩にまわしてもらう

被介助者の両腕を肩にまわしてもらいます。

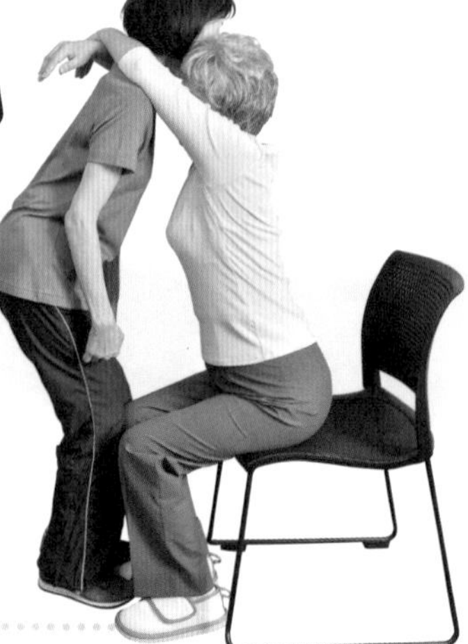

5 介助者は上に伸び上がる

伸び上がると被介助者の腕と介助者の肩で支えができます。

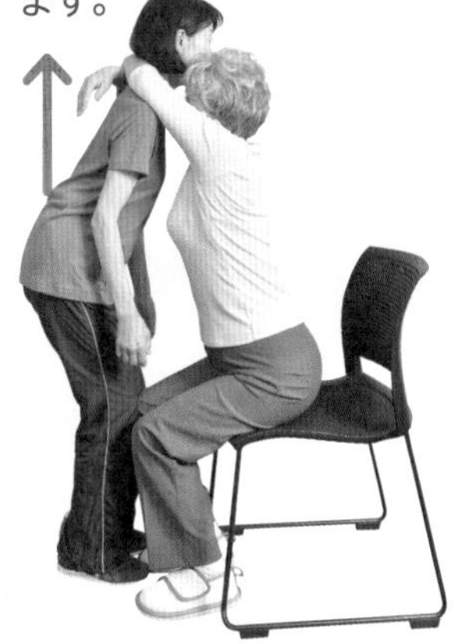

6 介助者は被介助者に手をまわす

介助者は被介助者の背中に軽く手をまわします。

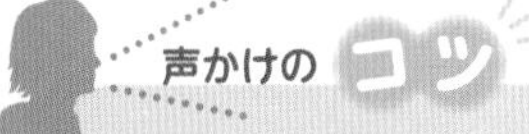

声かけのコツ

「立ち上がっていただけますか？」などと、動きを伝えます。

7 介助者は後方に重心を移動する

介助者はひざを合わせたまま、自分の肩に置いた被介助者の前腕とひざを支点にして後ろに体重をあずけます。

7～9で被介助者を上に持ち上げる動きはありません。

介助のコツ

被介助者が、前傾姿勢からひざや上半身が伸びる動きが出てきたら、自分の動きを一瞬止めて、被介助者のほうの動きについていくようにします。

8 介助者は後方への動きを止める

被介助者の重心が両足底の間にきたところで、介助者は後方への動きを止めます。

9 介助者は遅れて立ち上がる

介助者は被介助者が立ち上がっていくのを、動きを止めて待ちます。被介助者が立ち上がり、被介助者の動きが止まりかけたら、介助者は被介助者に遅れて立ち上がっていきます。

10 安定した位置で立つ

被介助者、介助者の重心が、両足底の間に落ちる位置で立ちます。

11 いすに座る介助 体幹を支えて❶

介助大

体幹を支えながら、立った姿勢からいすに座る介助です。

基本 被介助者が手を上げることができる場合

1 肩に両腕をかけてもらう

被介助者にまっすぐ向き合って立ち、肩に両腕をかけてもらいます。介助者は、被介助者の肩と腰にかるく手をあてます。

声かけのコツ

「いすに座りましょう」
「肩に手をまわしていただけますか？」
などと、声をかけます。

2 肩を少し引き寄せる

被介助者の肩を少し引き寄せるとひざがゆるんで、おしりが下がってくる動きが出てきます。被介助者の座る動きが出ても、介助者は前傾やひざを曲げることなくまっすぐ立ち続けます。

3 ひざをあてる

被介助者の体がこれ以上、下がらないところまできたら介助者の両ひざを被介助者の片方のひざ（患側）にあてます。

4 ひざを曲げていく

ひざをあてた後も、介助者は前傾姿勢にならないように上体をまっすぐに保って自分のひざを曲げていきます。

Point

- 介助者が支え続けることができれば、被介助者がドスンと勢いよく座ったり、被介助者と一緒に倒れこんだりすることは起こらない。

5 座る

介助者のひざが曲がることで被介助者のおしりが後方に下がり座面につきます。

介助のコツ

介助者は、被介助者のおしりが座面につくまで支え続けます。

6 手を離す

姿勢が安定したら被介助者の手を離します。

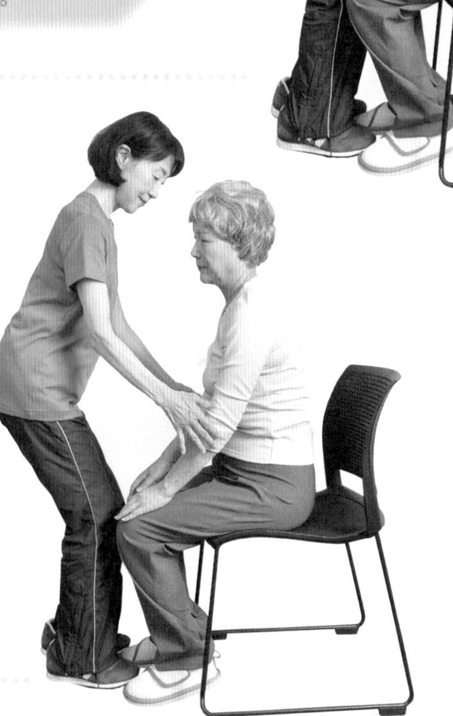

12 立ち上がりの介助 体幹を支えて②

Point

- 被介助者と介助者の身長差が大きい場合
- 被介助者の緊張が強く突っ張る場合
- 被介助者が上肢を挙げられない場合

CloseUp

介助者の前腕〜手で被介助者を支えます。

1 ひざをあて、背中に手をまわす

P92の1 ～ 2と同様に行います。
介助者はできるだけ体を起こした状態で、被介助者の脇から背中に手をまわします。手のひらから前腕で被介助者を支えます。

介助のコツ

被介助者の緊張が強く突っ張ってしまう場合も、この介助の適用です。被介助者が手をまわしてもかまいません。

声かけのコツ

「立ち上がっていただけますか？」
などと、これから行う行動を伝えます。

2 体重を後方にあずける

介助者は後方に重心を移動し、被介助者を前方へ誘導します。

3 介助者は動きを止める

被介助者の重心が両足裏の間にきたら、介助者は後方への体重移動を止めます。

4 被介助者に遅れて立ち上がっていく

被介助者が立ち上がってくるのを待ちながら、動きが止まりそうであれば手前に少し引きます。

介助のコツ

介助者は、立ち上がりを待つのと手前に少し引くのを繰り返しながら、被介助者に遅れて立ち上がっていきます。

5 立ち上がりの完了

被介助者の両ひざが完全に伸びたら、腕の力をゆるめます。被介助者、介助者ともに重心が足裏に落ち安定したら完了です。

介助のコツ

突っ張りの強い被介助者の場合は、ひざを完全に伸ばさないで少し曲がった状態で止めるようにします。

介助者と被介助者がひざを支点にして立ち上がってもらう方法は、介助者の力を必要とせず、被介助者のひざ折れ（ひざの力がガクンと抜ける現象）の防止にもなります。下記のような姿勢にならないように注意しましょう。

腰を落としすぎている

被介助者のひざをはさんでしまっている

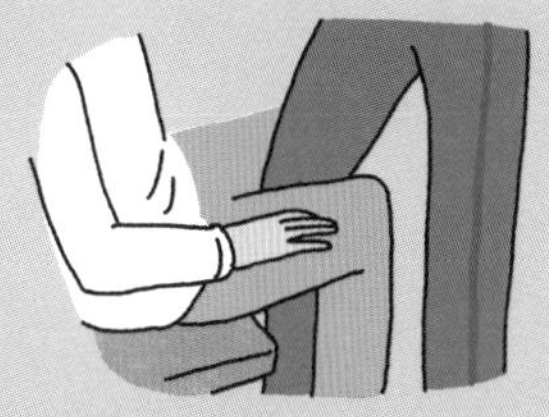

ひざとひざの間に足を入れてしまっている

13 いすに座る介助
体幹を支えて❷

Point

- 被介助者が手を上げられない場合、被介助者と介助者の身長に差があるときや、被介助者の緊張が強くつっぱる場合などに使える。

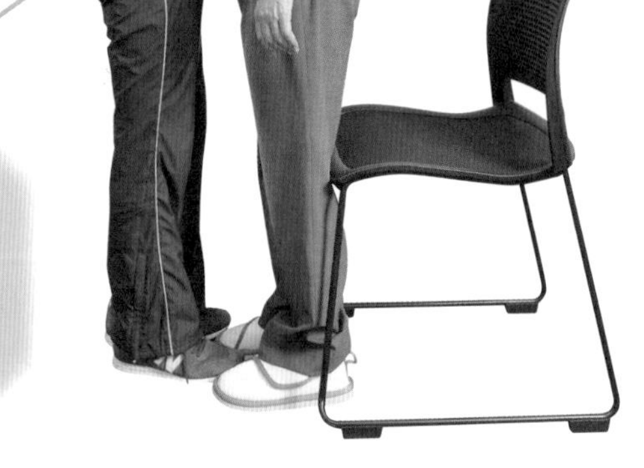

被介助者の緊張が強く、つっぱる場合は、介助者の両手を左右の肩甲骨のあたりに置く

1 肩と腰に手をあてる

被介助者にまっすぐ向き合って立ち、右手は肩甲骨の下あたり、左手は腰にあてます。介助者は両手で被介助者をしっかり支える

介助のコツ

被介助者の体幹を支えるように手をあて、腰を下ろす動きは自然に出てくるように誘導します。

2 肩を引き寄せる

被介助者の肩をおじぎをするように引き寄せます。すると被介助者のひざがゆるんで、おしりが下がってくる動きがでてきます。

声かけのコツ

「私が支えていますから、そのまま腰を下ろしてください」と、言って被介助者を安心させます。

被介助者の緊張が強く、つっぱる場合は、肩甲骨に置いた介助者の両手を手前、下方に引く

介助のコツ

被介助者の座る動きが出ても、介助者は前傾姿勢をとったり、ひざを曲げたりしないでまっすぐ立ち続けます。

3 ひざをあてる

被介助者の上体が後方へいかないように、介助者は両手を手前に引き、被介助者を支え続けます。被介助者の体がこれ以上、下がらないところまできたら介助者の両ひざを被介助者の片方のひざ（患側）にあてます。

4 おしりが座面につくのを誘導

介助者はできるだけ前傾姿勢にならないように注意し、ひざを曲げていきます。被介助者のおしりが完全にいすについたら、体がまっすぐになるように誘導します。

介助者は、被介助者のおしりが座面につくまで支え続けます。

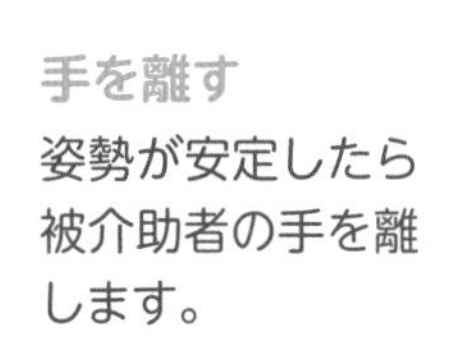

5 手を離す

姿勢が安定したら被介助者の手を離します。

自立 14 自力での床からの立ち上がり

直線的ではなく、円を描くような動きを利用することで、力を使わずに立ち上がることができます。自力で立ち上がれると、行動範囲が広がります。

1 障害物がないか確認

座っている床のまわりに、障害物がないか確認します。

Point

- 介助者は、健側、マヒ側、それぞれの動かし方のコツを伝えるようにする。

2 横座りになる

健側の手を床について体を支え、さらに、健側の足先をマヒ側のひざの下に入れます。健側に体重をかけ、健側下の横座りになります。

3 3点で体を支える

腰を回旋させておしりを上げ、健側の手とひざ、足先の３点で体を支えてもらいます。

介助のコツ

体を回転させて四つ這いのような姿勢になるのがコツです。

4 健側のひざを伸ばす

健側の足裏をつけてひざを伸ばします。高這いの姿勢になります。

5 手を足に近づける

4の姿勢のまま、右手を右足のほうへ少しずつ近づけます。

介助のコツ

バランスをくずさないように、焦らずに少しずつ手を足に近づけていきます。

6 体を起こす

健側の足でしっかり体を支えながら、体を起こしていきます。

7 足を引き寄せてもらう

上体がしっかり起きたら、マヒ側の足を引き寄せます。

自立 15 自力での床からの立ち上がり いす（ベッド）へ

マヒがあったり、筋力が弱い人の場合でも、コツをつかめば自力で床からいすへ座ることができます。

左片マヒ等、右の機能のほうがいい場合

※右片マヒの場合は左右を逆にして行う

Point

- 体のねじれを元に戻す力や、曲げたところを元に戻す力などを利用する。
- バランスをくずすこともあるので、介助者は近くで見守るようにする。

1 右手をつく

少し体から離れたところの床に右手をつきます。

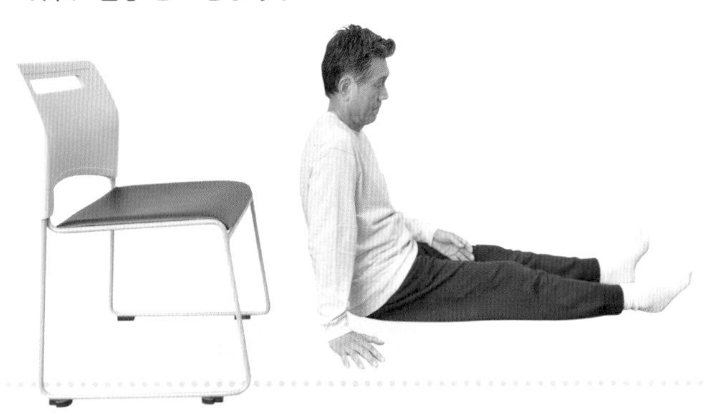

2 体を回転する

右手を軸にして右ひざをつき、体を回転させながらいすのほうへ向きます。

左手が使えない場合は右手だけでよい

3 手をのせる

両ひざをついたところで、いすの座面に左手をのせ、次に右手をのせます。

4 右足を片ひざ立ちにする

右ひざを立てます。

5 右ひざを伸ばす

右足のひざを伸ばして立ち上がります。

6 右手を座面の左奥へ移動する

右手を座面の左奥へ移動させます。そこで体が少しねじれます。

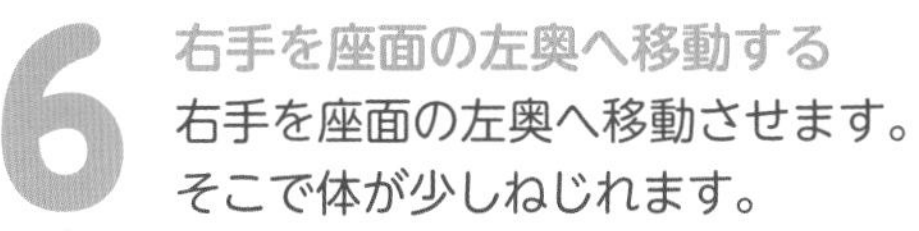

7 座面におしりをのせる

6の動きに添っておしりを座面のほうへ向けていきます。まっすぐに座ったら完了です。

自立 16 自力で床に座る

体を回転させたり、ねじったりする動きを利用して、少ない力で安全に座りましょう。

右片マヒ等、左の機能のほうがいい場合 ※左片マヒの場合は左右を逆にして行う。

1 手を床につける

ひざと腰を少しずつ曲げていき、左手（両手がつけられれば両手）を床につけます。

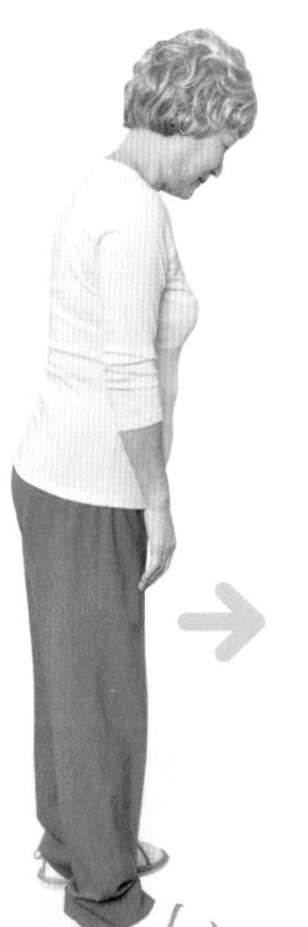

Point

- 手が床につくまで体が不安定になるので、ひざを曲げながら腰をゆっくり下ろす。
- 体のねじれを使っておしりをつくとスムーズに。

2 ひざを床につける

手をついたほうの足のひざを床につけます。

介助のコツ

ついた手を支点にして体をねじって正面を向きます。

3 おしりを床につける

手のほうへ体をねじり、おしりを床につけます。

4 両足を伸ばす

体を正面にして、足を伸ばしたら完了です。

● いすの選び方

体の状態や生活習慣に合わせて選びましょう。

●適切なもの

被介助者が座ったときに足裏がしっかりつく高さで、足を後ろに引くことができて安定感があるものを選びます。介助の量や、生活習慣などを考えて選びましょう。

背をしっかり支え、姿勢を保ちやすい固さと角度

脚は安定していて、座ったときにガタガタしない

立ち上がるときに足を後ろに引くことができる(p.75)

座面は座ったときに足裏がしっかりつく高さ

●不適切なもの

- **ソファ**
  ソファなどのおしりや体が沈み込むタイプのものは、姿勢がくずれやすく立ち上がることが難しくなってしまうので、被介助者にとっては不向きといえます。
- **折り畳みタイプのいす**
  転倒の心配があるので使用しないようにしましょう。
- **座面や背もたれが小さいもの**
  座面や背もたれが小さいものなど、座ったときに安定感がないものも不適切です。

介助小 17 床からの立ち上がりの介助

被介助者の上方への動きを妨げないように骨盤を支え、介助します。何回か練習することで動きのコツをつかむことができます。

左片マヒ等、右の機能のほうがいい場合

※右片マヒの場合は左右を逆にして行う。

1 右の横座りになる

健側（右足）を曲げて、その足先をマヒ側（左足）の下に入れ、右手をついてもらいます。

Point

- 床からの立ち上がりには、被介助者の関節の可動域とバランス感覚が必要。

2 体をねじって腰を起こす

右手と右ひざを支点にして腰を左にねじると、腰が自然に起きてきます。

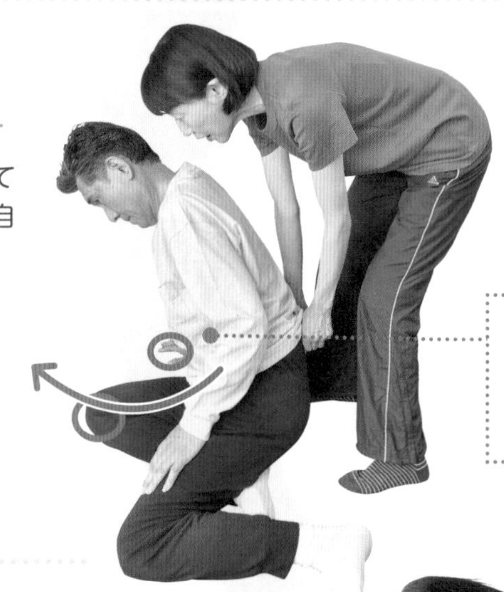

Check!

右手と右ひざが支点になっているのを確認しましょう。

3 骨盤に手を添える

被介助者が安定しているのを確認したら、ベルトを支えていた介助者の手を骨盤に移します。

4 ひざを伸ばしてもらう

右手を少しずつ体のほうにつき直してもらい、健側（右足）のひざを伸ばしていってもらいます。

介助のコツ

被介助者は自分の力でひざや股関節を伸ばしていきます。動きが鈍い場合は骨盤に添えた手で誘導しましょう。

5 上半身を起こしてもらう

ひざを伸ばしながら体を起こしてもらいます。骨盤を支える手は、被介助者の動きに合わせます。

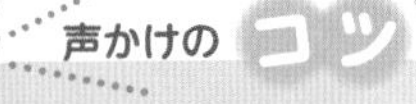

介助のコツ

被介助者は不安定な姿勢になることもあるので、バランスをくずさないよう骨盤を支え続けます。

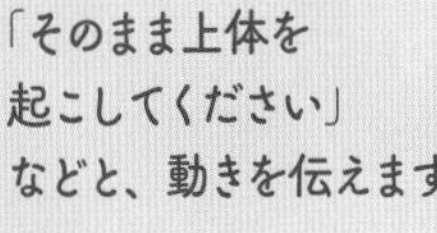

声かけのコツ

「そのまま上体を起こしてください」などと、動きを伝えます。

6 立ち上がったのを確認

まっすぐに立ち上がったら患側の足（左足）を引き寄せてもらいます難しいようなら介助します。

関節の可動域制限

関節を動かせる範囲（角度）のことを「関節可動域」といい、可動域が狭くなることを「関節可動域の制限」といいます。拘縮（こうしゅく）はその代表的な症状です。長時間同じ姿勢を続けていたり、マヒなどにより、いつも同じ方向に筋肉が緊張していたりすると起こります。介助の際には、できるだけ体を動かしてもらうことと、緊張を出さないことが必要です。

介助小 18 床からの立ち上がりの介助 ひざ立ちになってから

床に座っている被介助者に、四つ這いの姿勢からひざ立ちになってもらい、立ち上がる方法です。

1 右向きの横座りになる

右に重心をかけて、右の横座りになってもらいます。

声かけのコツ

「四つ這いになってから立ち上がりましょう」
「右に重心をかけて横座りになっていただけますか？」
などと、行動を伝えます。

2 体をねじって腰を起こす

右手と右ひざを支点にして腰を左にねじると、腰が自然に起きてきます。

Point

- 右手・右ひざが支点になるように介助する。

3 四つ這いの姿勢に誘導

介助者はベルト布部分を支えます。四つ這いの姿勢に誘導します。

声かけのコツ

「両ひざを床についていただけますか？」
などと、行動を伝えます。

声かけのコツ

「私の肩に手をかけていただけますか？」
などと、行動を伝えます。

4 肩に手をかけてもらう

被介助者が安定しているのを確認できたら、介助者は被介助者の前にまわります。

5 被介助者、介助者ともにひざ立ちになる

介助者は、被介助者のひじを支え、被介助者は肩に置いた手を支えにひざ立ちになってもらいます。被介助者の体が起きたら、介助者も体を起こしてひざ立ちになります。

ひじの支えだけでは被介助者が不安定な場合は、腰を支えてもいいでしょう。

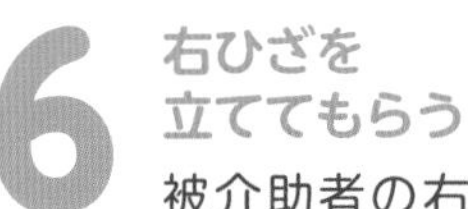

6 右ひざを立ててもらう

被介助者の右ひざを立ててもらいます。動きが悪いときは手を添えて誘導します。

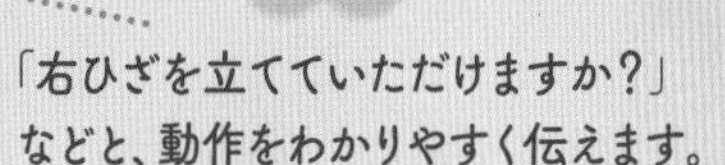

声かけのコツ

「右ひざを立てていただけますか？」などと、動作をわかりやすく伝えます。

7 右から立ち上がる

被介助者のひじや骨盤を右から支えながら、左ひざも立ててもらうように誘導します。

介助のコツ

被介助者が自力で立てるようなら、両ひじや右ひざを支えながら動きを合わせます。

8 両ひざを伸ばして立つ

両ひざが完全に伸びたら完了です。

Point

- 手足の力が弱い被介助者も、肩とひじの2か所が支えになるので安心。
- 被介助者に近づきすぎず、適度な距離を保ちながら介助する。

介助小 19 床からの立ち上がりの介助 いす（ベッド）へ

床からいすやベッドに座るのは、重心の高低差があるため、一度四つ這いの姿勢になります。

左片マヒ等、右の機能のほうがいい場合

※右片マヒの場合は左右を逆にして行う。

1 ベルト布部分を持つ

介助者は被介助者のズボンのベルト布部分を持ちます。被介助者は右に体をひねって、右ひざを曲げます。右足が左足の下にきたら、右手を右後方につきます。

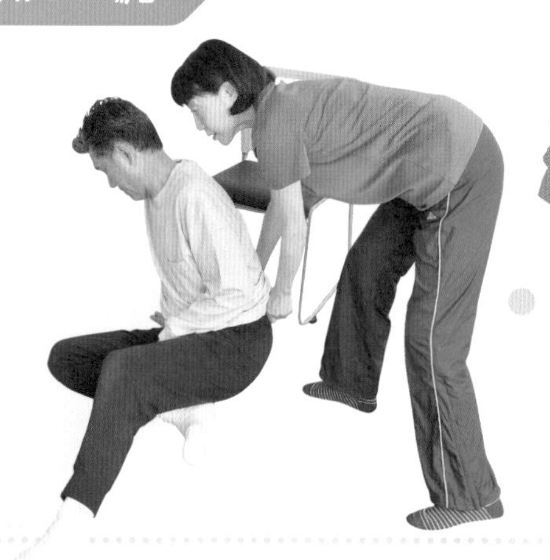

声かけのコツ

「いすに座りましょう」
「ズボンを持たせていただきます」
などと、これからの動作を伝えます。

2 四つ這いを誘導する

被介助者に右手と右ひざを支点にしながら、四つ這いの姿勢になってもらいます。介助者は円を描くように誘導します。

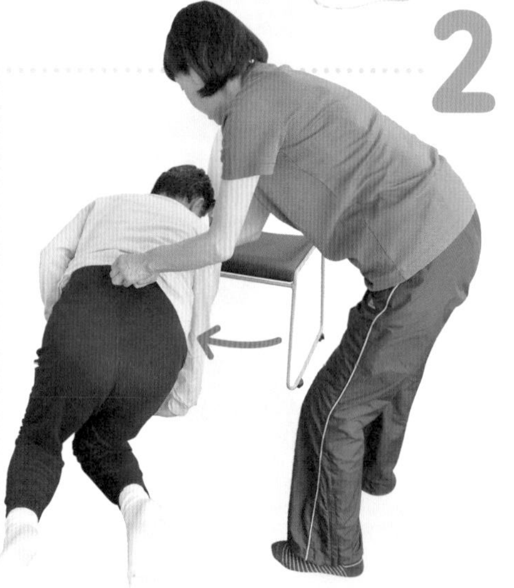

注意

決して持ち上げないようにします。

3 座面を持ってもらう

被介助者にいすの座面に片方ずつ手をついてもらいます。介助者は被介助者の肩を介助します。

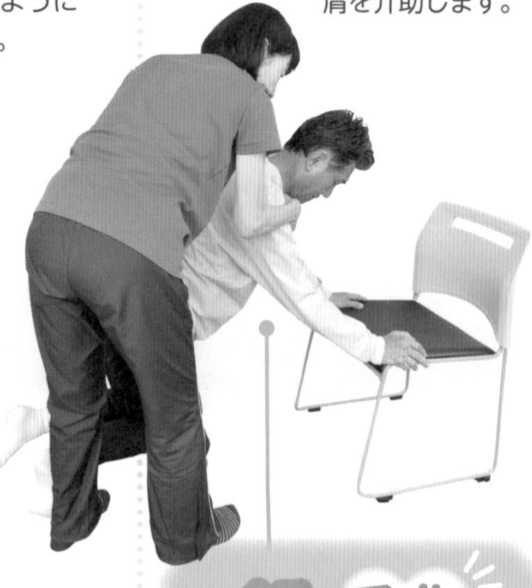

介助のコツ

介助者は必要に応じて、手を座面につくのをサポートします。

Point

- この一連の動作は、筋力よりも関節の可動域が必要。ベッドから床に落ちてしまったときなどに使えるが、日頃から練習しておかないと、いざというときに使えないので注意。
- 被介助者の動きを引き出し、サポートする。

4 右足をひざ立ちしてもらう

被介助者に右足の片ひざ立ちになってもらいます。介助者は被介助者の腰に手をあて、右足が前に出るように誘導します。

5 立ち上がりを誘導

被介助者の立ち上がりを誘導します。

介助のコツ

被介助者の立ち上がる力が弱いときは、腰にあてた手で支えて、右足に体重がのるように介助します。

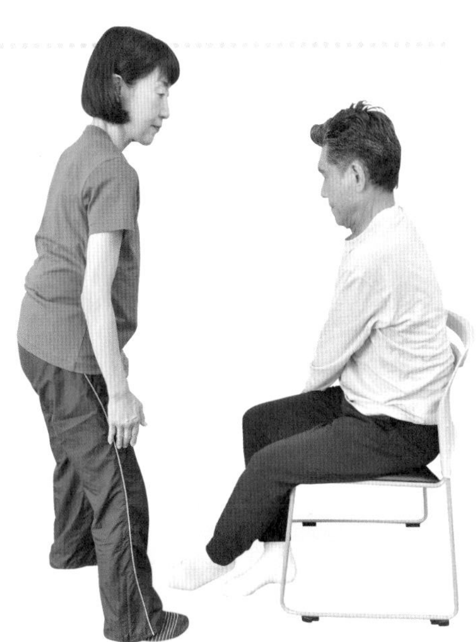

6 おしりを座面に誘導

被介助者の右手を左側奥の座面に移動してもらい、体をねじるようにしておしりを座面のほうへまわすのを介助します。

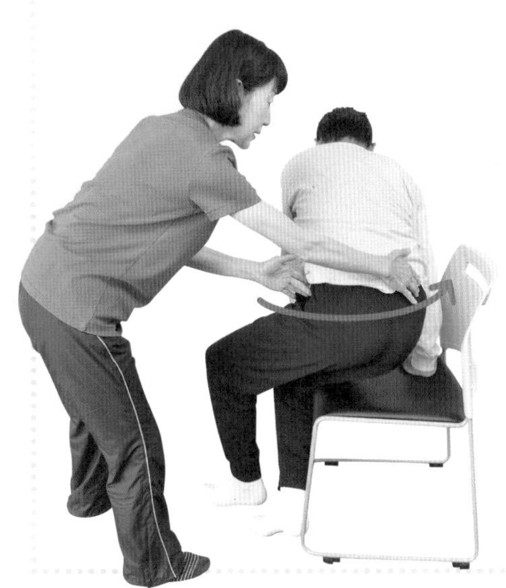

7 座る

正面に向いてもらい、姿勢がまっすぐになるように整えます。

介助大 20 床からの立ち上がりの介助
体幹を支えて

筋肉の緊張や拘縮が強く、前述の介助法が使えない場合の介助法です。

Point

- 後ろから介助に入るため、被介助者には動きが見えません。常に声かけをして不安を感じさせないように気配りを。

声かけのコツ

「立ち上がりましょう」「腕を組んでいただけますか？」
「後ろから手を差し入れます」
「片ひざを立てていただけますか？」
などと、動作を伝えます。

1 被介助者の手をつかむ

被介助者に腕組みをしてもらいます。介助者は脇の下から腕を入れ両手を手首のところで交差させて被介助者の手をつかみます。被介助者に片足を立ててもらいます。

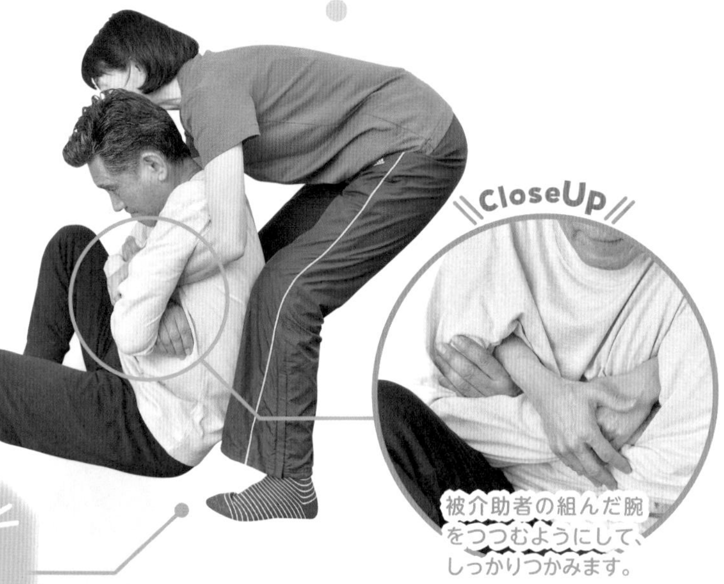

CloseUp
被介助者の組んだ腕をつつむようにして、しっかりつかみます。

介助のコツ
被介助者の後ろに肩幅より少し足を広めに開いて立ちます。

2 後ろへ体重移動する

後ろに自分の体重を移動し、被介助者を少し後ろに引き寄せるようにします。介助者の手首を引き込むことで、被介助者の前傾姿勢を作ります。

介助のコツ
次の動きに備え、ひざを少し伸ばします。

3 被介助者を前へ押す

被介助者を前へ押し、
立ち上がらせます。

介助のコツ

被介助者の片足を立てたほうの足と伸びている足に立ち上がりの動作が出てきたら、体幹を支えながら動きを合わせます。

4 立ち上がりを誘導する

被介助者の両ひざが伸びてきたら、さらに体幹をキープしながら立ち上がりを誘導します。

介助のコツ

被介助者の動きに合わせて支え続けます。

5 両ひざが伸びたのを確認

被介助者の両ひざが完全に伸びたのを確認し、重心が安定したら腕の力をゆるめます。

介助小 21 介助で床に座る

立った姿勢から床への移動は重心の高低差があるので、一度四つ這いになってもらってから座りの態勢に誘導します。

1 骨盤を支える

介助者は被介助者の骨盤を支えてから、両手を床についてもらうように声かけします。

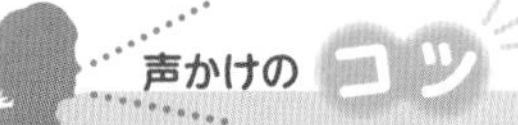

声かけのコツ

「床に座りましょう」
「腰に手をあてさせていただきますね」
などと、行動を伝えます。

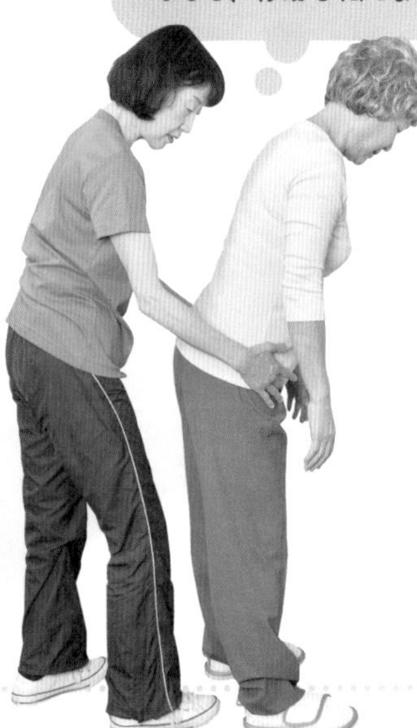

声かけのコツ

「ゆっくりと床に手をついていただけますか？」
などと、動作を誘導します。

Point

- 介助者は骨盤を支えながら、被介助者の動きについていくようにする。

2 両手を床についてもらう

骨盤をしっかり支えて両手をついてもらいます。

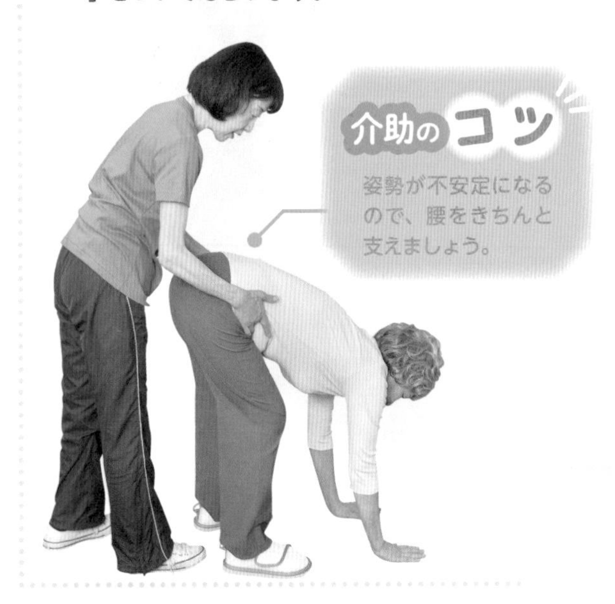

介助のコツ

姿勢が不安定になるので、腰をきちんと支えましょう。

3 右足を引いてもらう

被介助者に右足を引いてもらい、右ひざを床についてもらうように声かけをします。

4 右ひざを床についてもらう

両手をついたまま右足のひざを床についてもらいます。次に左足も引いて四つ這いになってもらうよう声かけをします。

介助のコツ

右足を動かすときは左に体重移動し、左足を動かすときには右に体重移動するように腰を支えて誘導します。

5 四つ這いになる

左ひざもついて四つ這いになってもらいます。

6 おしりを床につけてもらう

被介助者は左へ体をねじりながら左のおしりを床につけていきます。介助者は腰を誘導しながら支え続けます。

声かけのコツ

「左側のおしりを床につけていただけますか？」
などと、次の動作を伝えます。

介助のコツ

被介助者の腰を支えながら左のほうへ誘導します。

7 左のおしりと太ももが床につく

被介助者のおしりが完全に床についたら、介助者は手を離します。

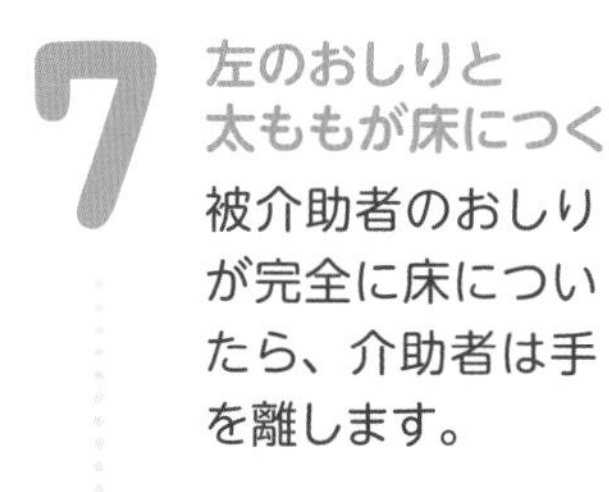

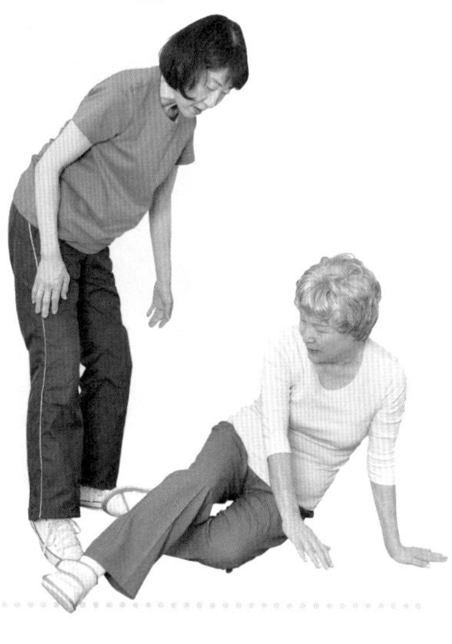

8 正面を向いて座る

被介助者の体が正面を向き、ひざを伸ばして座った状態になったら完了です。

歩く

歩いたり、階段を上ったり・下りたりする動きができるようになると、移動が楽になり体力もつきます。杖や歩行車など補助器具も利用して、1日でも長く自分の足で歩いてもらえるようにサポートしましょう。

介助小 1 歩行の介助 両肘を支えて

支えた手から体重移動を伝え、動きを合わせて歩いていきます。

●ひじを支えて歩く

被介助者も介助者もひじを前に出して距離を保ちます。被介助者、介助者ともに歩行中、重心が両足裏の間に落ちるように介助していきます。

介助のコツ

介助者も被介助者もひじを体の前面から20cm（握りこぶし2個分程度）ほど前に出します。

1 歩くことを伝える

これから歩いて移動することを伝え、介助者は構えの姿勢（p.27）をとり、ひじを持ってもらいます。

声かけのコツ

「トイレへ行きましょう」
「ひじを持っていただけますか？」
などと、これからの動きを伝えます。

CloseUp

介助者はひじを曲げ手のひらを上にして前に出します。被介助者に介助者のひじを持ってもらいます。

2 右に体重移動する

介助者が右に体重移動すると、被介助者は左に体重移動します。

介助のコツ

歩行の介助の間、介助者は絶対にひじを引かないで被介助者の重心が両足底（床に着いた足裏）上に来るようにします。

➡＝体重移動の方向

3 左足を引く

介助者が左足を引くと、被介助者の右足が前に出ます。

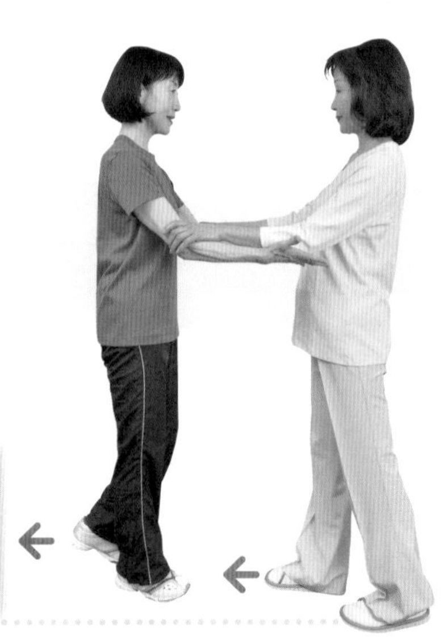

介助のコツ

最初の1～2歩はその場で足踏みする程度。3～4歩目から被介助者の歩幅とスピードに合わせて、介助者の歩幅、スピードを調整します。

4 左（後方）に体重移動をする

介助者が左に体重移動すると、向き合っている被介助者は右（前方）に体重移動します。

➡ ＝体重移動の方向

Point

- 被介助者を引っ張らず、介助者の支えと動きで体重移動を伝える。
- 向かい合った介助者と被介助者がシンクロしながら歩く。
- 介助者は歩行中は構えの姿勢を保ち続けるようにする。

5 右足を引く

介助者が右足を引くと、被介助者の左足が前に出ます。

6 2～5を繰り返し歩く

2～5の流れを繰り返して、介助者は後ろに、被介助者は前に歩いていきます。

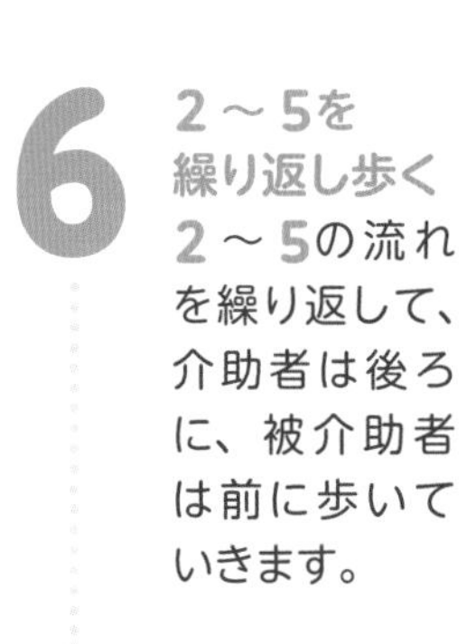

自立 2 杖での歩行

適切な高さに調節し、つく位置やつき方を頭に入れ、歩いてみましょう。
正しい使い方を体得すれば、楽に歩けるようになります。

● 正しい杖のつき方

自力での歩行が難しくなった人には、杖を使うのが有効です。杖は現状からの機能低下を防ぎ、体の他の部位が患部をかばって悪くなるのを予防する役割もあります。

▶杖の高さとつく位置は？

適切な杖の高さは、大転子（大腿骨のつけ根の外側にある出っ張りの部分）の高さです。わかりづらいときは腕を下ろしたときの手首の高さを基準にします。靴をはいた状態で、杖と手首の高さが同じくらいになるように調節すると、杖を持ったときにひじが軽く曲がります。それがちょうどいい高さです。

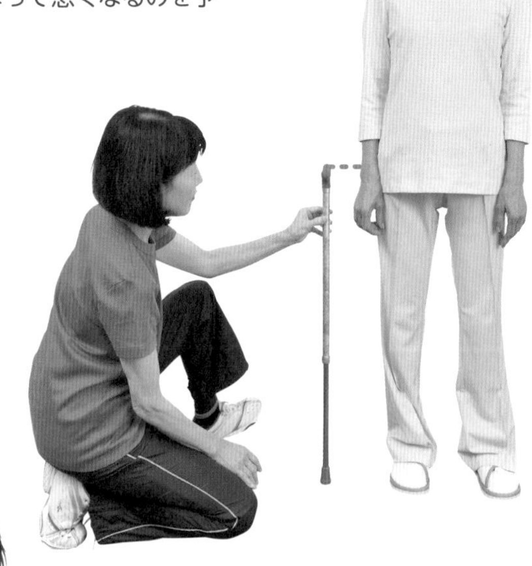

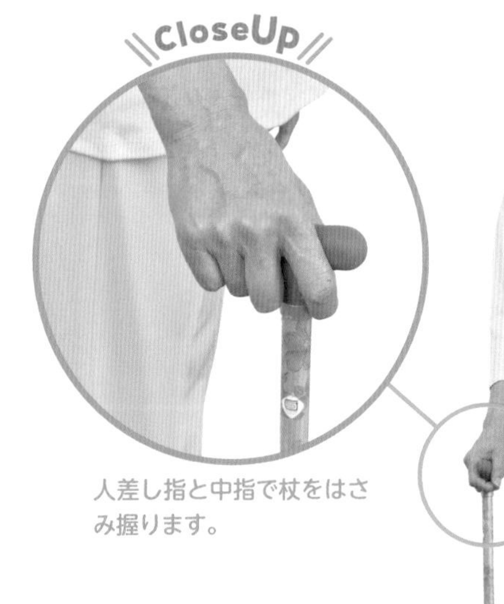

人差し指と中指で杖をはさみ握ります。

▶杖を持つ手は左右どちら側？

杖は、必ず健側に持ちます。患側（痛みやマヒのある側）で体を支える際の体重分散の役割を果たします。両手が使える人も健側で持つようにします。

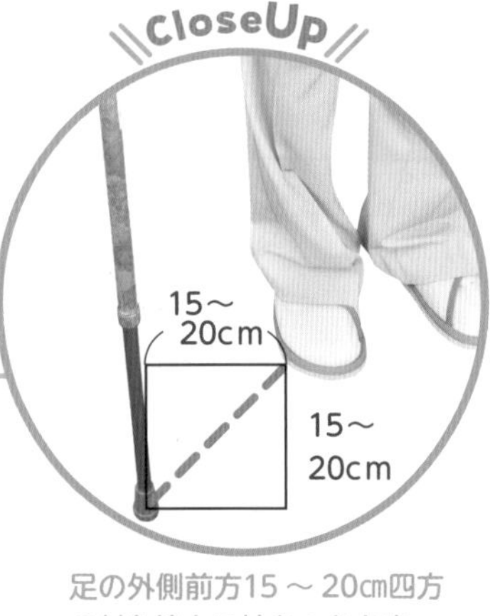

足の外側前方15 ～ 20㎝四方の対角線上に杖をつきます。

● 正しい歩き方

使いやすい正しい高さに調節したら、正しい位置に杖をつき歩きましょう。

1 杖をまっすぐにつく
杖を健側の手で持ち、健足側の外側前方にまっすぐつきます。

Check!
杖にもたれたり、杖を斜めについていないか確認します。

Point
● 使い方が間違っていると危険。疲れたり、体に余計な負担がかかったりすることも。適切な長さにし、杖をつく位置、杖のつき方など、正しい使い方を覚える。

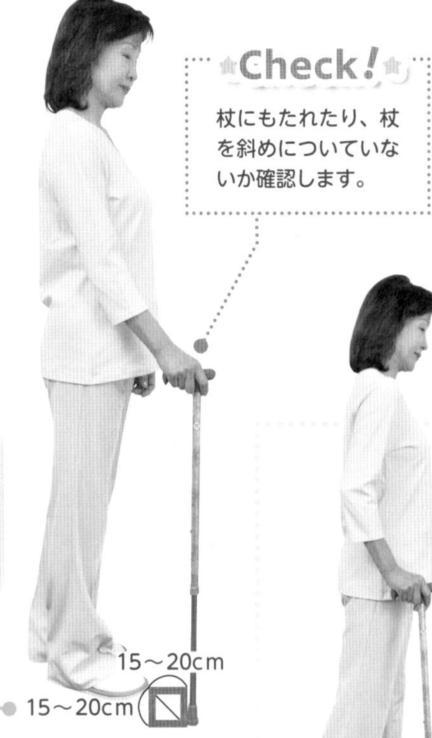

介助のコツ
足の外側前方15～20cm四方の対角線上に杖をつくことを意識します。

2 患側の足を1歩出す
患側の足を前に出します。

3 健側の足を1歩出す
健側の足を前に1歩出します。1～3を繰り返しながら進みます。

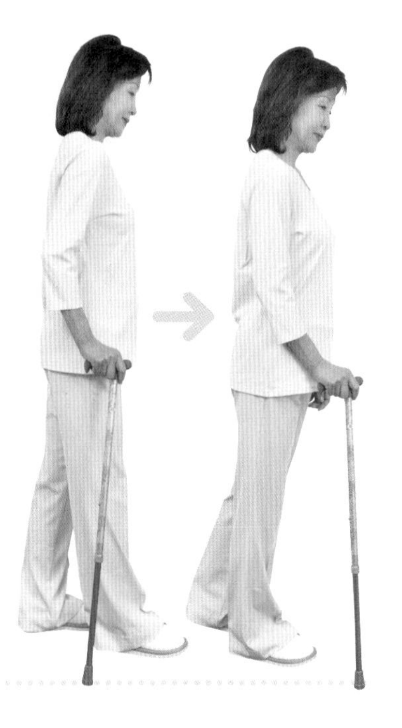

杖先のゴムは消耗品

杖先には、杖から伝わる衝撃をやわらげ、滑り止めにもなるゴムがついています。これは消耗品です。使っているとすり減ったり、切れたりするので定期的にチェックし、交換するようにしましょう。ゴムは介護用品のお店で売っています。硬くてはずれにくい場合は、お湯などで少し温めるとはずれやすくなります。

介助小 3 杖での歩行の介助 脇支え

介助者は患側（マヒや痛みのある側）に立ち、バランスをくずさないように支えましょう。

声かけのコツ
「お食事に行かれませんか？」
「お手伝いしてもいいですか？」
などと、これからの動作を伝えます。

1 まっすぐに立つ
被介助者に杖を健側の手に渡し、まっすぐ立ってもらいます。被介助者の患側の脇を支えます。

2 杖を出す
健足側の外側前方に杖を出してもらいます。

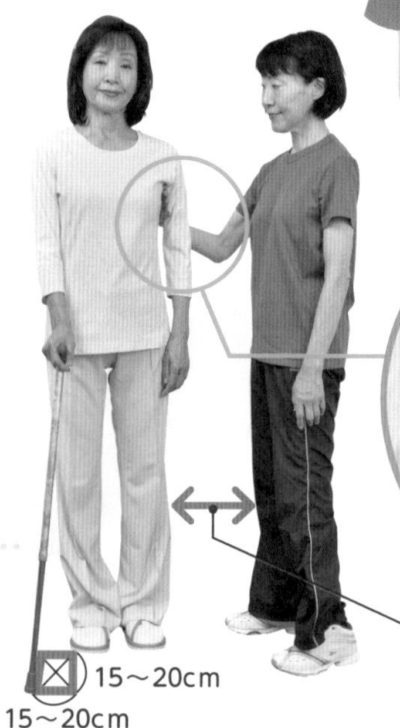

CloseUp
手刀の形を作ってあてます。

Point
- 適切な距離を保ちながら、支えるようにする。

3 患側の足を前に出す
患側の足を前に出してもらいます。

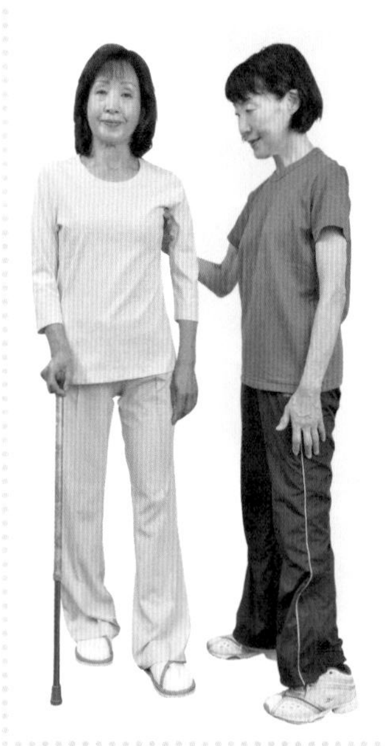

4 健側の足を前に出す
健側の足を前に出してもらいます。このときに患側で支えないといけないので一番介助の必要なときです。介助者は被介助者の脇をしっかり支え、介助者自身も動かないようにします。

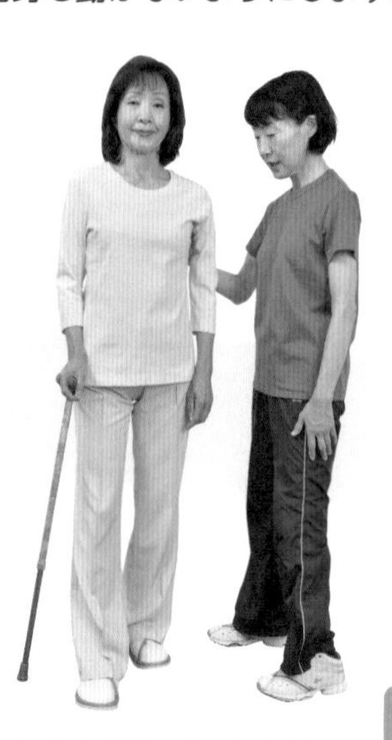

介助のコツ
被介助者の患側の足と杖に体重をのせられるようにしっかり支え、バランスをくずさないようにします。
健側の足を出したとき、杖、患側、健側の足が横一直線に並ばないようにしましょう。

5 杖を出す
2～4を繰り返す。

介助 小

4 パーキンソン病の人の歩行介助

パーキンソン病の人は自然に前かがみの姿勢になってしまうことがあります。また歩幅に気をつけて介助するようにしましょう。

パターン 1

体勢を立て直す

すくみ足や突進歩行（どんどん足が出て止まらない状態）が出たら、いったん止まり体勢を立て直してから、また歩きはじめます。前かがみの姿勢で大きな力で支えが必要な場合は、歩行車（p.126）などの利用を考えます。

Point

- すくみ足といって歩き始めの1歩が出づらい症状がある。そのため方向転換するときは、軽く体重を移動することによって動きが出やすくなる。
- 体の状態によって片手での介助のほうが歩きやすい人もいるので、本人にとって動きやすい介助法を見つける。

介助のコツ

歩幅が大きすぎると、被介助者がバランスをくずすことがあるので注意しましょう。被介助者の歩幅に合わせます。

パターン 2

手をつないで歩く

両手で支えると前に足が出ず、歩きにくい被介助者もいますので、その場合は片手で支えて歩行介助をします。歩き方が小きざみになったり、前のめりになってきたら、いったん止まり体勢を立て直してから、また歩きはじめます。

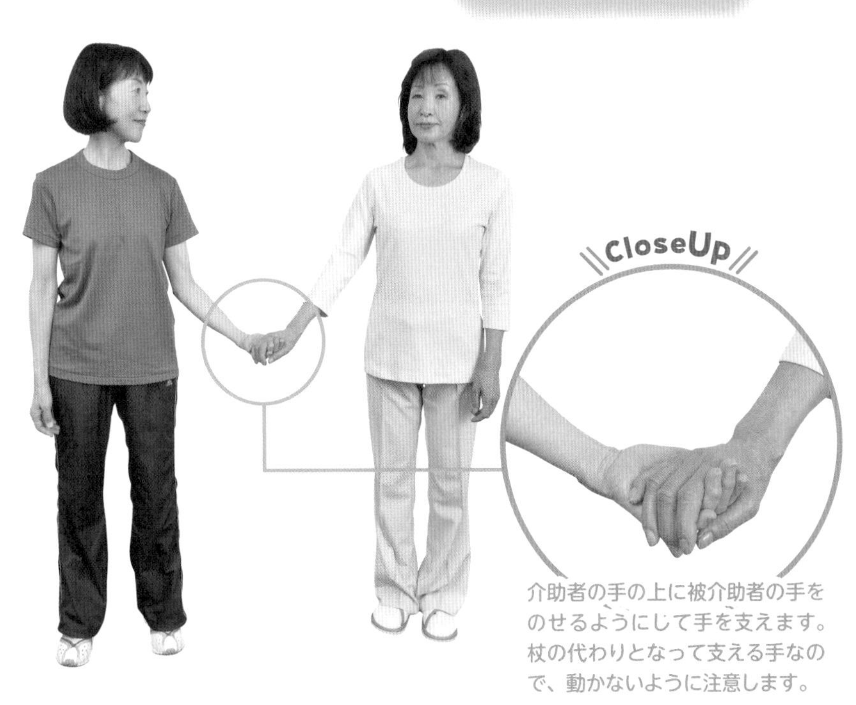

介助者の手の上に被介助者の手をのせるようにして手を支えます。杖の代わりとなって支える手なので、動かないように注意します。

介助小 5 極端な前かがみの状態から元に戻る

介助者がひとりで先に動いてしまい、被介助者の足が出ずに極端な前かがみの姿勢になってしまうことがよくあります。そんなときに使える介助です。

1 ひじを前に出す

ひじと前腕で被介助者の腕を支えます。あわてないで、できるだけひじを前に出すようにします。ひじを引いてしまうと被介助者を支えきれません。

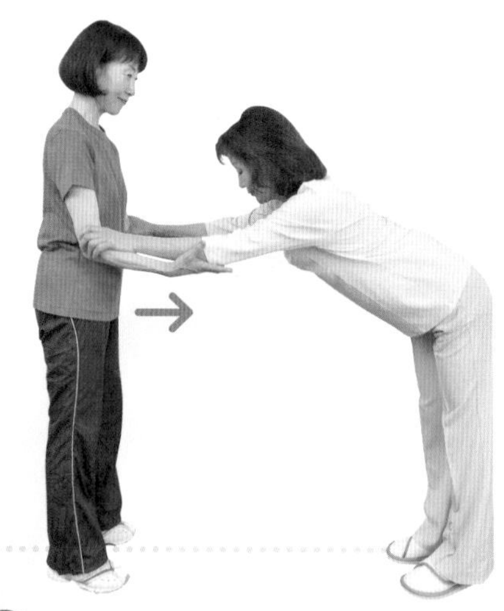

Point

- 声をかけて目線を合わせようとすると、自然に体が起き上がる。
- 介助中、介助者はひじを前に出し続ける。

2 被介助者に近づく

左右一歩ずつ被介助者のほうへ踏み出し、距離を縮めます。

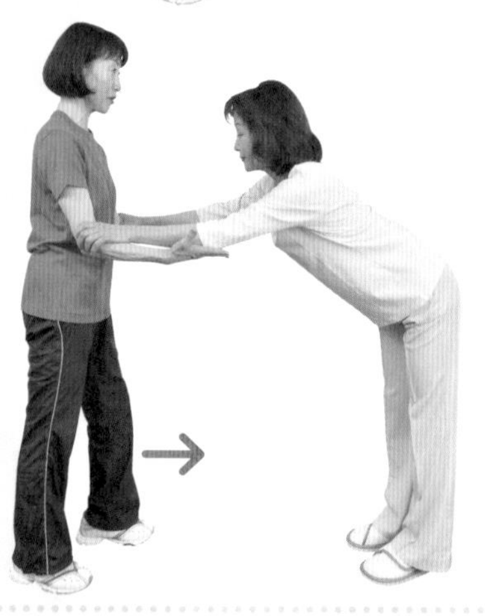

声かけのコツ

「少し近づきますね」などと、声をかけます。

3 顔を上げて上半身を起こしてもらう

介助者自身も上体を起こして、被介助者に上体を起こす動きを伝えます。

声かけのコツ

「顔を上げていただけますか？」などと、動きを伝えます。

4 体がまっすぐになるまで繰り返す

体が起き上がって、まっすぐになるまで2～3を繰り返します。

介助 小 6 視覚障害者の歩行介助

視覚障害者の人への歩行介助を覚えておくと街中でのサポートもできます。まずは「何かお手伝いできますか？」「どうすればよいですか」などと声をかけることが大切です。

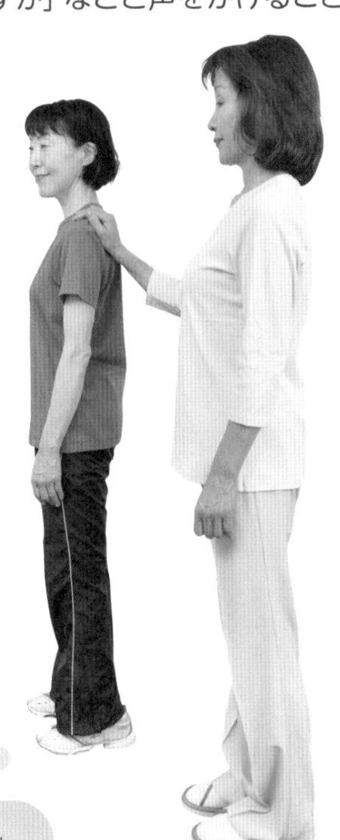

パターン 1

肩を支えに歩く

肩に手を置いてもらい、歩行を誘導します。障害物などに前もって対応できるよう、周囲の状況を具体的に早めに、わかりやすく伝えるようにします。

介助のコツ

介助者は、自分の歩くところ、被介助者が歩くところに障害物がないか常に確認しながら歩きましょう。指示はわかりやすく具体的な言葉で伝えるようにします。

声かけのコツ

「肩につかまっていただけますか？」
「ひじにつかまっていただけますか？」
などと、声をかけます。

パターン 2

ひじを支えに歩く

ひじにつかまってもらい歩行を誘導します。

Point

- 「何かお手伝いしましょうか？」「私の手を握ってください」などできるだけ相手から触れてもらうように誘導する。
- 方向を示すときは「9時の方向に」、階段や段差などでは「あと○歩で段差です」「あと○段で階段が終わります」などと、具体的に伝えるようにする。

自立 7 歩行車を使って自力で歩く

実際に歩行車を使って歩いてみましょう。バランス機能が弱い、重心の移動がうまくできない人への介助方法も紹介します。

● 歩行車を使って自力で歩いてみよう

両手でしっかりグリップを握ります。背筋を伸ばし、視線はできるだけ前方を向いて一歩一歩足を前に出して歩きます。

Point

- 体が歩行車の中に入り込まないように、注意しながら歩く。

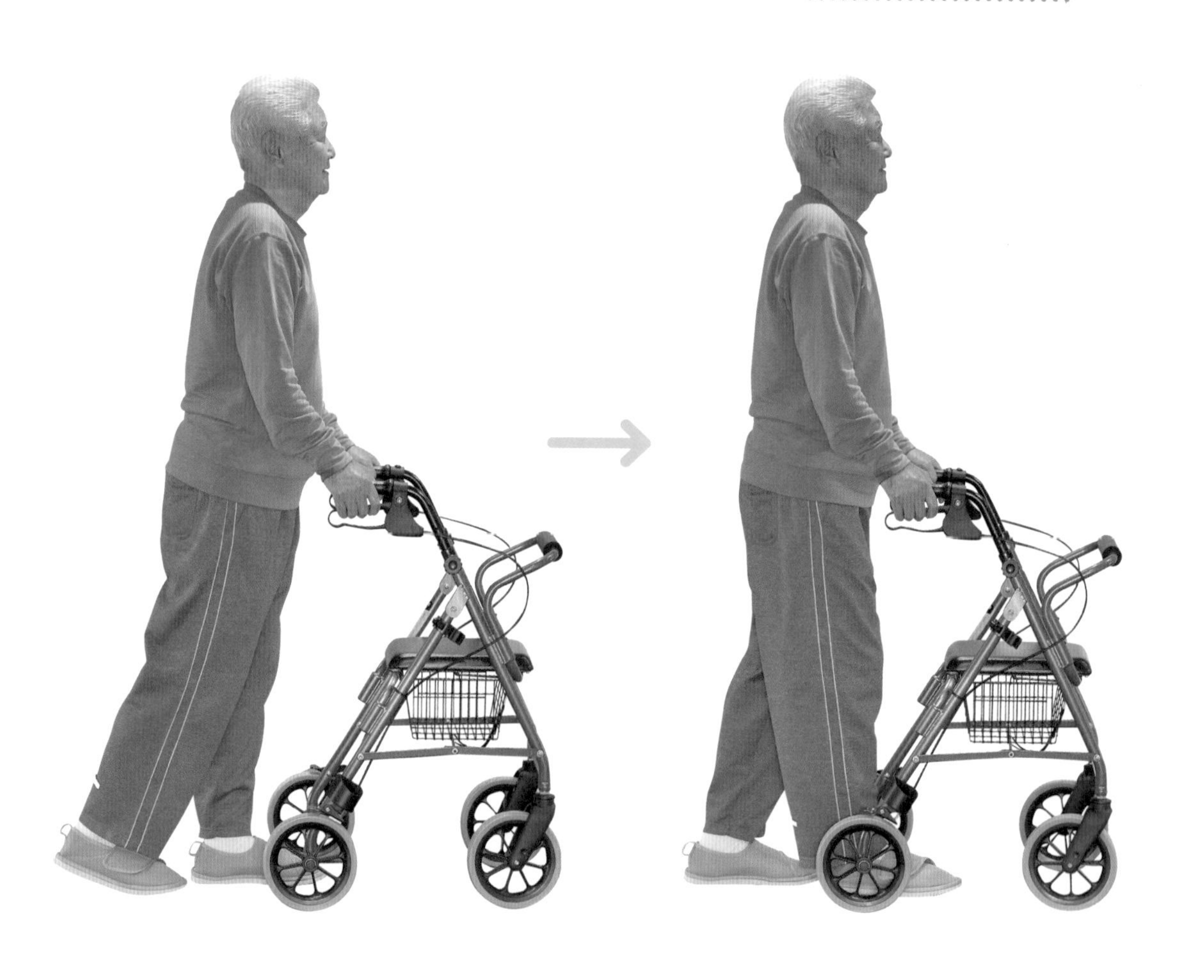

● 歩行車の使い方

歩行を助ける道具として便利なのが歩行車です。マヒがあったり、体幹が弱かったりする高齢者でも、歩行が安定するので行動範囲が広がります。

▶歩行車の特徴は？

4つの車輪がついている歩行車は安定感があり、高齢者が安全に使いやすいのが特徴です。ただし、使うときには両手が使用でき、立って操作するバランス機能が必要になるため、理学療法士などの専門家に相談してから導入しましょう。

▶どこで使う？

基本は室内専用ですが、屋外で使用する場合もあります。歩行車が室内中心で使うものであるのに対し、買いものや散歩などの外出時のサポートに使う補助具としてはシルバーカーがあります。しかし、シルバーカーは介護保険の適用はありません。

良い使い方

グリップの高さが調節されている ○

グリップは、杖と同じように大転子（大腿骨のつけ根の外側にある出っ張りの部分）の高さが基本です。わかりづらいときは、腕を下ろしたときの手首の高さと覚えましょう。円背(えんぱい：高齢者の背中が曲がった状態）の人などは少々上下してもいいでしょう。

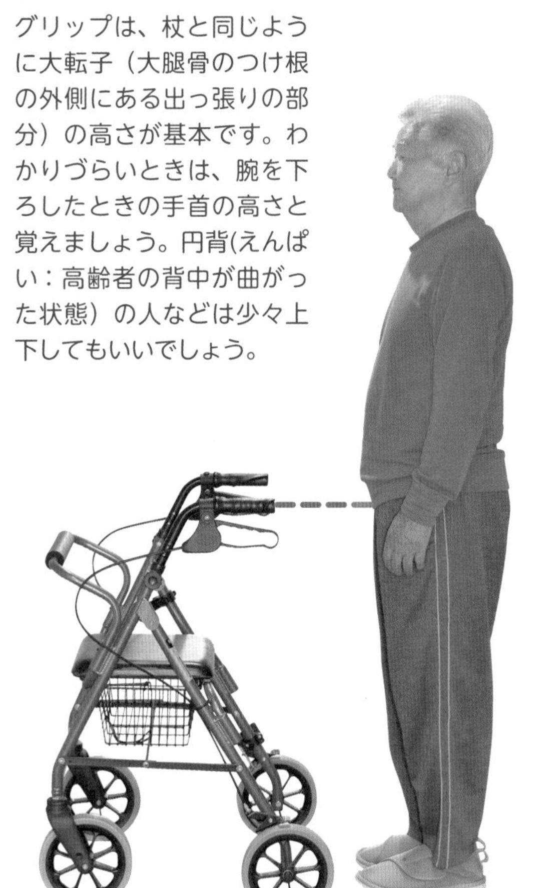

悪い使い方

グリップが高い

グリップ位置が高すぎると重心が高くなり後ろに転びやすくなります。バランスも悪いので、スムーズに歩きにくくなります。

体がグリップより前にある

歩行車の中に被介助者の体が入り込んでしまうと、重心が後ろになるため転倒しやすくなります。また、体と歩行車がぶつかってしまう心配もあります。

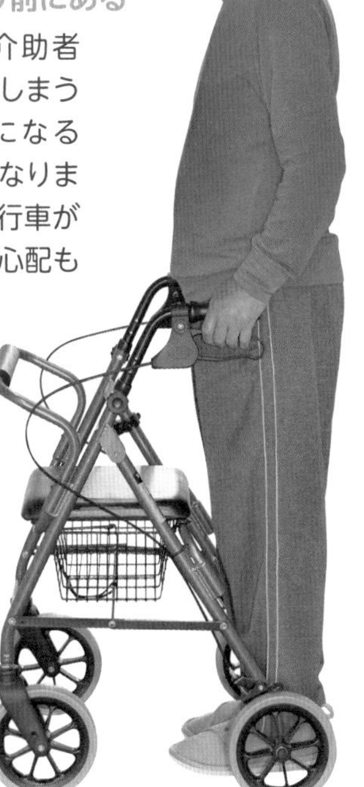

8 歩行車での歩行介助

歩行車を使った移動に介助が必要な場合、被介助者の状態によって適切な介助位置を選びましょう。

● 一部介助で、歩行車を使って歩く

両手でしっかりグリップを握ります。背筋を伸ばし、視線はできるだけ前方を向いて一歩一歩足を前に出して歩きます。

▶バランス機能が弱い

介助者は被介助者の脇の下に手を差し入れて体幹を支え、歩行を誘導します。

▶重心の移動がうまくできない

介助者は被介助者の後ろに立ち、腰（骨盤）を左右から支え、介助者の重心移動を伝えながら動きを引き出します。腰をつかんだり、後ろから押したりするのはNGです。

▶パーキンソン病の人への介助

パーキンソン病の人の場合、すくみ足や突進歩行が出ることがあるので、介助者は被介助者の横に立ち、被介助者の脇を支え、歩行車に手を添えて歩行を誘導します。

介助者は歩行車のどちらかの○を持ち、前方へ突進しないように止める。

はなまるサポート

歩行を助ける道具

歩行ができると活動範囲が広がります。自分に合ったもの、生活習慣や生活環境に合った道具を選びましょう。

杖

杖は姿勢や歩行を安定させるためには、手軽で取り入れやすい道具です。被介助者の体の状態を見ながら選びましょう。

●一本杖

一般的なステッキタイプのもの。体の状態が比較的いい人に向いています。「杖での歩行」（p.118～）を参照して安全に歩きましょう。

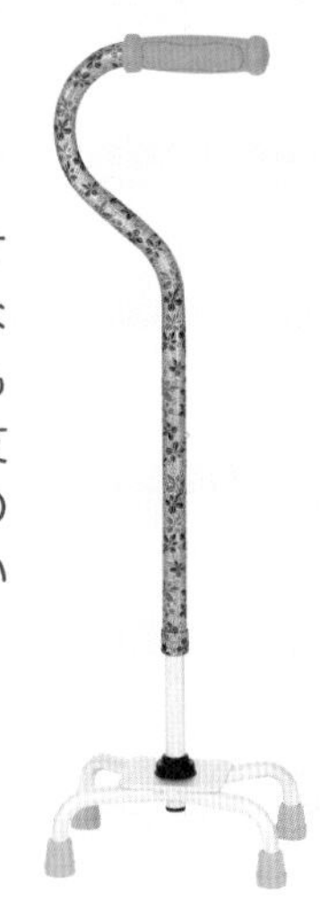

●多点杖

一本杖より安定感がありますが、全部の足が設置していないと逆に不安定になることもあります。最近の多点杖で支柱が可動式になっているものは、その欠点をカバーしています。

歩行車

歩行車は、ひとりでの歩行に不安があり、杖よりも安定した支えが必要な人に向いています。使う人の体の状態を確認する必要があるので、理学療法士など専門家に相談してから取り入れます。

シルバーカー

基本的に自立歩行ができて、あくまでもひとりでの外出を補助するためならシルバーカーでもいいでしょう。ただし、グリップにもたれるように、前かがみで使っていると背中が曲がってくる可能性もあるので注意しましょう。

自立 9 杖を使って自力で階段を上る・下りる

手すりが使えない場合は、杖を使って階段を上り下りします。上り下りするごとに、1段ずつステップに両足を揃えます。

●上る

1 杖を1段上につく
杖を1段上のステップの中央につきます。

2 健側の足を上げる
健側の足を1段上に上げます。

介助のコツ
上りは健側の足から出すのが原則です。

Point
- 杖→健側の足→患側の足の順で動かすのが基本。
- 狭い階段の場合は、重心移動の際にバランスをくずさないように、注意深く慎重に上る。

3 患側の足を上げる
患側の足を、杖と健側の足がのっている同じステップに上げて揃えます。

4 繰り返す
1→3を繰り返し、階段を上っていきます。

こんなやり方も！

杖の代わりに手すりを使って上る

1. 手すりが健側にくるように立ちます。
2. 体より前方の手すりを持ち、健側の足から上がります。
3. 患側の足を同じステップにのせて揃えます。
4. 2～3を繰り返し上ります。

手すりが片側にしかない場合や、対象となる人の下肢機能がよくない場合は、両手で手すりを持ち、横向きで上り下りすることもできます。

● 下りる

1 杖と足を揃えて立つ
杖と足をステップの中央に揃えて立ちます。

2 患側の足を下ろす
健側の足を少しずつ曲げて、患側の足を1段下に下ろします。

Point
- 患側の足→健側の足→杖の順で動かすのが基本。
- 上るより下りるほうが難しいので、ステップに両足を揃えながら慎重に下りる。

介助のコツ
下りは患側の足から出すのが原則です。

3 健側の足を下ろす
健側の足を下の段に下ろします。

4 杖を下ろす
杖も同じステップに下ろします。

5 繰り返す
1→4を繰り返し、階段を下りていきます。

こんなやり方も！

杖の代わりに手すりを使って下りる

1. 手すりが健側にくるように立ちます。
2. 体より前方、少し下の手すりを持ち、患側から足を下ろします。
3. 健側を同じステップに下ろして揃えます。
4. 2～3を繰り返し下ります。

介助 小 10 介助で手すりを使って階段を上る・下りる

健側にある手すりを使って上り下りをします。階段では必要以上に介助をしがちなので、「必要なときに支える」を心がけましょう。

●上る

1 脇に手を入れる

被介助者の患側に立ち、脇の下に手を差し入れて被介助者を支えます。

Point

●脇の下を支えるだけでは安定感がない場合は、ズボンのベルト、またはベルト布も同時に持って支える。

CloseUp

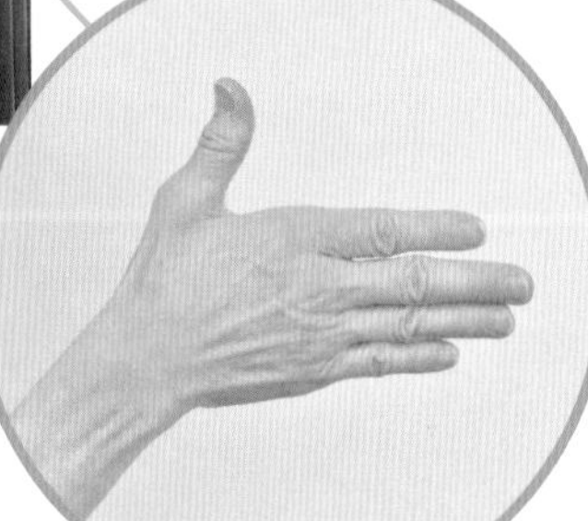

介助者は写真のような手の形にして、被介助者の脇に手を差し入れて、被介助者を支えます。

2 被介助者は上のステップに健側の足をあげる

介助者は被介助者から遠いほうの足をまず1段上げます。被介助者は少し上のほうの手すりに持ち替え、健側の足を１段上げます。

声かけのコツ

「手すりを少し上のほうへ持ち替えていただけますか？」
「階段を上りましょう」
「左足（健側）を1段上げていただけますか？」
などと、動きを伝えます。

声かけのコツ

「右足（患側）を1段上げていただけますか？」
などと、動作を伝えます。

介助のコツ

上りは健側の足から出すのが原則です。

3 被介助者の患側の足を１段上げる

被介助者の患側の足を1段上げてステップに両足を揃えてもらいます。介助者はそれを確認したら自分の足を上げます。

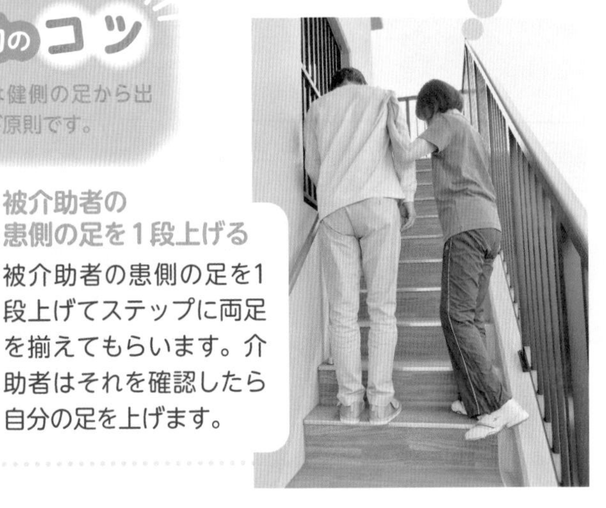

4 繰り返す

2→3を繰り返しながら階段を上がります。

●下りる

1 脇に手を入れる

被介助者の患側に立ち、脇の下に手を差し入れます。被介助者に少し下のほうの手すりを持ってもらいます。※1

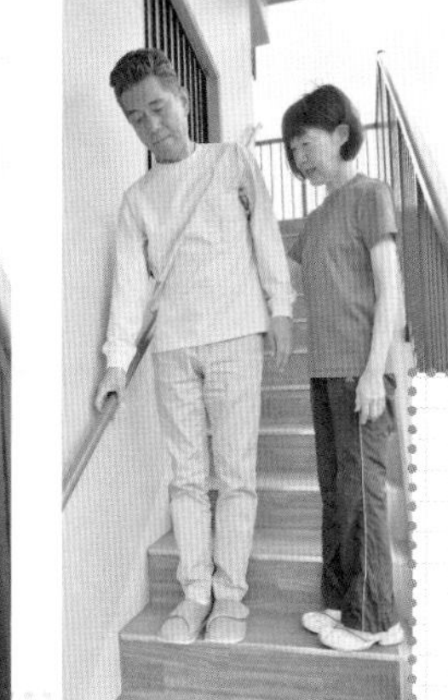

Point

- 脇の下を支えるだけでは安定感がない場合は、ズボンのベルト布も同時に持って支える。
- 上るより下りるほうが難しいので、ステップに両足を揃えながら慎重に進む。

2 被介助者は患側の足を1段下ろす

介助者は被介助者から遠いほうの足を1段下ろします。※2 被介助者は患側の足を1段下ろします。

※1、2は順序が変わってもよい

介助のコツ

下りは患側の足から出すのが原則です。

声かけのコツ

「手すりを少し下のほうへ持ち替えていただけますか？」
「階段を下りましょう」
「左足（患側）から1段下りていただけますか？」
などと、動作を伝えます。

3 健側の足を1段下ろす

被介助者の健側の足を1段下ろしてステップに両足を揃えます。介助者は被介助者の両足が揃ったのを確認したら自分の足を下ろします。

介助のコツ

下りるときに不安定になる場合は、脇の下とズボンのベルト布部分を支えます。

声かけのコツ

「右足（健側）を1段下ろしていただけますか？」
「下ろしたら足を揃えていただけますか？」
などと、動作を伝えます。

4 繰り返す

被介助者は手すりを下のほうへ持ち替え、2→3を繰り返しながら階段を下ります。

介助 小

11 介助で杖を使って階段を上る・下りる

基本は前ページで紹介した手すりを使う方法と同じです。
手すりを杖に代えて上り下りする方法をご紹介します。

●上る

1 脇に手を入れる

被介助者の患側に立ち、脇の下に手を差し入れて支えます。杖を1段上についてもらいます。

声かけのコツ

「一緒に階段を上りましょう」「杖を1段上についていただけますか？」などと、動きを伝えます。

Point

- 脇の下を支えるだけでは安定感がない場合は、ズボンのベルト布を同時に持って支える。

2 被介助者の足を上げる

健側の足を1段上げてもらいます。

声かけのコツ

「右足（健側）を1段上げていただけますか？」などと、動きを伝えます。

介助のコツ

上りは健側の足から出すのが原則です。

3 介助者の足を上げる

介助者は被介助者から遠いほうの足を1段上げます。

4 被介助者、介助者の順に足を上げる

被介助者の患側の足を1段上げてもらいます。介助者も被介助者の体を支えながら足を上げます。

声かけのコツ

「左足（患側）を1段上げていただけますか？」などと、動きを伝えます。

5 繰り返す

両足を揃え、体が安定したら1→4を繰り返します。

●下りる

1 脇に手を入れる

被介助者は健側で杖を持ちます。介助者は被介助者の患側に立ち、脇の下に手を差し入れて支えます。

声かけのコツ

「一緒に階段を下りましょう」などと、動きを伝えます。

Point

- 安全を優先し、被介助者の体が安定したのを確認してから次の動作に入る。
- 下りるほうは、介助をするほうも、されるほうも緊張するので慎重に進める。

2 被介助者の患側の足を下ろす

被介助者は患側の足を1段下ろします。

介助のコツ

下りは患側の足から出すのが原則です。

3 介助者の足を下ろす

介助者は被介助者から遠いほうの足を1段下ろします。

介助のコツ

下りるときに不安定な場合は、脇の下とズボンのベルト布部分を支えます。

4 被介助者の健側の足を下ろす

被介助者の健側の足を1段下ろし、ステップに両足を揃えます。

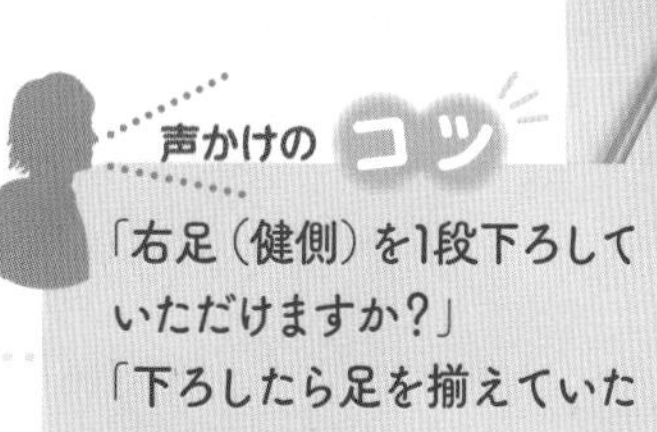

声かけのコツ

「右足（健側）を1段下ろしていただけますか？」
「下ろしたら足を揃えていただけますか？」
などと、動きを伝えます。

5 繰り返す

被介助者は杖を1段下ろし、介助者は杖と両足が揃ったのを確認したら自分の足を下ろします。2→5を繰り返しながら階段を下ります。

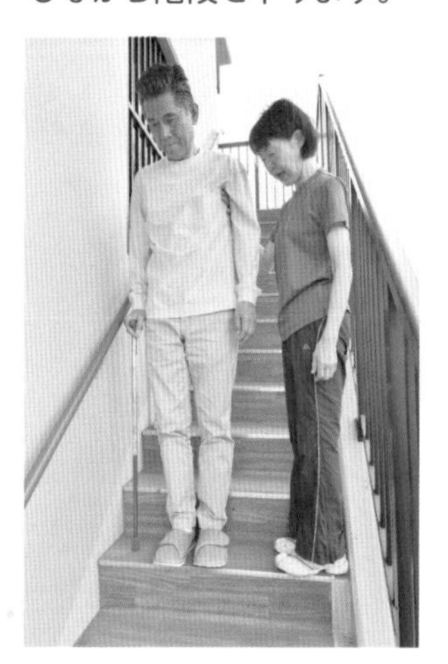

自立 1 ベッドから車いすへの移乗

介助バーを使わずに移乗するときは、車いすのアームサポートを持って移乗します。比較的、機能のよい方の移乗方法です。

Point

- 車いすのフットサポートははね上げておく。
- 前傾姿勢が十分にとれる場合、最初からベッドから遠いほう（反対側）のアームサポートに手をかけて一気に移乗しても。

1 アームサポートをつかむ

車いすを健側の斜め前に置き、近いほうのアームサポートに手をかけます。

2 立ち上がる

アームサポートを支えに、前傾姿勢をとっておしりを浮かせて、立ち上がります。

3 アームサポートを持ち替える

体が安定したら、左手を手前のアームサポートから遠い方のアームサポートに持ち替えます。

4 体の向きを変えていく

遠い方のアームサポートに手をかけたまま、健側の足を軸にしておしりが車いす側になるように体の向きを変えます。

5 車いすに座る

おしりが車いす側に向いたら座面を確認し、アームサポートを支えに座ります。

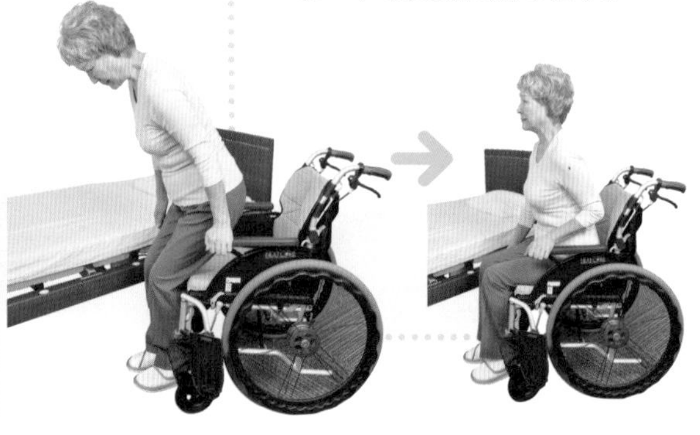

自立

2 ベッドから車いすへの移乗
介助バーを使って

車いすへの移乗や移動がスムーズに行えるようになれば、食事やお風呂、トイレへの移動や車へ乗ることもできるようになり行動範囲が広がります。

1 介助バーを持つ

車いすはベッドと平行に置き、ブレーキをかけておきます。立ち上がり準備の姿勢になります。ベッドの端に浅く座り、介助バーに手をかけます。

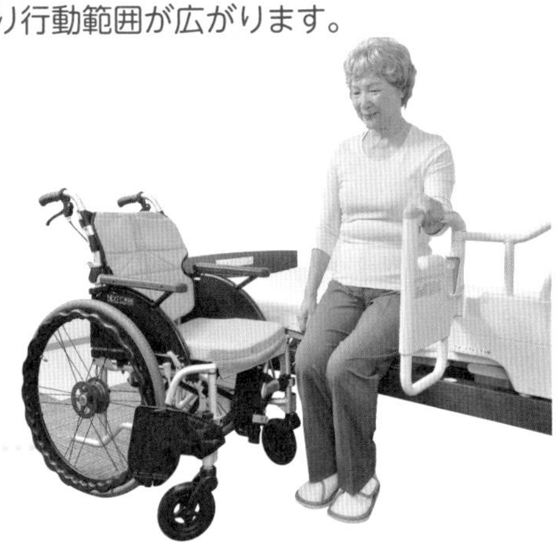

2 立ち上がる

介助バーを持って、立ち上がります。

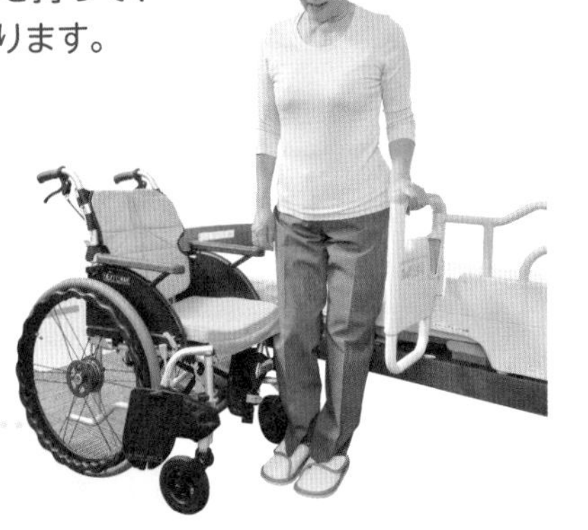

Point

- 移乗するときは、車いすのフットサポートをスイングするか、はずしておく。
- 同じ動作でポータブルトイレへの移動も可能。

3 体の向きを変える

車いすに座れるように、介助バーを持ったまま、少しずつ足を動かして向きを変えます。

4 介助バーを支えに座る

車いすの座面が足のすぐ後ろにあるか確認し、介助バーを握ったまま座ります。

自立 3 ベッドから車いすへの移乗
介助バーとアームサポートを使って

1 介助バーとアームサポートを持つ

車いすはベッドと平行に置きブレーキをかけておきます。ベッドの端に浅く腰かけ、介助バーとベッドから遠い方のアームサポートに手をかけます。

車いすからベッドへの移乗

車いすからベッドへ移乗するときは、ベッドから車いすへ移乗の手順の逆に行います。車いすに座って介助バーやアームサポートを握り、体の向きを変えてベッドに移乗します。

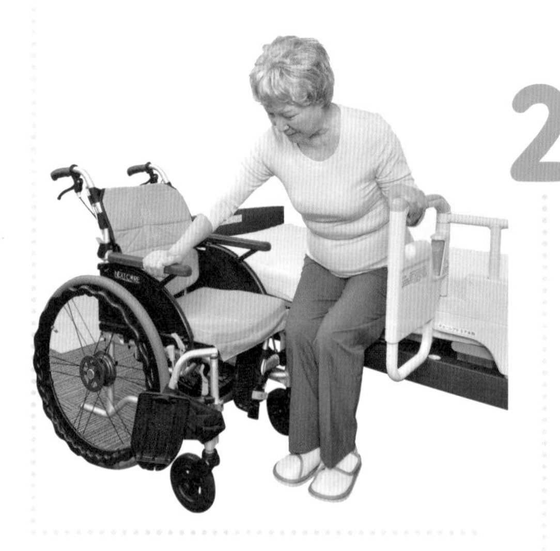

2 立ち上がる

介助バーとアームサポートを支えにして、前傾姿勢をとりながら立ち上がります。

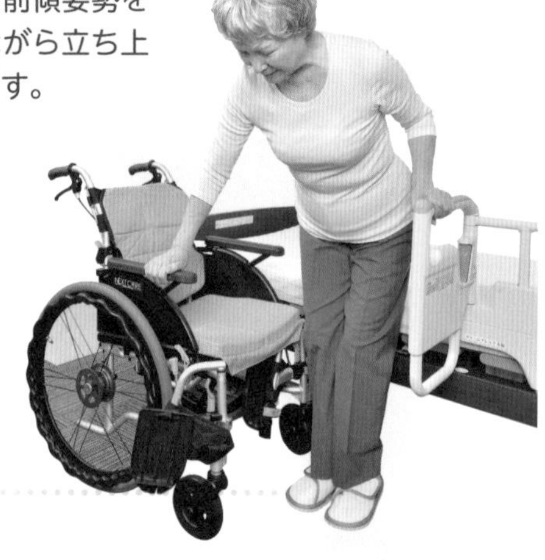

3 体の向きを変える

車いすに座れるように、介助バーとアームサポートを支えに、体の向きを変えていきます。

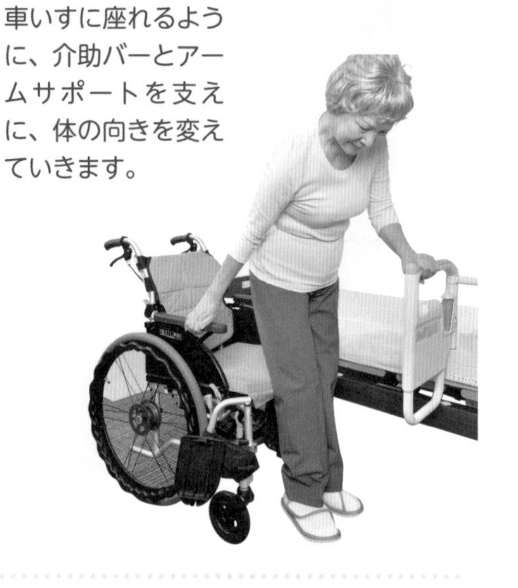

4 車いすに座る

足のすぐ後ろに座面があるのを確認し、介助バーとアームサポートを握ったまま座ります。

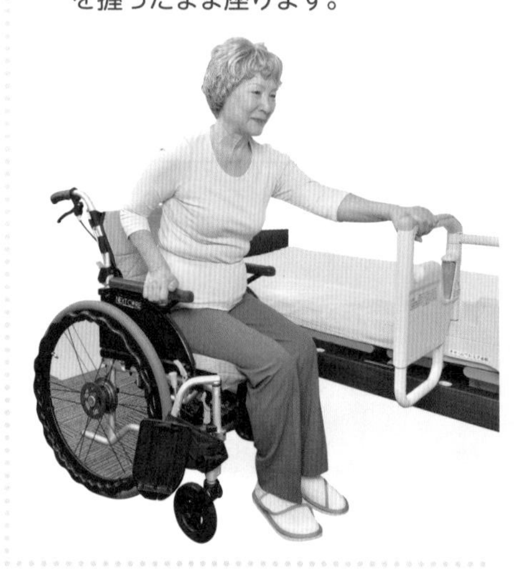

自立 4 ベッドから車いすへの移乗
おしりをずらして（自立）

立ち上がることができない人でも、前傾姿勢になりながらおしりをずらし、ベッドや車いすのアームサポートを持って、自力での移乗が可能です。

1 アームサポートを上げる

車いすはベッドと平行に置きブレーキをかけておきます。ベッドの端に浅く腰かけ、手前のアームサポートをはずします（または上げます）。

2 おしりをずらす

前傾姿勢になり、おしりをずらすことを繰り返しながら、できるだけ車いすと平行になる位置まで移動します。

- 完全な立位の姿勢を保つことが難しい人、自立した移乗で安定性に不安がある場合におすすめの方法。
- 車いすのフットサポートははね上げておく。

3 アームサポートを持つ

右手でアームサポートを持ち、左手はベッドについて体を支えます。

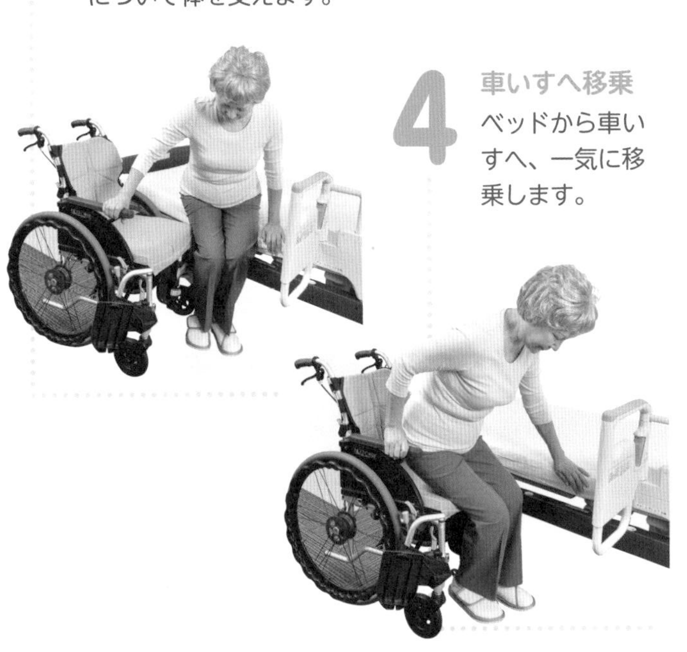

4 車いすへ移乗

ベッドから車いすへ、一気に移乗します。

5 アームサポートを戻す

しっかり車いすに座れたら、アームサポートを元の位置に戻します。

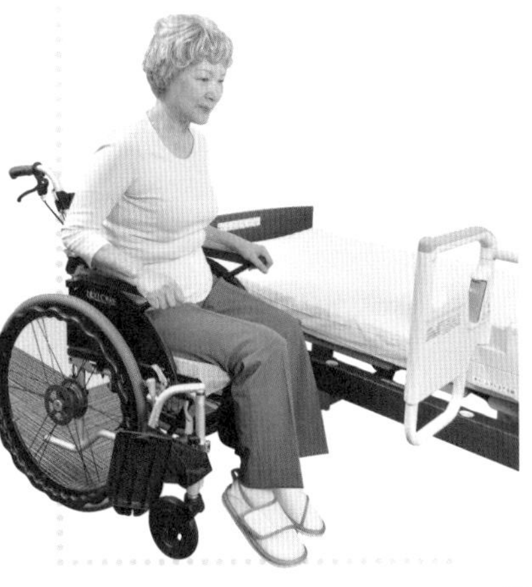

介助小 5 ベッドから車いすへの移乗 脇支え

被介助者にマヒがある場合はマヒ側と同じ側の手で介助します。できない部分だけをサポートするようにしましょう。

右片マヒ等、左の機能のほうがいい場合

※左片マヒの場合は左右を逆にして行う

1 声かけをします

車いすをベッドと平行につけ、被介助者に声をかけます。被介助者に立ち上がりの準備の姿勢（p.75）をとってもらい、介助バーを持ってもらいます。

声かけのコツ

「お散歩に行きませんか？」
「車いすへ移りましょう」
などと、これからの動作を伝えます。

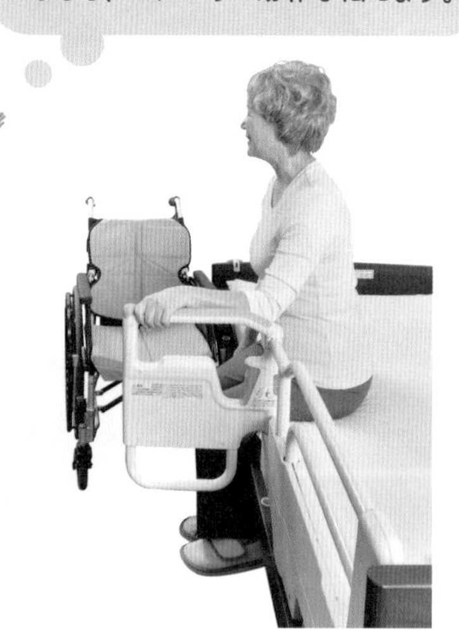

2 脇の下に手を差し入れる

介助者は自分の姿勢の立ち位置を確認します。介助者は左手で被介助者の右ひじを支えて脇を開き、右手を被介助者の脇（マヒ側）にあてます。

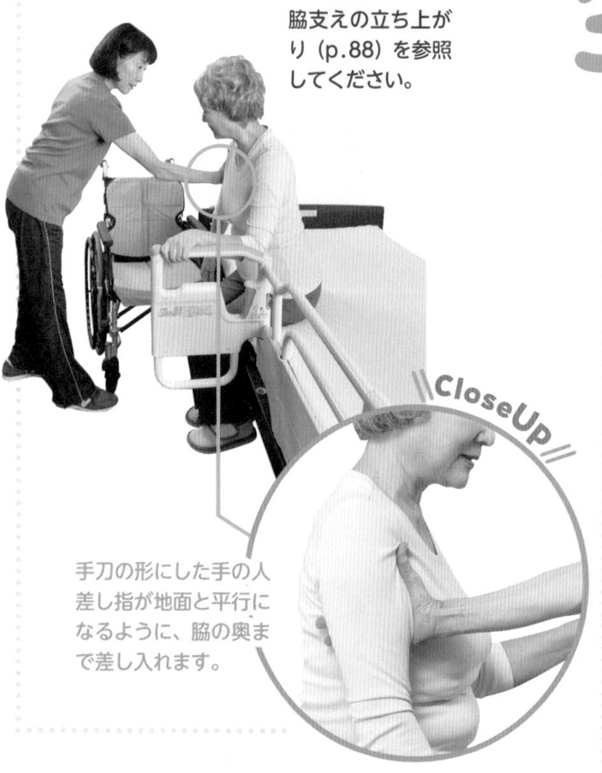

脇支えの立ち上がり（p.88）を参照してください。

手刀の形にした手の人差し指が地面と平行になるように、脇の奥まで差し入れます。

3 立ち上がってもらう

介助者は右手を床と平行に引きます。支えができていると被介助者の体が前方についてきます。被介助者の重心が両足底の間にきたところで介助者の手を止めると、被介助者のひざが伸びて立ち上がりの動きが出てきます。介助者はその動きについていきます。

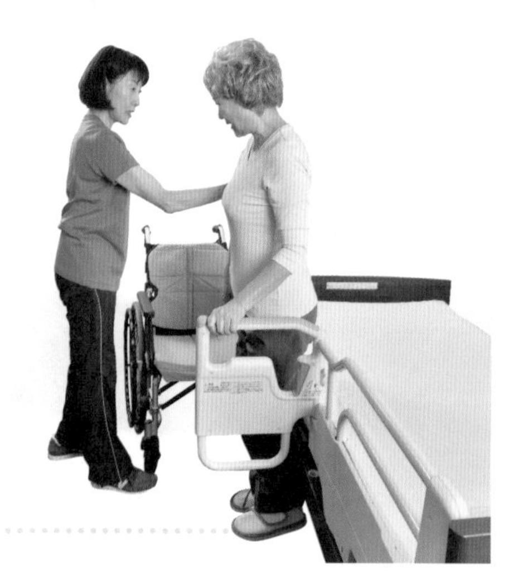

4 体重移動する

介助者は右に体重移動します。その動きを被介助者に伝えるようにすると、被介助者の重心は左に移動します。

声かけのコツ
「車イスのほうにお尻を向けていきましょう」
などと、動作を伝えます。

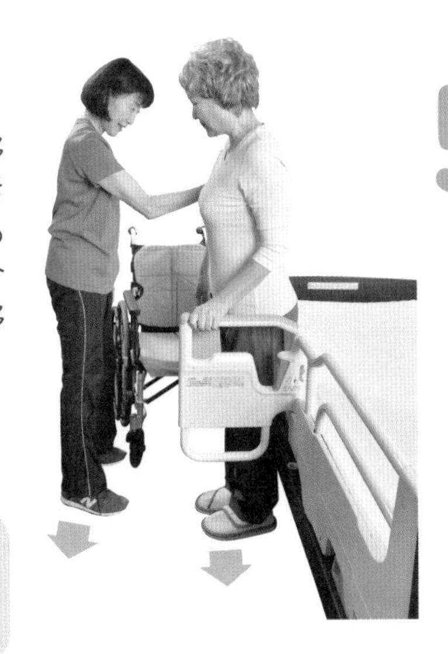

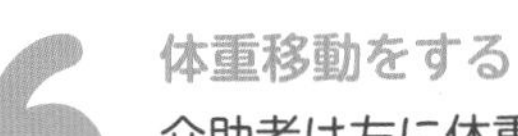
＝体重移動の方向

5 介助者が足を引くと、被介助者の足が前へ出る

介助者が左足を引くと、被介助者の右足が前へ出ます。

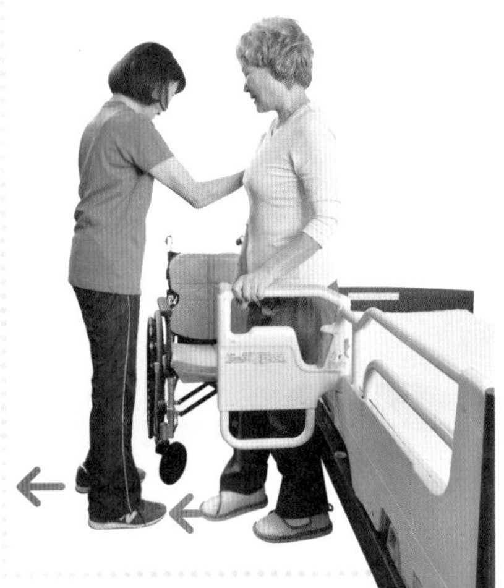

介助のコツ
歩行介助と同じ介助です。歩行介助（p.116-117）を参照。

6 体重移動をする

介助者は左に体重移動します。その動きを被介助者に伝えるようにすると被介助者は右に体重移動します。

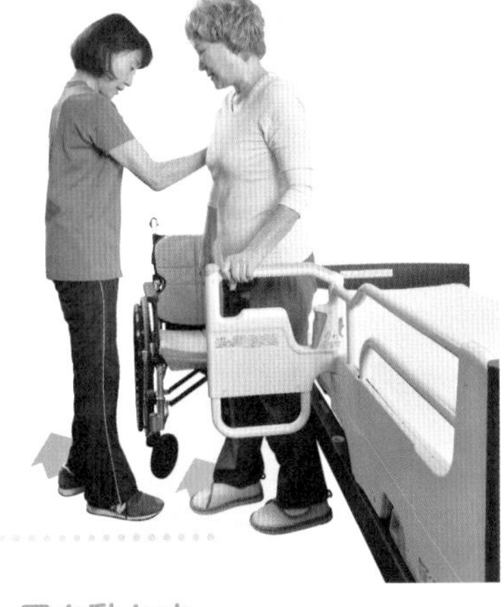

介助のコツ
必要な場合は脇とウエスト部分の2か所で支える。

7 足を動かす

介助者が右足を車いすのほうへ回転させると、被介助者の左足も回転します。4～7の動きを繰り返しながら方向転換をして、車いすの前まで誘導します。

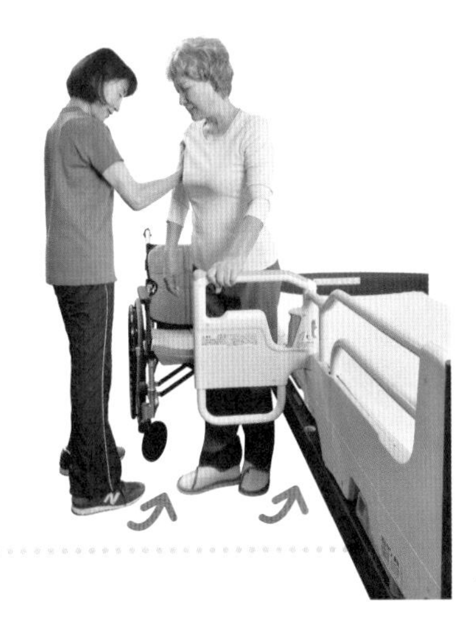

8 車いすに座る

脇を支えている手を少し前に引き、被介助者が前傾姿勢になり座る動きが出てきたら、体を支えながら動きについていきます。

介助大 6 ベッドから車いすへの移乗 体幹を支えて

介助バーがない、前傾姿勢をとりにくい、体を支える力が弱い、下肢の拘縮が強いなど、一部介助では難しい場合の介助法です。

1 声かけをする

車いすをベッドの近くに置き、被介助者に声をかけます。フットサポートははずしておきます。

声かけのコツ

「お散歩に行きませんか？」
「車いすへ移りましょう」
などと、これからの動作を伝えます。

介助のコツ

車いすは、ベッドと平行に置くと最短距離になりますが、被介助者の体の動き具合と、移乗しやすい位置を試して、決めていくといいでしょう。

介助のコツ

適度な距離

介助者と被介助者の適切な距離は、被介助者の重心が安定し、足元が見えるくらいの間隔です。適切な間隔があれば、介助者はとっさの動きにも反応できます。近づきすぎないようにしましょう。

2 立ち上がってもらう

「体幹を支えていすから立ち上がる」（p.92）の要領で立ち上がります。

介助のコツ

被介助者の手が介助者の肩にまわせない場合は、どこを持ってもらってもいいでしょう。

3 まっすぐ立つ

被介助者が立ち上がったら、被介助者も介助者も重心が足の間に落ちるようにまっすぐ立ちます。距離に注意し（上記「適度な距離」参照）、介助者は被介助者を両腕でしっかり支えます。

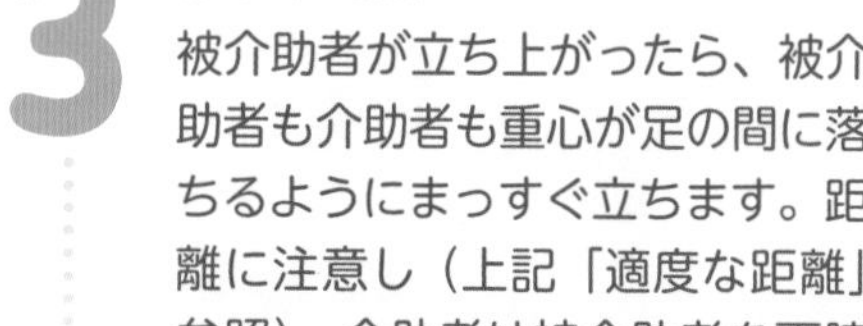

4 体重移動する

介助者が左に体重移動すると、被介助者は右に体重移動します。

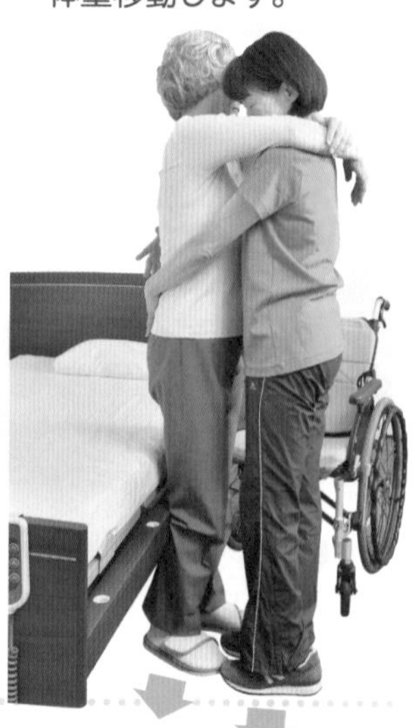

5 足を回す

介助者が右足を後ろに回すと、被介助者の左足が車いすのほうに回ります。

6 体重を移動する

介助者が右に重心移動すると、被介助者の重心も左に移動します。

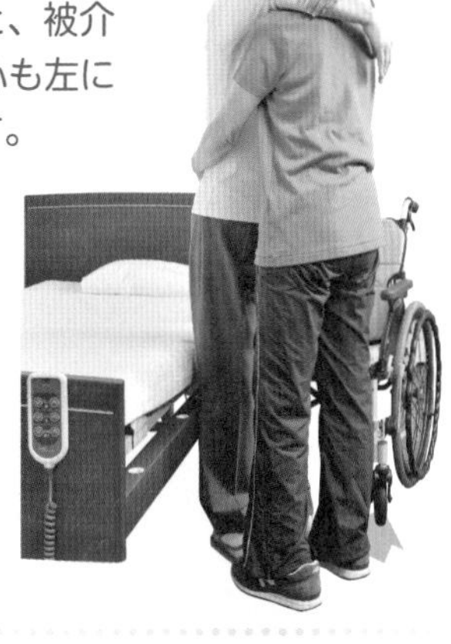

➡＝体重移動の方向

7 さらに車いすのほうへ回る

介助者が左足を前に出すと、向かい合った被介助者は右足を引き、車いすのほうに回っていきます。

Point

- 体幹を支えながら、立ち上がる、方向転換する、座るの動きの組み合わせを、ひとつひとつていねいに行っていく。

8 車いすの前に立つ

4～7を繰り返して、車いすの前に立ちます。

9 座る

車いすの前に来たら座面の位置を確認し、体幹を支えて座ってもらいます。（「体幹を支えていすに座る」p.94～95参照）

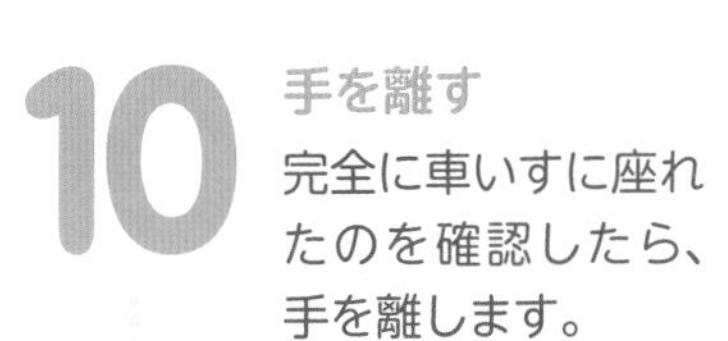

10 手を離す

完全に車いすに座れたのを確認したら、手を離します。

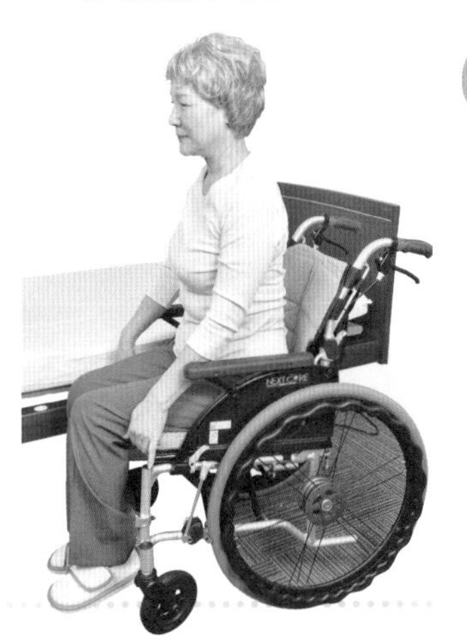

介助小 7 ベッドから車いすへの移乗
おしりをずらして（介助）

拘縮が強い、筋力がない等で完全な立ち上がりができない場合や老々介護など、介助力に不安がある場合でも、この方法なら移乗が可能です。

1 アームサポートをはずす（上げる）

車いすをベッドの横につけ、アームサポートをはずします（上げます）。

「車いすに移りましょう」などと、これからの動きを伝えます。

2 ベルト布部分を持ち、被介助者を支える

被介助者のスボンの後ろベルト布部分を持ちます。被介助者を支えます。

CloseUp

ズボンのベルト布部分に親指を入れて軽く持ちます。決して持ち上げないようにします。被介助者が介助者の手や指が気になる場合は持ち方が正しくありません。

3 おしりを浮かせ横移動する

被介助者を前に誘導し、前方へ体重移動してもらいます。おしりが浮き横への動きを感じたら、そのタイミングに合わせて横へ移動するように誘導します。

声かけのコツ

「左に移動していただけますか？」「イチ、ニの、サン、はい」と、次の動きを誘導します。

単に被介助者を横に動かそうとしても、被介助者は動きません。

4 車いすと並行になるまで移動する

被介助者の体が車いすと平行になるぐらいの位置まで、3を繰り返して少しずつおしりを移動します。

声かけのコツ

「車いすに移りますね。イチ、ニの、サン、はい」とタイミングを合わせます。

5 車いすに移る

介助者は両手で被介助者のベルトを支えます。被介助者の右手は車いすのアームサポートを持ち、左手はベットについてもらいます。被介助者に前方へ体重移動してもらい、タイミングを合わせて一気に車いすに移乗してもらいます。

途中で動きが止まると、ベッドと車いすの間にずり落ちてしまうことがあるので、ベッド→車いす間は一度で移動します。

6 車いすに座る

車いすに移ったら、深く座り直してもらいます。

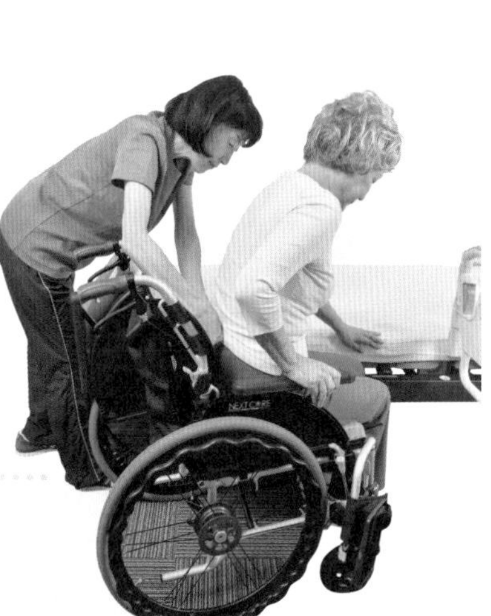

7 アームサポートを戻す

被介助者がまっすぐ座れたら、アームサポートを元の位置に戻します。

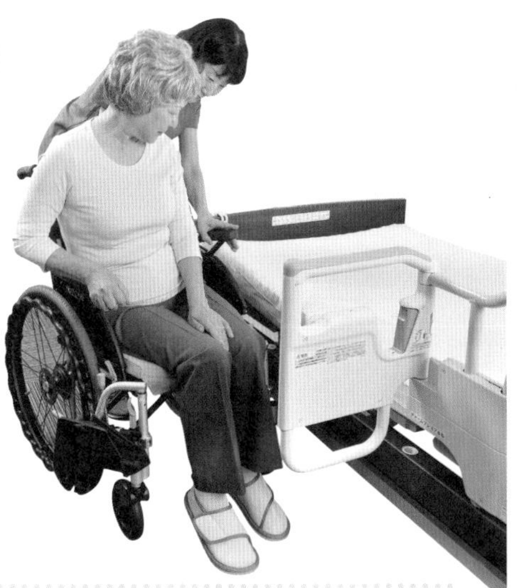

Point

- 被介助者の足底が床に着いているか、両下肢が捻れていないか、常に確認しながら介助する。
- 被介助者の動きが悪い場合は、スライディングボード（p.144～145）を使用しても。

介助 小

8 ベッドから車いすへの移乗 スライディングボードを使って

介助者の体を支える力が弱かったり、被介助者の下肢の拘縮（こうしゅく）でひざなどが伸びない場合は、スライディングボードを使ってみましょう。

声かけのコツ

「車いすへ移乗しましょう」
「スライディングボードを差し入れますので、右のおしりを少し上げていただけますか?」
などと、動作を伝えます。

1 スライディングボードを置く

車いすをベッドと平行に置き、ベッド側のアームサポートをはずします（上げます）。車いすと被介助者をつなぐようにスライディングボードをおしりに差し入れます。

ベッドと車いすの高低差はつけないほうが安全です

Point

- 体重移動を利用するとスライディングボードの挿入がラクにできる。
- 脇や腰などを支え、体のバランスがくずれないように注意。

2 ボードの上で移動させる

脇から手を差し入れ、背中や腰に手をあてて、少し前方に体重移動させスライディングボードの上を滑るように誘導します。

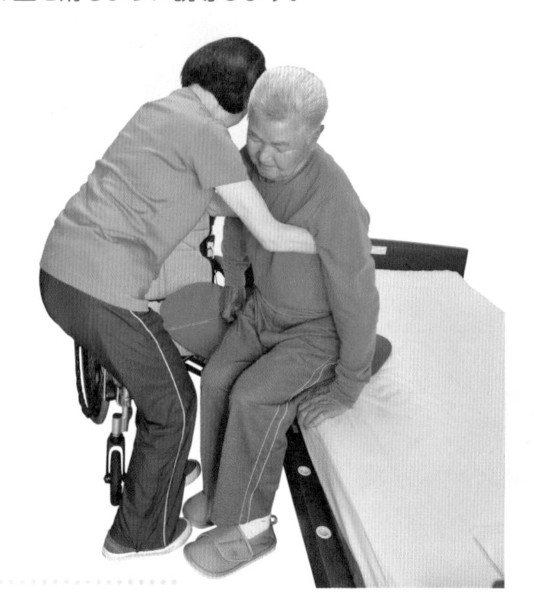

!

移動がうまくいかない

手を被介助者の肩にかけたり、被介助者の手を肩にかけてもらったりしながら滑らせていきます。前方への体重移動ができていることが重要です。

3 車いすに完全に移る

車いすへ完全に移動します。

4 スライディングボードをはずす

被介助者の右肩に手をかけて左側のおしりを少し上げてもらい、スライディングボードをはずします。車いすのアームサポートを戻します。

！ 被介助者の体幹を支える力が弱い

介助者は被介助者の脇から背中に両手をまわし、ひざを突き合わせます。

突き合わせたひざを支点にしながら車いすまで移動していきます。

自立 自力でスライディングボードを使って車いすへ移乗する

自力で介助バーや車いすのアームサポートを使っての移乗が難しい場合は、スライディングボードを使ってみてください。

アームサポートを支えにスライディングボードの上を滑るように移動します。

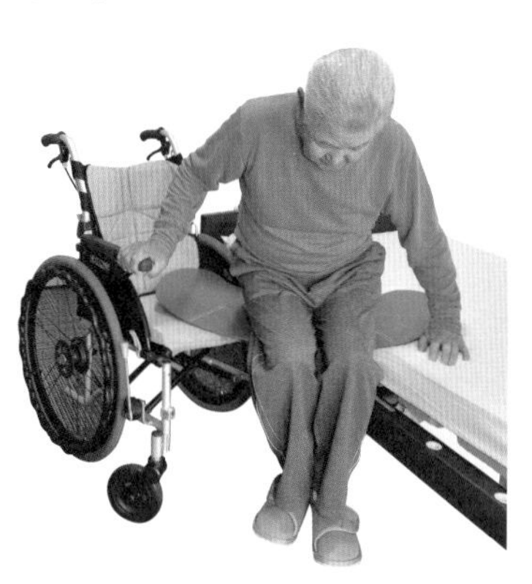

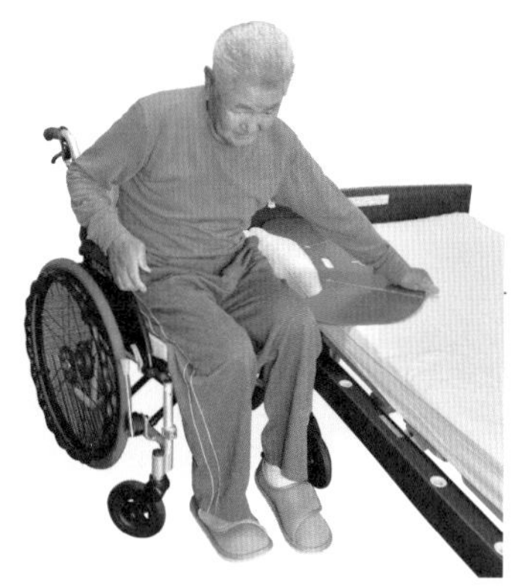

車いすに座ったらスライディングボードをはずし、手前のアームサポートを戻します。

介助 大

9 ベッドから車いすへの移乗
2人介助で

意識のない人や筋肉の緊張や拘縮（こうしゅく）が強く両足が床につかない人、体力がなく体幹を維持できない人の場合は、安全を考え2人サポートで移乗します。

Point

- 介助者2人は、それぞれの役割をしっかり守りながら連携を。

声かけのコツ

正面にいる介助者Ⓐが「これから立ち上がって、車いすへ移ります」などと、動作を伝えてから介助に入ります。

Ⓐ立ち上がりの介助

Ⓑ介助しない

1 立ち上がりを誘導する

介助者Ⓐは被介助者の正面、介助者Ⓑは車いすの後ろに立ちます。介助者Ⓐは立ち上がりを介助する役割、Ⓑは被介助者の体の向きを変える役割をします。

CloseUp

Ⓑ

このとき介助者Bはサポートせず、ズボンのベルト布部分を持っているだけにします。

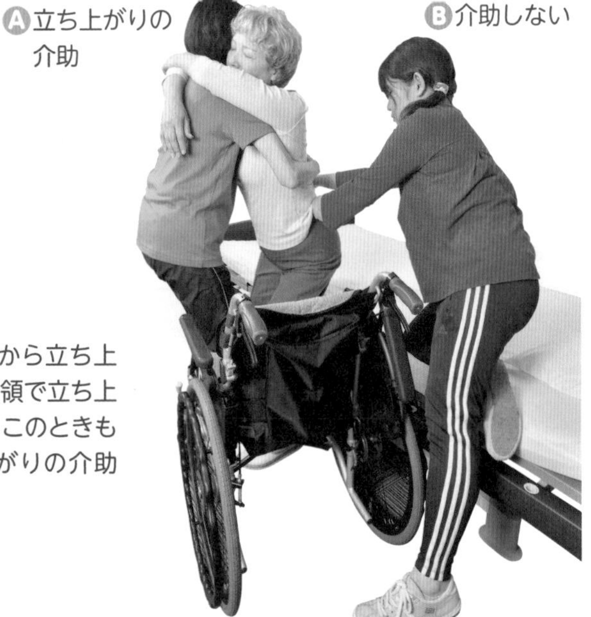

2 立ち上がる

「体幹を支えていすから立ち上がる」（p.92）の要領で立ち上がってもらいます。このときも介助者Ⓑは立ち上がりの介助には関与しません。

3 体の向きを変えて車いすの前に誘導

介助者Ⓑは、被介助者が車いすの前に立つように腰を水平にまわしていきます。介助者Ⓐは被介助者の立った姿勢を保持するだけで、被介護者の体を車いすのほうにまわす介助はしません。

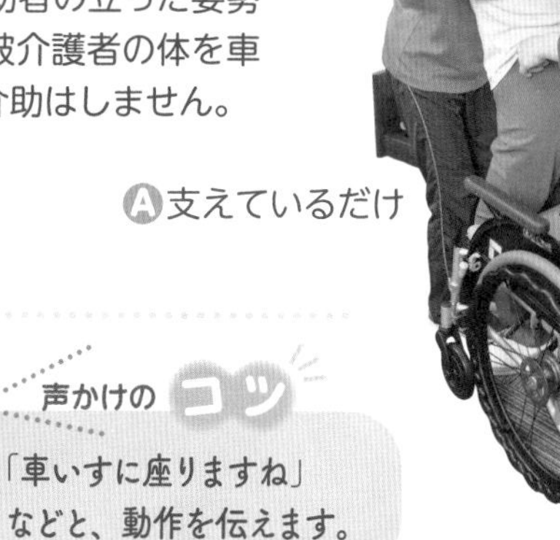

4 車いすに座る

介助者Ⓐは、「体幹を支えていすに座る」(p.94)を参考に、被介助者の体を支え続けて車いすに誘導します。介助者Ⓑはウエスト部分に手を添えたままで何もしません。

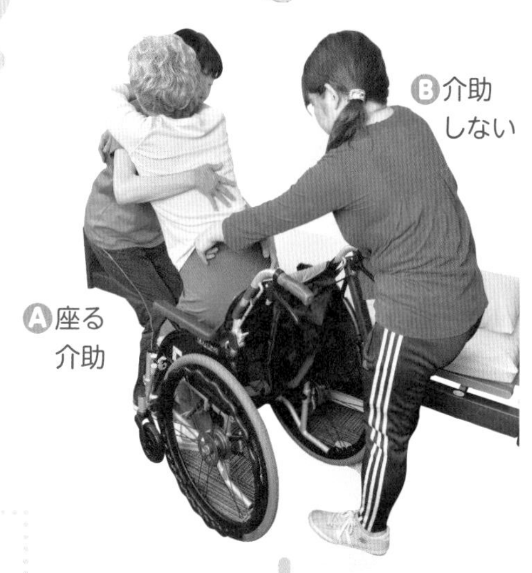

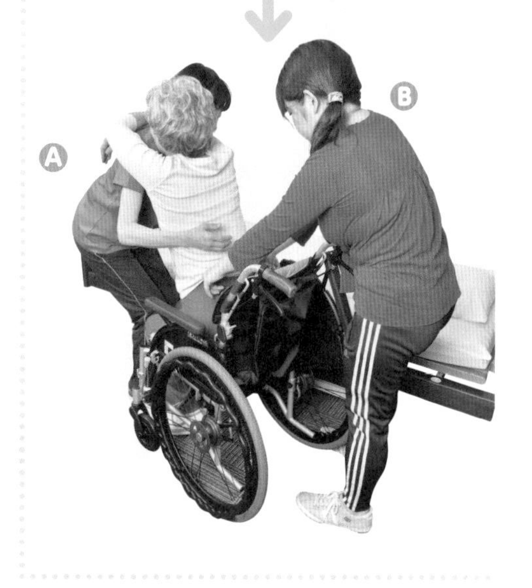

5 完了

介助者Ⓐは完全に車いすに座るまでしっかり支え続けます。車いすでの姿勢を整えて完了です。

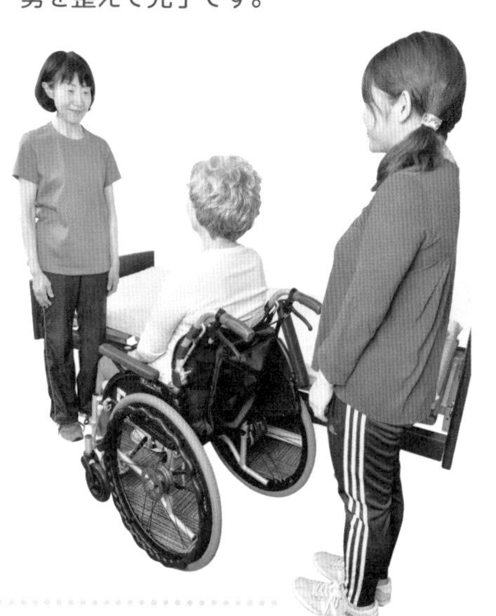

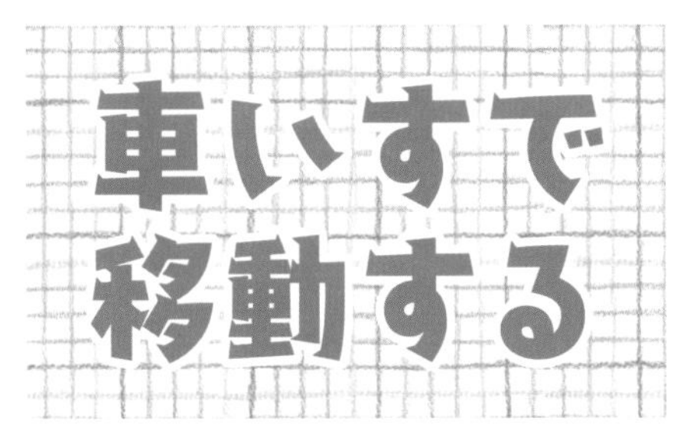

車いすで移動する

車いすはさまざまなタイプのものがありますので、それぞれの特徴を理解したうえで、使う人の体の機能に合わせて選びます。まずは車いすの名称や種類やタイプ、選び方を紹介します。

● 車いすの名称

車いすは、標準型のものから折りたたみ式、電動式などさまざまなタイプがあります。ここでは本書で使用している車いすの各部の名称をご紹介します。

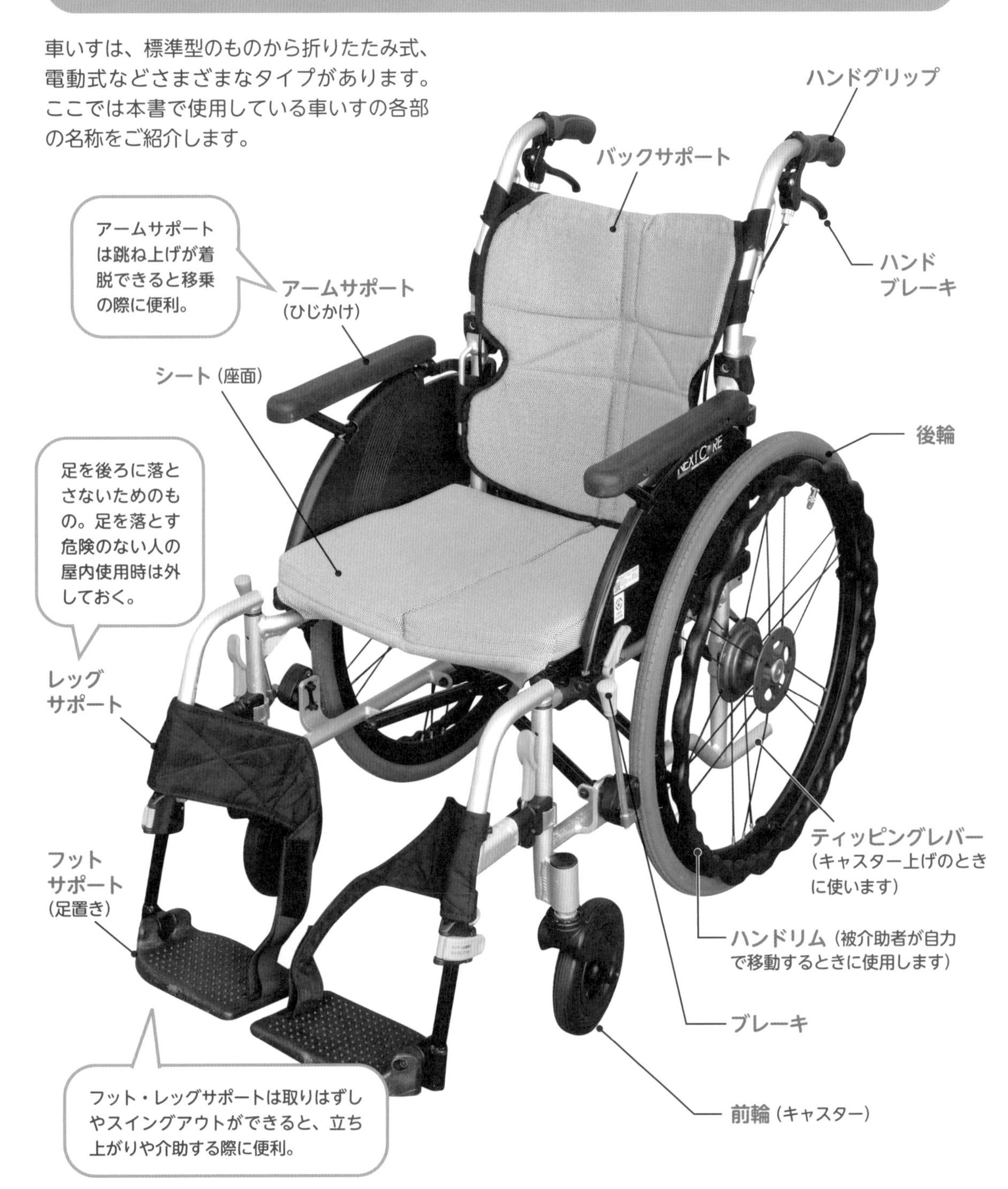

● 車いすの選び方

車いすは使う人に合ったものを選ぶことが大切です。体の状態はもちろん、生活習慣や生活環境なども考えて検討しましょう。

●車いすのいろいろ　どんな使い方をするのかで選ぶものが変わります。

スタンダード型

病院や施設などに置かれている折りたたみ式の車いすは「標準型」のものが多く、基本的には短時間の使用や移動のために使うものです。そのため、乗る人に合わせた調整はできません。

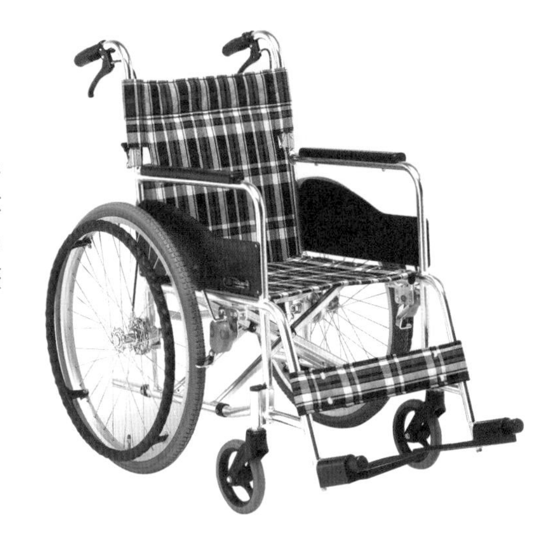

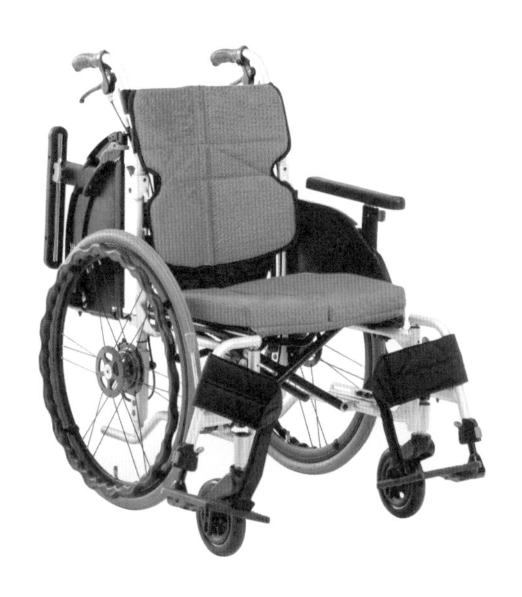

モジュラー型

乗る人の体形や体の状態に合わせて、座面の幅、奥行き、高さ、角度、背張り、アームサポートの高さなどを調整できるものです。ずれ座りや前後左右への傾きを直し姿勢を整えることで、摂食の自立や自走などが可能になり、変形・拘縮の予防、呼吸・嚥下機能の改善にもつながります。

●スタンダード型とモジュラー型には、介助用と自走用があります。

介助用

介助用の車いすは、ハンドルにブレーキがついていて基本的に介助者が押して動かすための車いすです。そのため後輪が他のものより小さく、被介助者が自分で動かすためのハンドリムがついていません。後輪が小さいので小まわりが効きます。

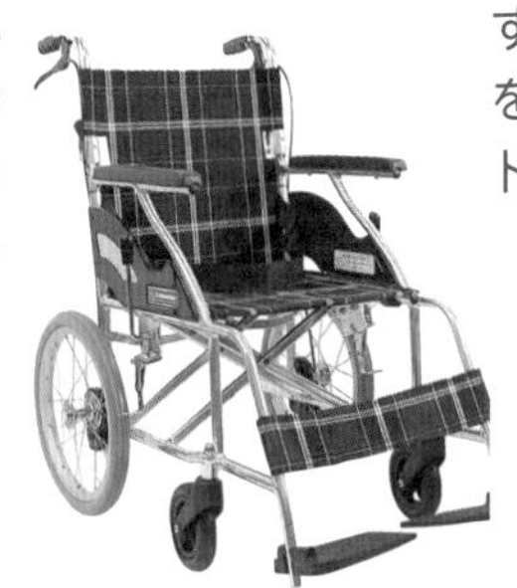

自走用

自走用は被介助者が自分で動かすことを前提に作られているものなので、後輪にハンドリムがついています。後輪が大きいので段差を越えやすいというメリットがあります。

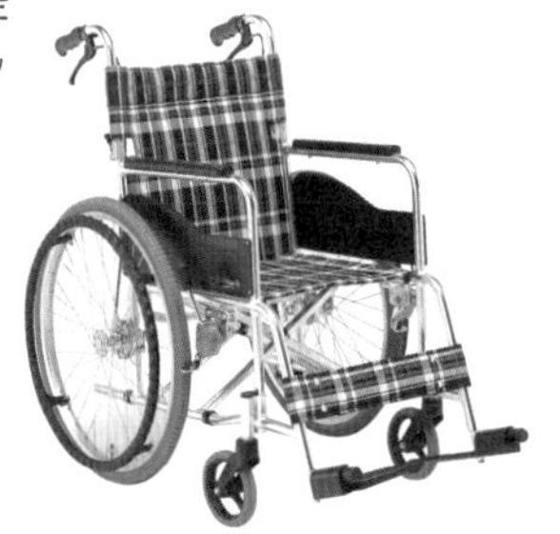

●体に状態によっては、以下のようなタイプも選べます。

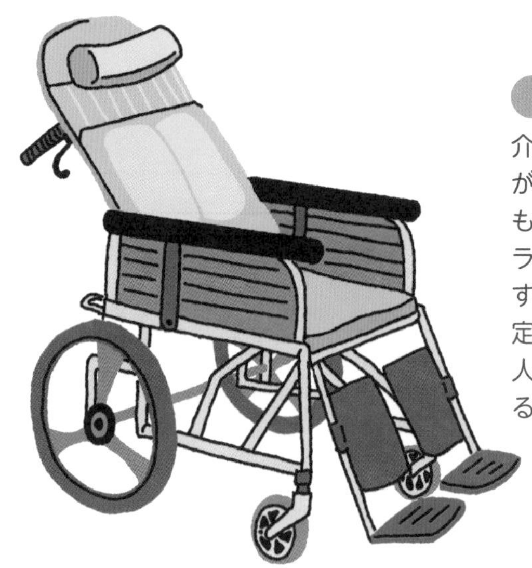

リクライニング型車いす

介助用で、自分で姿勢を保つことが難しい人向きのタイプです。背もたれを好みの角度に倒せるリクライニング機能つきの車いすです。背もたれ部分が高く、頭を固定しやすいため、姿勢を保てない人や疲れやすい人、内臓疾患のある被介助者に向いています。

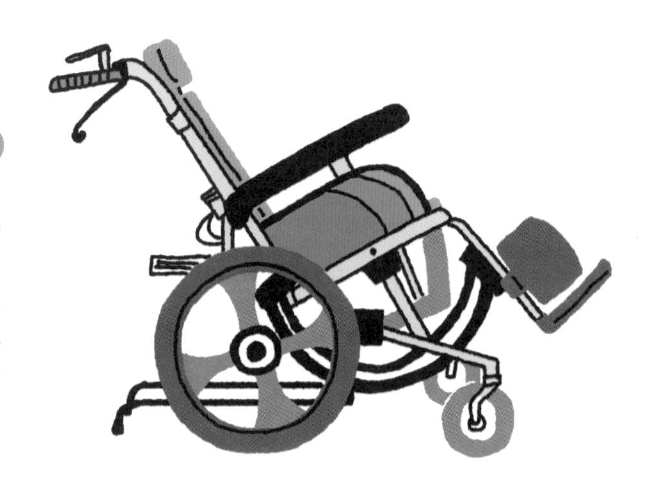

ティルト型車いす

介助度が高く自分で姿勢を保ちにくい人向けで　、座面と背中の角度を保ったまま傾けることができるタイプの車いすです。リクライニング型車いすのずれ座りになりやすい欠点をカバーできます。

●車いすのサイズと生活環境

日常の生活の中で車いすを使う場合、自宅の段差だけでなく、玄関や部屋の間口、廊下などを車いすで通れるか、曲がり角を曲がれるかもチェックしましょう。

一般的な車いすの幅が65㎝前後だとすると、部屋の出入り口は95㎝以上、360度回転するためには直径1.5mのスペースが必要になります。カーブを曲がりきるためには車いすの全長も関係します。選ぶときは車いすと生活環境、両方のサイズの確認を。最近では全幅、全長ともにコンパクトになったタイプもあります。

●被介助者の体に合ったものを選ぶ

生活環境との兼ね合いはありますが、被介助者の体に合ったものを選ぶことが大切です。体に合わない車いすでは、操作性や座り心地が悪いうえ、座面からずり落ちたり、体が傾いたり、背中が丸くなってしまったりと、床ずれや骨の変形の原因になることもあります。また、呼吸や消化、排泄や意識状態にも影響を与えることも。

体に合ったものを選ぶことは、活動範囲を広げたり被介助者自身の動きを引き出したりすることにつながり、介助の負担軽減にもなります。

1 車いすでの移動の介助

操作のコツを覚えると、介助もラクになります。健康な人を相手に練習する、自走する、介助されて乗ってみるなど、事前に体験しましょう。

Point

- ブレーキのかかり具合やタイヤの空気圧などを必ずチェックする。
- 車いすを使う予定の道の状態、段差などを事前にチェックしておく。
- 移動する前に、被介助者の姿勢や座り心地を確認する。

車いすの押し方

1 介助者は車いすの真後ろに立って両手でハンドグリップをしっかり握ります。

2 被介助者に「これから車いすで移動します」「車いすが動きます」などと声をかけします。

3 前後左右に注意して、両手に均等に力を入れてまっすぐに押し出します。

4 歩道などは平たんに見えても左右どちらかに傾いていることもあります。できるだけ水平な道を選んですすみましょう。

● 段差を上る

段差を下りるときと同様に、車いすが斜めになるので、事前に被介助者に声かけをしてから行います。車いすが不安定な状態にならないように、介助者はしっかりグリップを持ち支えましょう。

1 声かけをする

これから段差を上ることを伝え、被介助者が深く座っているか確認します。ティッピングレバーに足をかけます。

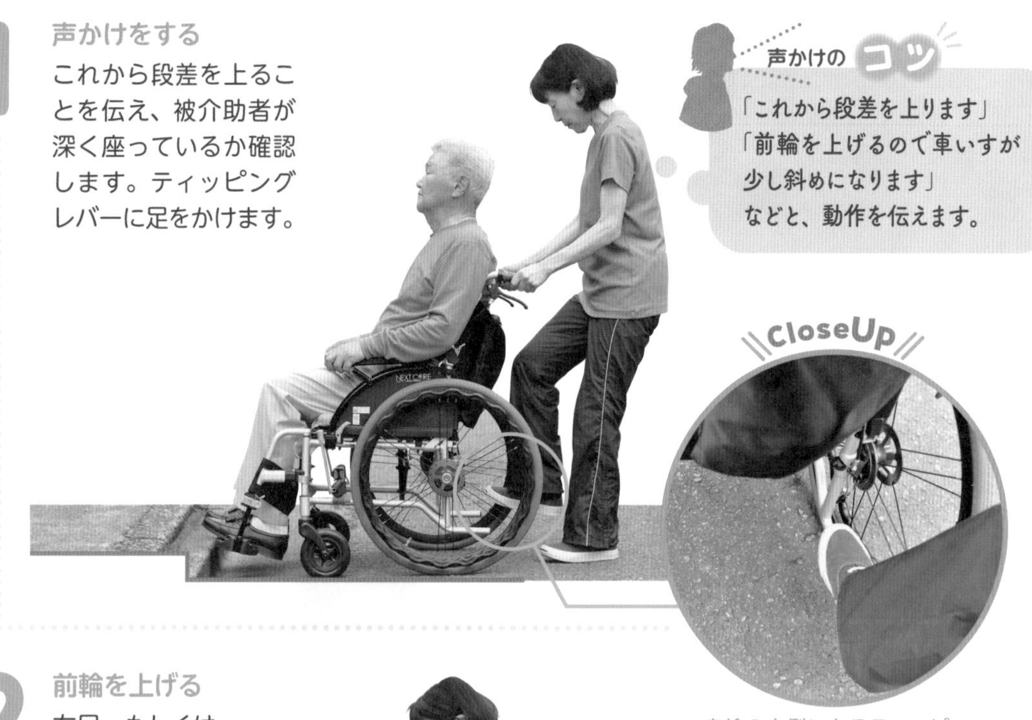

声かけのコツ
「これから段差を上ります」
「前輪を上げるので車いすが少し斜めになります」
などと、動作を伝えます。
CloseUp

車輪の内側にあるティッピングレバー。足で踏み込むと、前輪が上がりやすくなります。

2 前輪を上げる

右足、もしくは左足でティッピングレバーを踏み込み、前輪を上げます。

3 前に進む

前輪を上げたまま前に進みます。車いすは不安定な状態なので上下に揺れないようしっかり支えます。

4 前輪を段差の上にのせる

前輪が段差の上に上がったら、前輪をゆっくり下ろします。

介助のコツ

前輪は段差を上がっているので、車いすは斜めの状態です。このまま進むことを被介助者に伝えて進みましょう。

5 車いすを押す

後輪が段差に触れるまで車いすを前に進めます。

声かけのコツ

「前輪を下ろします。そのまま前に進みますね」
「次は後輪を段差の上に上げますね」
などと、動作を伝えます。

6 後輪を押し上げる

後輪を少し持ち上げて前に押し、段差を越えます。

7 車いすを安定させる

車いすが水平になり安定する位置まで押します。

● 段差を下りる

車いすが斜めになるので、事前に被介助者に声かけをしてから動作に入りましょう。ガタンと落ちることがないように気をつけます。

1 声かけをする

これから段差を下りるので、車いすが斜めになることを伝えましょう。

声かけのコツ

「段差を下ります」
「少し車いすが斜めになりますよ」
などと、これから行うことを伝えます。

2 後輪をゆっくり下ろす

後ろ向きに進み、後輪を段に沿ってゆっくり下ろしていきます。

3 前輪を上げる

前輪を上げて、車いすをそのまま後ろに引いていきます。

介助のコツ

前輪が上がった状態は不安定なので、上下に揺れないよう同じ高さをキープしながらゆっくり後ろに引いていきます。

4 前輪を戻す

段差を完全に超える位置まで引いたら、前輪をゆっくり地面に戻します。

介助のコツ

いきなりガタンと戻さないように、ゆっくりとていねいに地面につけます。

● 坂を上る

体を少し前傾させ、そのまま前向きに押します。被介助者や車いすの重みで押し戻されないように注意します。

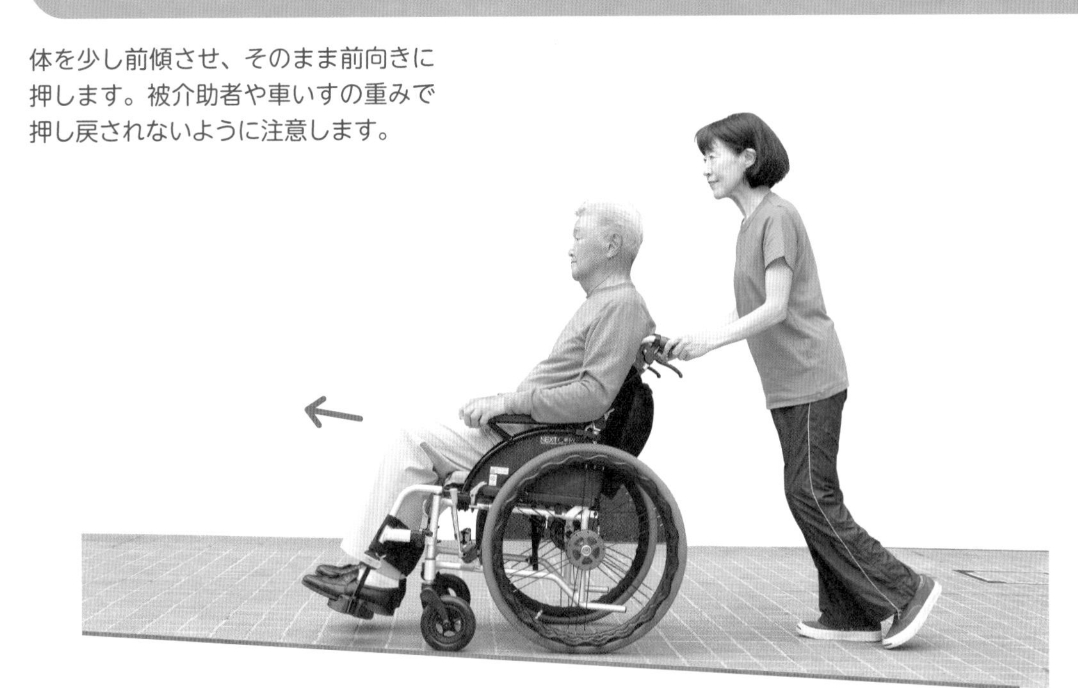

● 坂を下る

下る前に被介助者が車いすに深く座っているか確認し、恐怖を感じないように後ろ向きで進みます。介助者はスピードが出ないように車いすを支えながら一歩ずつゆっくり下がります。急坂のときはブレーキを使用してもいいでしょう。なだらかな坂道のときは、前向きのまま、スピードを殺すようにしながら下りても。

介助小 2 車いすから自動車への移乗の介助

足腰に少しでも力が入る被介助者なら、つかまり立ちとかんたんな介助で車に移乗することができます。

Point

- ドアに手をはさんだり、頭をぶつけたりしないように、被介助者の全体の動きに注意する。

1 車いすを近づける

自動車の近くに車いすを近づけ、ブレーキをかけます。

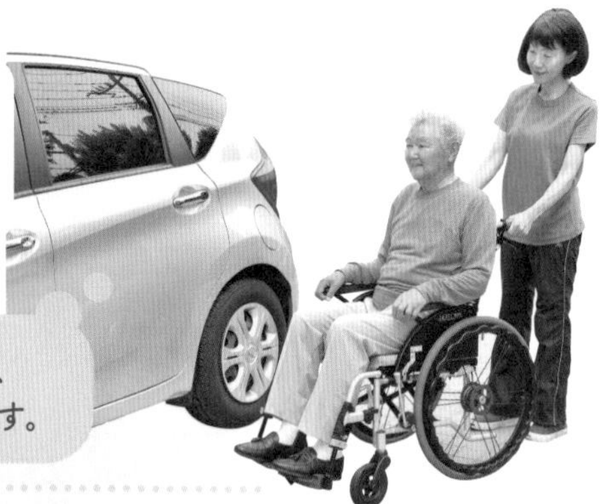

声かけのコツ

「車に乗りましょう」などと、これからすることを伝えます。

2 レッグサポートをはずす

フットサポートから足をはずしてもらいます。レッグサポートをはずします。

3 車いすを車に近づける

車のドアを開け、車いすを乗車位置に近づけ、ブレーキをかけます。

4 座面とつかまる場所を持つ

被介助者は、つかまれる箇所を持ちます。

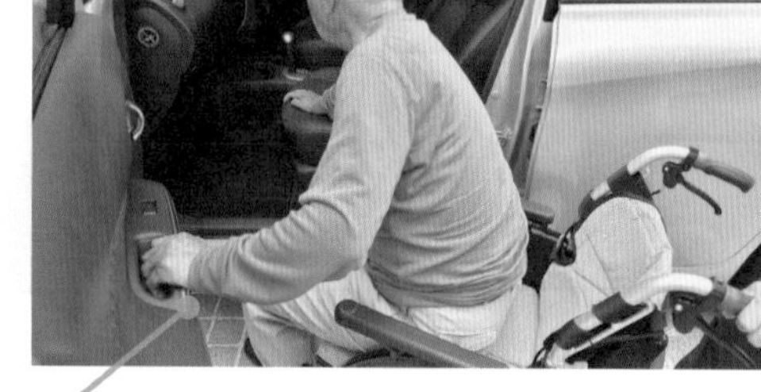

介助のコツ

ドア枠の手すりなどにつかまるときは、ドアが動いたり、被介助者が手をはさんだりしないように注意しましょう。

声かけのコツ

「車の座面に手をついていただけますか？」
「こちらにつかまっていただけますか？」
などと、つかまる位置を確認しながら伝えます。

5 立ち上がってもらう

被介助者の後ろズボンのベルト布部分を持ち、被介護者に4でついた場所を支点に、少し立ち上がってもらいます。

介助のコツ
被介助者がうまく立ち上がれないときは、前傾姿勢を誘導しサポートしましょう。

6 座席におしりを移動する

被介助者のズボンのベルト布部分を持ったまま、座席方向へおしりを誘導します。

介助のコツ
ベルト布部分を引っ張り上げないように注意しましょう。

7 頭を車内に入れる

片手を被介助者の背中や肩にまわし、頭をぶつけないよう注意しながら頭を車内に入れてもらいます。

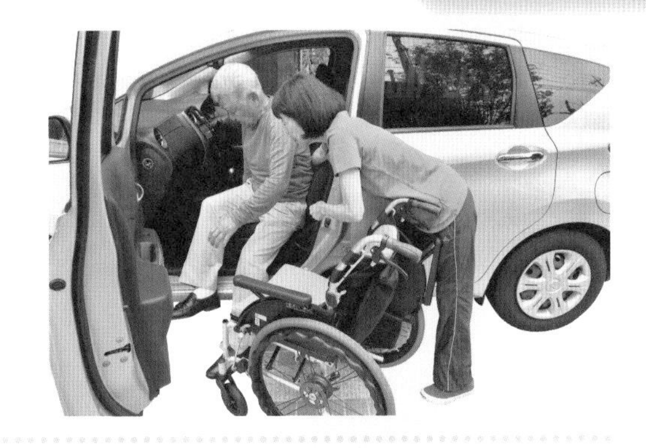

8 足を車内に入れる

体を座席の奥に移動してもらいます。可能なら足を自分で入れるよう声をかけ、難しいようならひざ裏と足裏を介助して足を車内に入れます。シートベルトをして完了です。

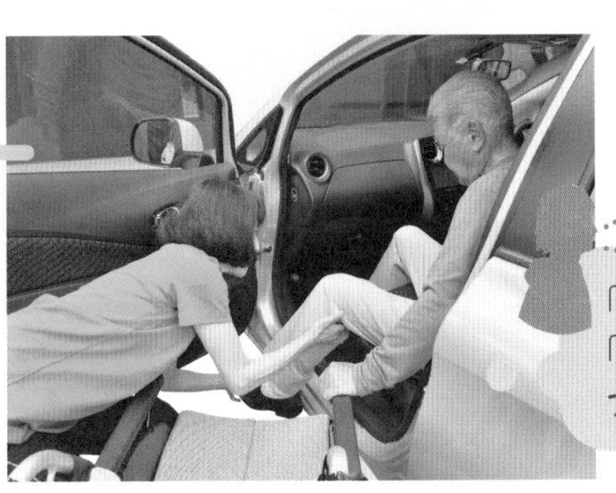

声かけのコツ
「前を向いていただけますか？」「足を車の中に入れていただけますか？」などと、動作を伝えます。

介助 小 3 自動車から車いすへの移乗の介助

基本的には車へ移乗するときと逆の手順を行います。せまい場所からの移乗なので、頭や体をぶつけたりはさんだりしないよう注意しましょう。

1 車いすを車に近づける

車いすを近づけてブレーキをかけ、声かけしてからシートベルトをはずしてもらいます。レッグサポートははずしておきます。

声かけのコツ

「車いすへ移りましょう」
「シートベルトをはずしていただけますか？」
などと、行うことを伝えます。

2 おしりを回転してもらう

被介助者におしりを運転手席側にまわしてもらい、足を出す準備をします。

介助のコツ

自力で足を出せない場合は、手前から足のひざ裏と足先に手をあてて、足を下ろします。

Point

- 被介助者の状態をよく観察し、動けない部分のみサポートするように心がける。

3 足を外に出す

被介助者は左手で車いすの手前のアームサポートをつかみ、片方ずつ足を出します。このとき被介助者の体が倒れすぎないよう肩などを支えます。

4 手を持ち替える

被介助者に、左手を車いすの遠い方のアームサポートに持ち替えてもらいます。

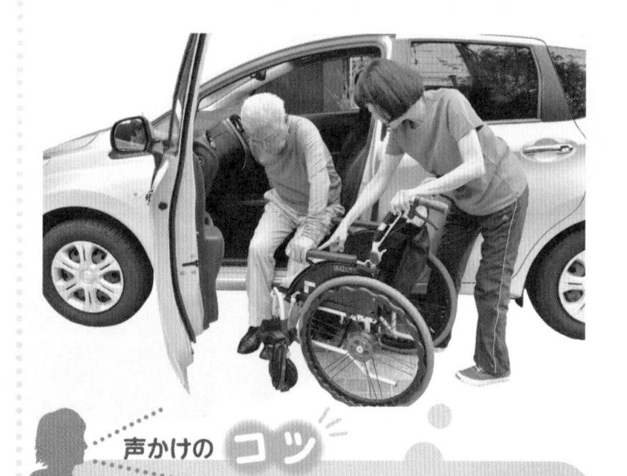

声かけのコツ

「左手をこちらに移していただけますか？」
「少し前かがみになっていただけますか？」
などと、動作を誘導します。

5 アームサポートを上げる

手前のアームサポートを上げて、移乗の準備をします。

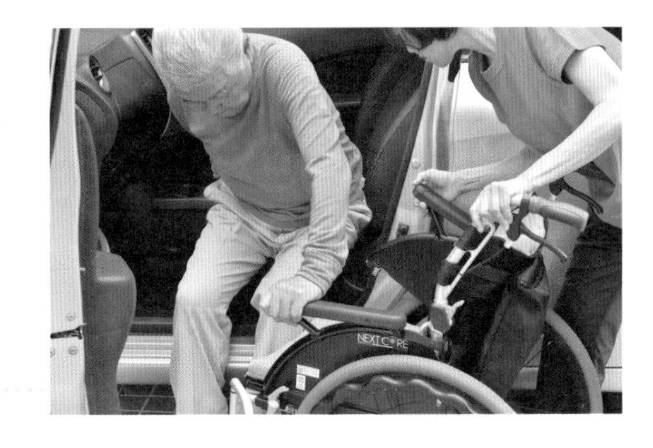

6 おしりを浮かせてもらう

被介助者のズボンのベルト布部分を介助し、被介助者に前傾姿勢になっておしりを浮かせてもらう。

介助のコツ

車と車いすの間に落ちないように、被介助者の動きとタイミングを合わせておしりをまわします。

可能な人は足を踏み替えて(P139参照)車イスへ移乗する。

7 車いすのほうへおしりをまわす

被介助者のズボンのベルト布部分を両手で持ち、おしりを車いすのほうへまわしてもらいます。

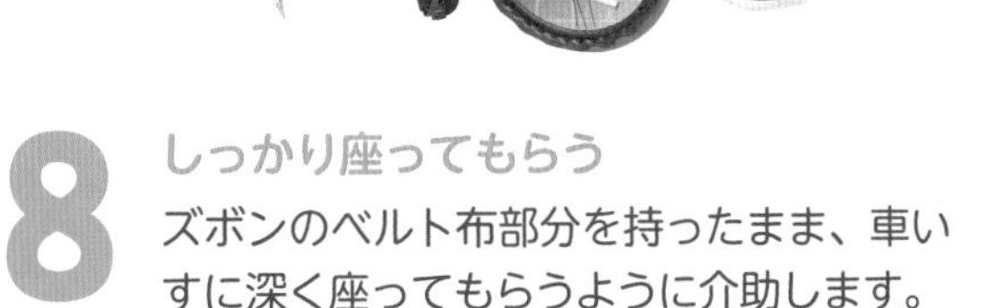

8 しっかり座ってもらう

ズボンのベルト布部分を持ったまま、車いすに深く座ってもらうように介助します。

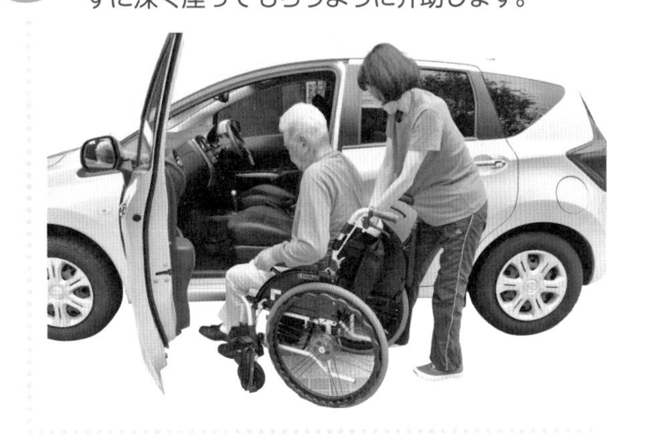

9 フットサポートに足をのせる

レッグサポートを戻し、被介助者が自分で、もしくは介助者が足をフットサポートにのせます。

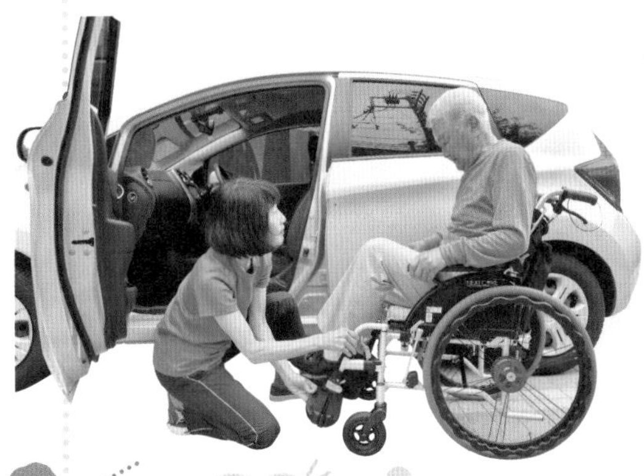

声かけのコツ

「足をフットサポートにのせていただけますか?」などと、動作を伝えます。

介助大 4 車いすから自動車への移乗の介助
体幹を支えて

屋外なので車と車いすの間にころんだりしないように注意深く行います。本人ができる動作は行ってもらいましょう。

1 車いすを近づける

自動車の近くに車いすをつけ、ブレーキをかけます。

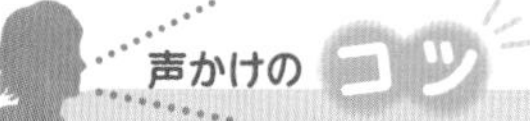

声かけのコツ

「車に乗りましょう」
「フットサポートから足を下ろしていただけますか？」
などと、これからすることを伝えます。

2 おしりを前にずらす

「一部介助で浅く腰かける」（p.79）の要領で、被介助者に浅く腰かけ直してもらいます。

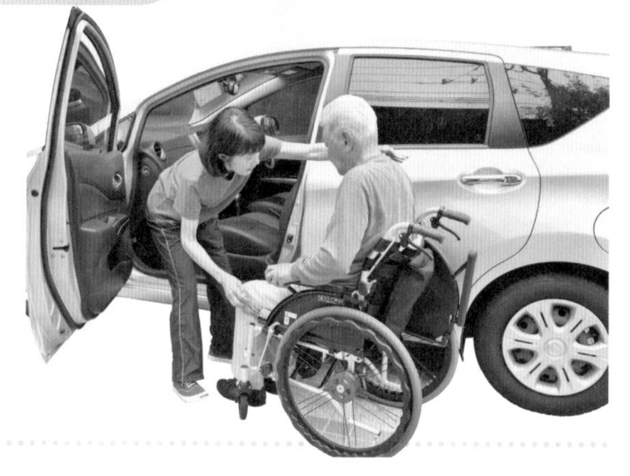

3 立ち上がる

「体幹を支えていすから立ち上がる」（p.92、96）介助で立ち上がります。被介助者のひざ（原則はマヒ側）に介助者の両ひざをあて、そのひざを支点にして後ろに体重移動してから、立ち上がってもらいます。

介助のコツ

被介助者のひざや上半身が伸びる動きが出てきたら、その動きについていくようにして立ち上がります。

介助のコツ

被介助者の足元が見えるくらいの「適度な距離」(p.140)を保ちましょう。

4 方向転換する

「体幹を支えて車いすへ移乗する」（p.140－p.141）の要領で、足をシンクロさせて被介助者の向きを車のほうへ変えていきます。

Point

- 体幹を支える介助が必要な被介助者の場合、走行中の安全などを考え助手席に座ってもらうのが一般的。

5 座席に座る

おしりから車内に入れ、座席に座ってもらいます。

介助のコツ

頭をぶつけないよう、介助者は頭をサポートするなど注意をはらいます。

Check!

きちんと正面に向いて座れているか確認しましょう。

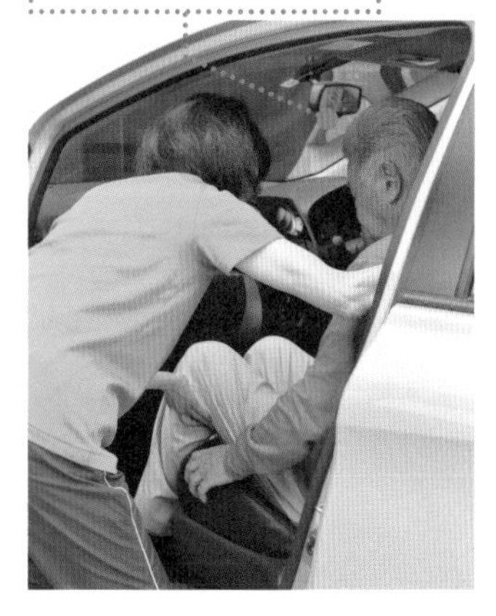

6 足を車内に入れる

右手で上半身を支えながら、被介助者のひざ裏に手を添えて、右足から車内に入れていきます。

介助のコツ

上体が安定しているようなら、右手で上半身を支えずに、被介助者のひざ裏とかかとにそれぞれ手を添えて、片足ずつ車内に入れます。

7 シートベルトをする

被介助者の上体が安定しているか確認してから、シートベルトをします。

介助大

5 自動車から車いすへの移乗の介助

体幹を支えて

基本的には車いすから自動車へ移乗するときの逆の手順を行います。出入り口がせまいので、被介助者の頭や体がぶつからないよう注意しましょう。

1 声かけをする

自動車に車いすを近づけてブレーキをかけ、声かけしてからシートベルトをはずします。

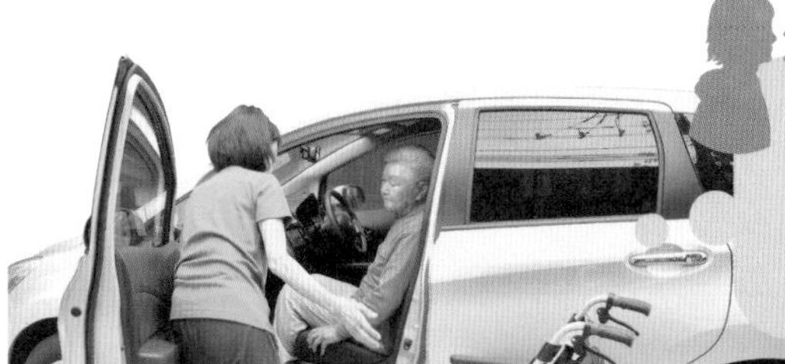

声かけのコツ

「車いすへ移りましょう」「シートベルトをはずしいただけますか？」などと、行うことを伝えます。

2 足を外に出してもらう

肩に手をまわしてもらい、被介助者の背中とひざ裏に手を添えて、足を出します。

声かけのコツ

「片足ずつ、車の外に出していきますね」などと、動きを伝えます。

Point

- 被介助者が立つ地面に障害物や段差がないかチェックする。

3 立ち上がる

「体幹を支えていすから立ち上がる」(p.92、96)の姿勢をとります。被介助者のひざ（原則はマヒ側）に自分の両ひざを当て、そのひざを支点にして後ろに体重移動し、立ち上がってもらいます。

介助のコツ

被介助者のひざや上半身が伸びる動きが出てきたら、その動きについていくようにして立ち上がります。

介助のコツ

車のドア枠が低いこともあるので、被介助者の頭がぶつからないように注意をはらいましょう。

4 方向転換する

「体幹を支えて車いすへ移乗する」（p.140 ～ 141）の要領で、足をシンクロさせて被介助者の向きを車いすのほうへ変えていきます。

5 車いすに座る

「体幹を支えていすに座る(p.94、98)」の要領で車いすに座ってもらいます。

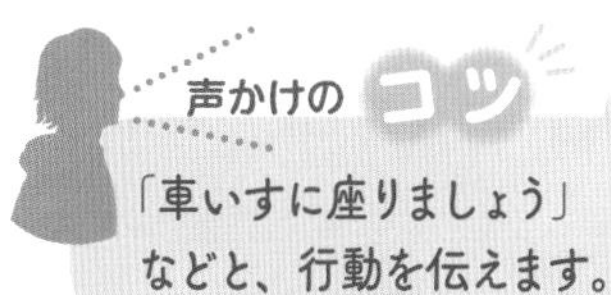

「車いすに座りましょう」などと、行動を伝えます。

6 座り直す

安定した座位がとれるように座り直してもらいます。

Check!

車いすにしっかり座れたことを確認しましょう。

7 フットサポートに足をのせてもらう

レッグサポートを元の位置に戻し、フットサポートに足をのせてもらいます。

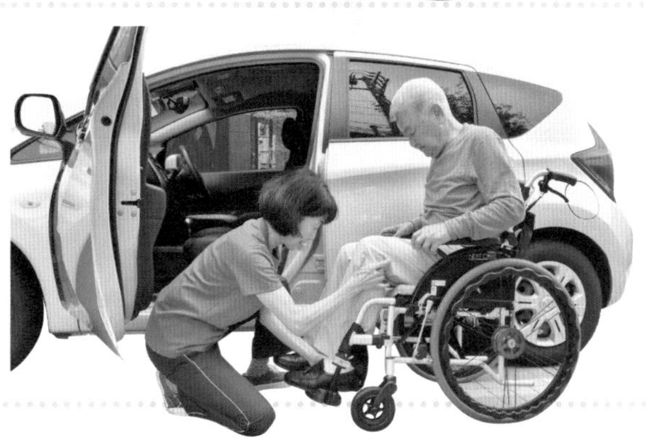

要介護4 寝たきりになった93歳の父が自分で風呂に入れるようになるまで 1

福辺式介助術の実践例　富田さんのケース

（このインタビューの）ちょうど1年前、父はうっ血性心不全で入院しました。新型コロナの影響で面会もできず、1ヶ月後に退院したときには、要介護4の寝たきりになっていました。退院して1ヶ月近く過ぎ、だいぶ生活が落ち着いてきた頃、当時行っていた介護に違和感を感じるようになりました。

いくら私のおしめ交換がうまくなっても、父の体を動かすことがうまくなっても、いくら父に手や足を動かす運動をさせても、それが父の望んでいる「自力での起き上がりや立ち上がり」につながるとはとても思えなかったのです。介護方法の根本的な方向性が違うような気がしたのです。

そこで「私が父を動かすのではなく、父が自ら動く介助方法はないものか」と思いネットで探したとき、福辺さんのコラムと出会いました。この方法だったらいけるかもしれないと思い、福辺さんの本を注文しました。それを読んだところ、私の知りたいことが全て書いてありました。

手始めに91センチ幅のベッドを、100センチ幅のベッドに変えてもらうことにしました。ベッドを変えてもらう前日、父にそのことを伝え「自分で起き上がれるようになれるかもしれない」と話しました。すると父はベッドの柵をつかみ、必死に起き上がろうとし始めました。どうやら今、起き上がれると思ったようです。

せっかく父がその気になったことだし、この機を逃すことはないと思い、福辺さんの本を思い出しながら、まずベッドの柵を外し、父の体勢を整えてから、誘導と支えをやりました。

最初は誘導の方向がわからず失敗しましたが、2回目に偶然うまくいって、ベッドの端に座ることができました。父は「自分の力で座ることができた」と泣いていました。その涙を見て私ももらい泣きしてしまいました。

富田さんの父(当時93歳)。要介護4の状態から、ベッドに座って食事ができるようになった。

3章

食事の介助

食事は人が生きるうえで、生命を維持し、身体活動を行うためのエネルギーや栄養を摂取する大事な活動です。できるだけ口から食べることができるようにしましょう。
口腔ケアは単なる生活習慣というだけでなく、虫歯や歯周病、肺炎や糖尿病などさまざまな病気を防ぐためのケアとしても重要です。

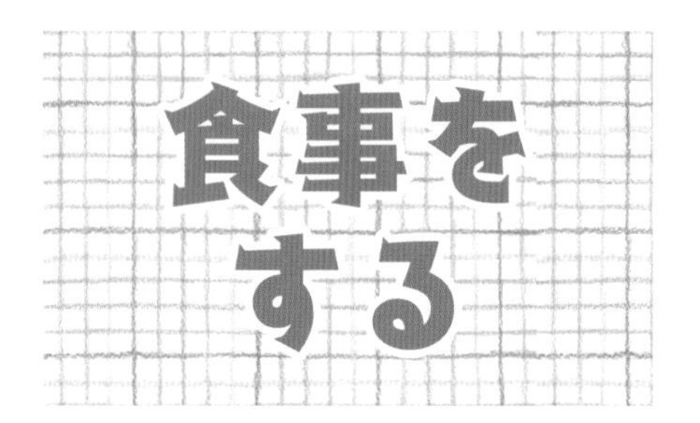

人の体は食事をすることによって作られ、維持されます。毎日の食事を楽しくおいしく食べること、食べてもらえるようにすることで健康はもちろん、心も安定します。

● 食事の介助の基本

食事は単にエネルギーや栄養補給のために必要なものではありません。身体的、精神的に与える影響が大きいことを考えながら、楽しく食べてもらうことを心がけましょう。食事の介助もできないところだけをサポートすることが基本です。

自分で食べるということ

食べものを口から食べると、味覚や視覚、嗅覚などの五感を刺激し、消化・吸収を行う内臓が活発になり体全体が元気になります。また、おいしいものを食べることは、大きな楽しみでもあり、生きる喜びにつながります。たとえ嚥下が難しい被介助者であっても、工夫や介助によって食事をすることはできます。

食べられないのか、食べたくないのか

被介助者の食がすすまないときは、機能の低下によって「食べられないのか」、環境や嗜好、そのほかの問題があって「食べたくない」のかを見極めて対処するのが大切です。被介助者の体の状態や動き、表情などをよく観察してみましょう。

「食べられない」「食べたくない」要因として考えられること

- ▶テーブルやいすが高すぎて前傾姿勢がとりづらい、また前傾姿勢になりすぎておなかが圧迫されて食べづらい。
- ▶メニューや味つけ、盛りつけ、見た目、温度や食材の大きさ、舌触りなどが不満。
- ▶歯や口腔内にトラブルがある。
- ▶食事時間が合わない。
- ▶寝たきりでおなかがすかない。

飲み込む動きを確認

食べものを飲み込み、食道へ運ぶことを「嚥下（えんげ）」といいますが、年とともに機能が低下していきます。飲み込む動きがなかなかできない嚥下障害や、飲み込んだ食べものが食道へ行かず、一部が気管に流れてしまう誤嚥（ごえん）も起こりやすくなります。食事に時間がかかるようになったり、頻繁にむせるようなったりしたら嚥下反射を確認して、医師や言語聴覚士に相談しましょう。

嚥下（えんげ）反射のチェック法

1. 被介助者ののどに、軽く指先をあてる。
2. 声をかけて、つばを飲み込んでもらう。
3. のどぼとけを確認し、飲み込んだときに上に上がれば嚥下反射があり、飲み込む能力はある。

水分摂取

食事の他に大切なのが水分補給です。高齢になってくるとのどの渇きを自覚しにくくなったり、トイレが近くなることを気にして水分を控えたりする傾向があります。嚥下障害のある人は、水が飲みにくいのでやはり水分を控えることがあります。水分の多い果物や野菜を摂る、食事中や食後のお茶を飲む習慣にするなどして、こまめに水分を摂る工夫をしましょう。

介助者も一緒に同じものを食べる

被介助者のために、まったく違うメニューを用意するのは大変です。少しやわらかめにしたり、とろみをつけたりして食べやすくする工夫は必要ですが、できるだけ介助者（家族など）と同じメニューのものを一緒に食べるようにしましょう。一緒に食べると、食べるスピードや次に何を食べたいか、などもイメージしやすくなります。

食べる前の準備

覚醒が悪いので前から起きていたほうがよい人、途中で疲れてしまうのでギリギリに起きたほうがよい人など対象者によって起きる時間も異なります。体全体を動かす体操、肩や首のまわりを動かす体操、顔や口の周辺を動かす体操、舌を動かすベロ体操や、唇や口を動かすパタカラ体操、レクや歌を歌うなどさまざまな食べる前の準備方法があります。利用者に合わせたケアを考えましょう。

食事介助の方法

食事介助の基本は正しい食事姿勢です。姿勢が悪いと誤嚥（ごえん）などのトラブルが起きやすくなるので注意しましょう。

▶正しい食事姿勢とは？

正しい食事姿勢とは少し前かがみの状態です。気道が狭まり食道が広がって誤嚥を防ぐ効果があります。嚥下（えんげ）能力が低下している被介助者の場合、この姿勢をきちんとできることが何よりも大切です。そのためには、できるだけ体に合ったテーブルといすを用意します。
また、寝たままでの食事は食道が狭まりうまく飲み込むことができません。起き上がって食事ができるように環境も整えましょう。

▶体に合ったテーブルといすとは？

テーブルが高すぎると肩が上がって胸も狭くなり食べづらくなります。誤嚥を防ぐためにも、体のサイズに合ったテーブルといすを用意することが大切です。一般的なものは被介助者にとって高すぎる場合が多いので、テーブルの脚を切ったり、いすにクッションを置いたりして調節します。いすが高すぎる場合は足台を使用します。

食事をする姿勢

ひざは90度以上曲がり、足裏が床につき体重がのっている状態に。
やや前かがみの姿勢が誤嚥を防ぎます。
テーブルは、肩の力を抜いてひじをついたときに腕が垂直になる高さか、少し低いものが理想です。
いすの高さは、前傾姿勢になりやすく、足裏がつく高さに調節します。いすが高すぎる場合は足台を用意します。

▶車いすでの食事はNG？

食事に限らずスタンダード型の車いすは、基本的に長時間座るためのものではありません。食事用のいすに移乗して食事をするようにします。被介助者に合わせて調整されたモジュラー型の車いすは食事を摂ってもらっても問題はありませんが、前傾姿勢が難しい場面は、クッションなどで調節します。モジュラー型車いすでも長時間座る場合は、フットレストから足を下ろし、足を床につけるようにします。座面が高い場合は足台などを準備しましょう。

車いすで食事をする場合

テーブルは、肩の力を抜いてひじをついたときに腕が垂直になる程度の高さか、少し低いものにします。
背もたれに角度がついていると前傾姿勢がとりづらい場合があります。可能であればクッションなどで調整します。

● 原因別の食事介助

食事を行っていて、うまく飲み込めなくなってしまった場合の原因や対応法を紹介します。

咀嚼（そしゃく）する機能の問題

歯や歯ぐき、舌、口腔内の炎症があり、その痛みや違和感によって、かみ砕いたり、すりつぶしたりする機能が低下します。義歯やかみ合わせはとても重要です。医療的な治療も必要ですが、治るまでは食べものを工夫して対応しましょう。やわらかい食べものを用意し、スプーンなどで押しつぶしてから食べてもらいます。また、食材を細かく刻んだ料理は咀嚼（そしゃく）しづらく、食べこぼしやすく、のどに残ったり、歯に挟まったりして、かえって食べにくくなる場合もあるので注意します。

むせる

嚥下（えんげ）の準備ができていないのに、口の中の食べものがのどに落ちるために起こります。水分の多い食べものは、口の中にとどまりにくく、のどに落ちていくスピードが速くなってしまうので誤嚥（ごえん）やむせの原因になります。
また嚥下機能が低下していると、飲み込むタイミングが少しずれるだけでもむせが起こります。介助のときは、「煮ものですよ」などと声をかけてから口に入れましょう。むせの反射がなくても誤嚥している場合があるので、のどの動きなどを見ながら確実に嚥下できているか注意しましょう。

かみ合わせ

かみ合わせは、咀嚼、嚥下だけでなく、全身状態にも大きな影響を及ぼします。不適切なかみ合わせは、肩こり、めまい、難聴だけでなく、歩行や姿勢、バランス障害、認知症を引き起こすといわれています。高齢者や認知症の方は自分では自覚できていない場合も多いので、虫歯、義歯も含めたかみ合わせに注意してあげましょう。

注意障害

嚥下障害ではなく、高次機能障害の注意障害（注意が散漫になり、ものごとに集中できないこと）で食事が摂りにくい場合もあります。食事に集中できる環境、食器の形態、食器と食べもののコントラスト、食べものの形態、食器や食べものの位置、覚醒状態などを、専門職や他職種と連携しアドバイスを受けたりしながら、ひとりひとりに合った介助法を探っていきます。

腕の動きが悪い場合

介助者が前腕とひじに手を添えて動きを引き出すように口まで被介助者の手を誘導します。握ったり、口のほうへ無理に動かしたりするのはNGです。

声かけのコツ

「次はどれを食べましょうか？」
「この○○もおいしそうですね」
などと、楽しい食事になるように声をかけます。

食べたいものや食べるペースを確認しながら進めます

横に並んで座ると、同じ側から料理を見ることができるため、スムーズな介助につながります

手首の動きが悪い場合

被介助者の手首に手を添えて食べものを口へ誘導します。できるだけ自分で動いてもらい、手首の角度だけサポートするようにします。

手首をつかむのではなく、親指と中指、薬指を添えるようにして誘導します

Point

- どの動きができないのか、何が原因で口まで運べないのかなど、ひとりひとりの原因をチェックして介助を選択する。
- 被介助者の前傾姿勢がくずれないように、食べものは下から口へ持っていく。
- 一人一人、咀嚼や嚥下のパターンが異なるので、その人に合った介助を見つけるようにする。

スプーンを使って介助する場合

1 食べものをすくう

スプーンに、2分の1ほどの食べものをすくい入れます。

2 口に入れる

被介助者の口の中に、スプーンを平行、もしくは下から入れ、舌の中央に食べものを置くようにします。

3 口を閉じてもらい、まっすぐ引き抜く

口を閉じてもらい、スプーンをまっすぐに引き抜きます。前歯にすりつけたり、口が開いたままスプーンを引き抜くと誤嚥の原因になるので注意しましょう。

4章

排泄の介助

排泄は生きていくうえで不可欠と同時に、とてもプライベートな行為です。
介助が必要な場合でも、被介助者の尊厳を守る細やかな配慮が必要です。
環境の整備も含めて、できるだけ自然な形で排泄を行ってもらえるように
サポートしましょう。

排泄する

トイレで座って行う排泄は、直腸の収縮力や腹圧、重力を用いた、一番体への負担が少ない自然の生理に沿った排泄法です。「できるだけ自然な排泄をしてもらう」を基本に考え、トイレへ行けるように環境を整えることが大切です。

● 自然な排泄を目指す

加齢によって機能が低下すると便秘になりやすくなります。また、人の手を借りてトイレへ行かなくてはいけない被介助者の場合、我慢や遠慮をして声をかけそびれてしまい、ますます便秘になってしまうこともあります。尿意や便意のシグナルを見逃さず、我慢や遠慮をさせないようにコミュニケーションをとることが大切です。

●自然排便の3つの力を知る

以下の3つの力を最大限にいかして排泄できる姿勢が、前かがみの座位、いわゆる便座に座った姿勢です。それぞれの働きを知って、可能なかぎり便座に座って排便ができるようにサポートしましょう。

1 直腸の収縮力

直腸の収縮によって便意をもよおしますが、自分から収縮させることはできません。この機能は加齢によって低下します。

2 腹圧

腹圧は便を押し出すように踏ん張ったり気張ったりすることで、直腸の収縮を助ける力のこと。座った状態が一番強い力を出せます。加齢によってだんだん腹圧も弱くなります。

3 重力

便が自然に下がっていく力で、加齢による変化はありません。座った状態でもっとも力が発揮できます。

●トイレの環境を工夫する

環境の整備も大切です。便座への移乗や排泄動作などが自分の力でもしやすく、安全で清潔で適度な明るさになるように整えましょう。被介助者の体の状態によって手すりの位置や必要なスペースは異なるので、理学療法士など専門家に相談するといいでしょう。

ドア
開閉がじゃまにならないように
「引き戸」がおすすめ。
出入口
間口は1mあると、介助者と一緒に入ることができます。段差はなくします。
手すり
使う人に合わせてつける位置を決めましょう。
通常の手すりの位置よりも遠いほうが、立ち上がりに適しています。
便座の高さ
しっかり踏ん張れるように便座に座って両足が床につく高さに。
低すぎると立ち座りが難しくなります。座った後で足台を置くなどの工夫をします。
ファンレストテーブル
前かがみの姿勢や座位の姿勢を保てない場合にあると便利。

●ポータブルトイレを利用する

移乗ができれば、ベッドサイドにポータブルトイレを置くことで、自力での排泄が可能です。室内で排泄することに抵抗があるかもしれませんが、こまめな換気や空気清浄機を置く、デザイン性のある家具調やふたのあるものを選ぶなど、工夫して抵抗感を和らげましょう。

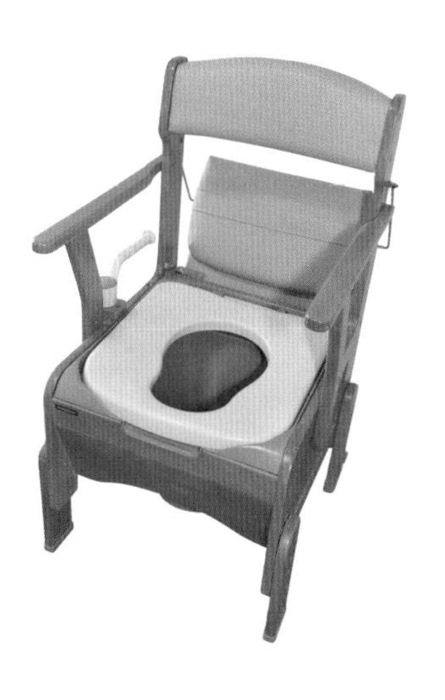

自立 1 自分でポータブルトイレへ移乗する
介助バーを使って

トイレまで歩いていくことができなくても、ベッドサイドにポータブルトイレを置くことで、自分で排泄することができます。

1 介助バーを持つ

なるべく遠くを持つほうが、前傾姿勢がとりやすくなります。
※片マヒの人は健側の手で介助バーを持ちます。

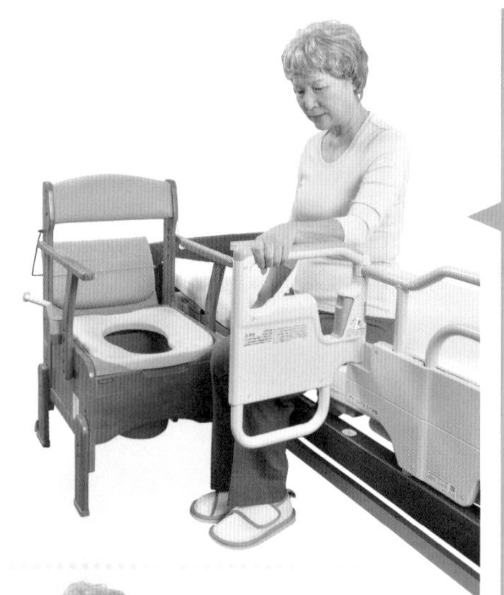

こんなやり方も！

介助バーとポータブルトイレのひじ掛けを同時に持っても。

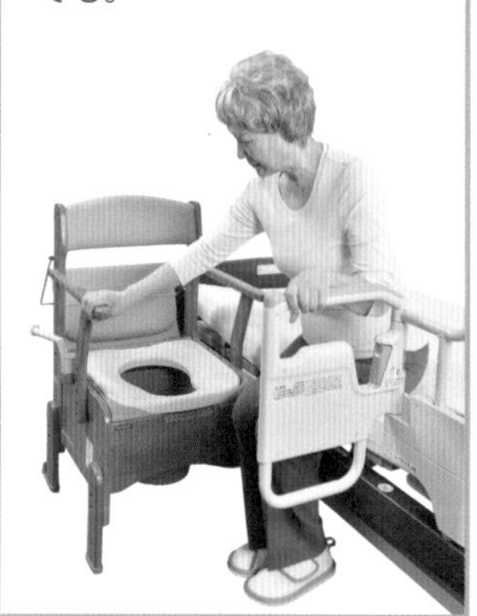

2 立ち上がる

介助バーを支えにして、立ち上がります。

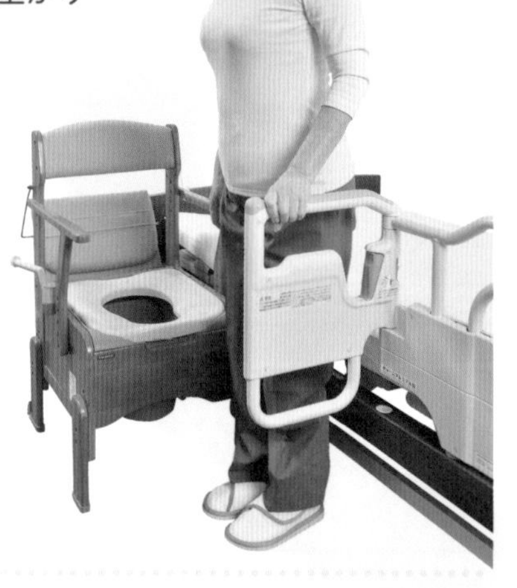

3 方向転換する

介助バーを持ったまま方向転換して、ポータブルトイレにおしりを向けます。

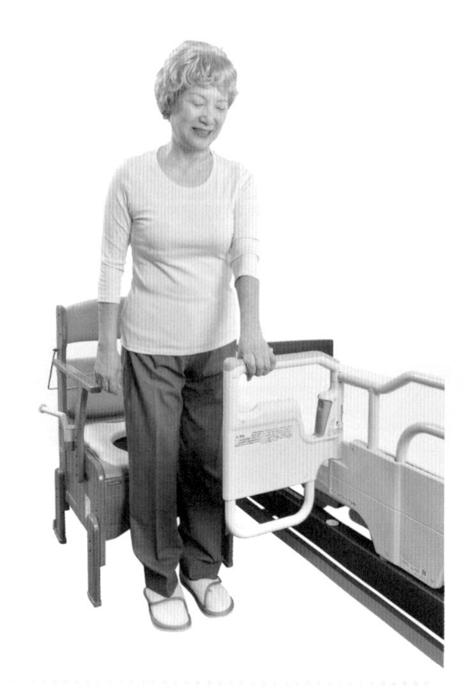

4 ズボンなどを下げる

介助バーをつかんだまま、もう片方の手でズボンなどを下ろします。

- ポータブルトイレはベッドと平行に、被介助者が移乗しやすい位置に置く。

介助のコツ

片マヒでマヒ側の上肢が使えない人は、介助バーやポータブルトイレで体を支え、非マヒ側の手でズボンを下ろします。
ベッド上で少しズボンをずらしておいたり、一度ポータブルトイレに座ってからズボンを下ろしたりして工夫しましょう。

こんなやり方も！

ひざを曲げ座るときに不安定になる人は、介助バーとポータブルトイレのひじ掛けを支えにして座ります。

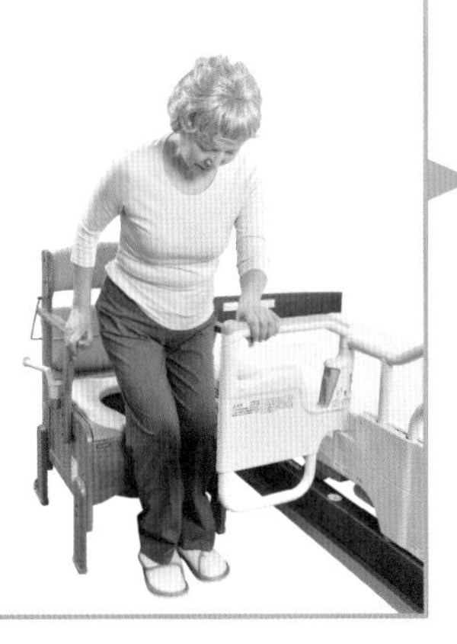

5 ポータブルトイレに座る

介助バーをつかんだまま、ポータブルトイレに座ります。

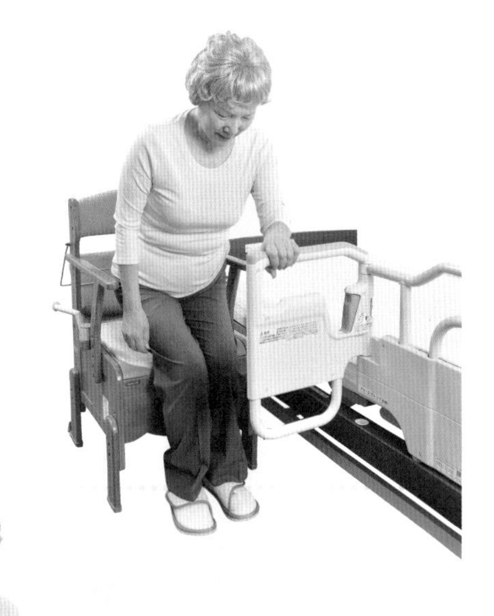

6 用を足す

用を足します。用がすんだら逆の手順でベッドに戻ります。

自立 2 自力でポータブルトイレへ移乗する おしりをずらして

立ち上がって向きを変えるのが難しい人は、おしりを少しずつずらしてトイレに移乗する方法があります。

1 介助バーをつかむ

片側のひじ掛けが脱着できるポータブルトイレを使用します。ベッドとポータブルトイレの座面の高さをそろえます。介助バーを持ち、もう一方の手はベッドに置きます。

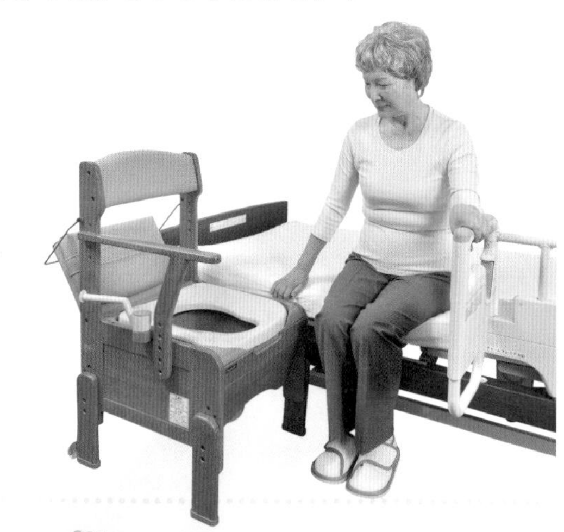

2 おしりをずらす

前傾姿勢をとりながらおしりを上げ、ポータブルトイレのほうへ少しずつおしりをずらします。

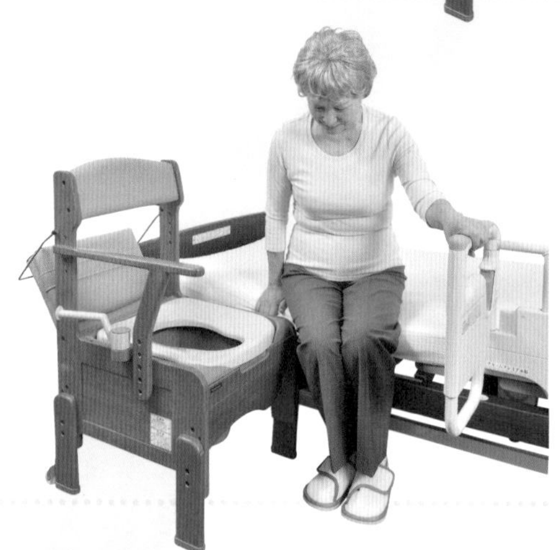

3 トイレのひじかけを持つ

おしりがポータブルトイレの近くまで移動したら、ポータブルトイレのひじかけを持ちます。

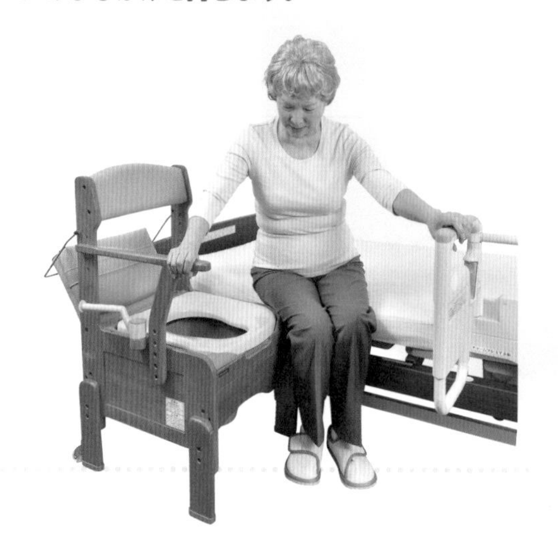

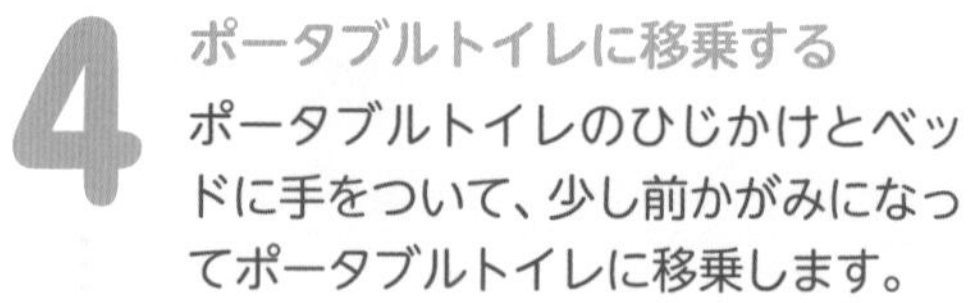

4 ポータブルトイレに移乗する

ポータブルトイレのひじかけとベッドに手をついて、少し前かがみになってポータブルトイレに移乗します。

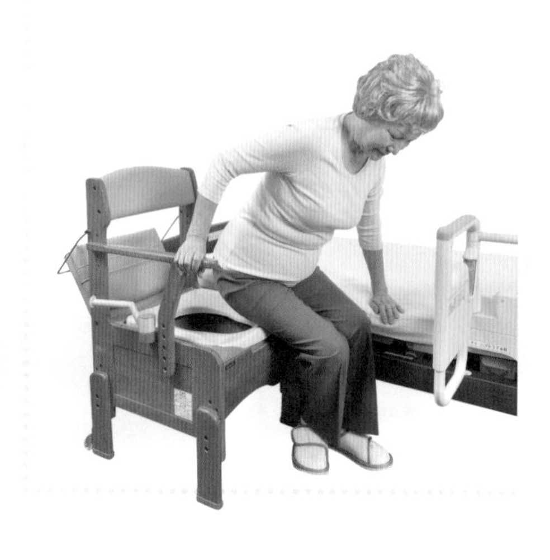

5 体勢を安定させる

ポータブルトイレにしっかり移乗し、体を安定させます。

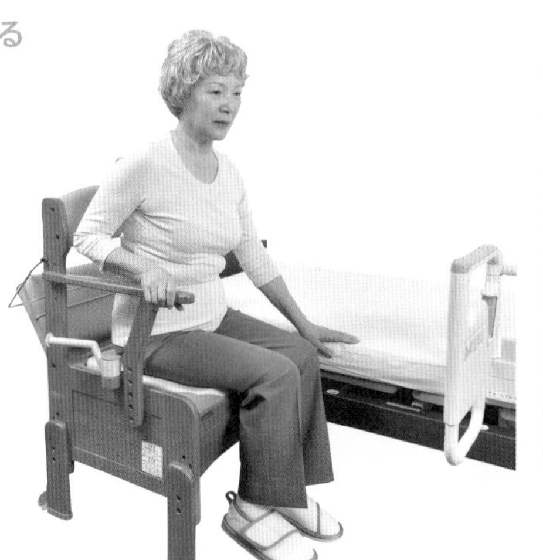

Point

- ベッドの高さを調節しポータブルトイレと同じ高さにする。
- ポータブルトイレはベッドと平行に、被介助者が移乗しやすい位置に置く。ポータブルトイレのベッド側のひじかけは下げて（はずして）おく。

6 おしりを上げる

ベッドについていた手を介助バーに移し、前傾姿勢になって立ち上がります。立ち上がりが難しいようならおしりを少し持ち上げるだけでも大丈夫です。

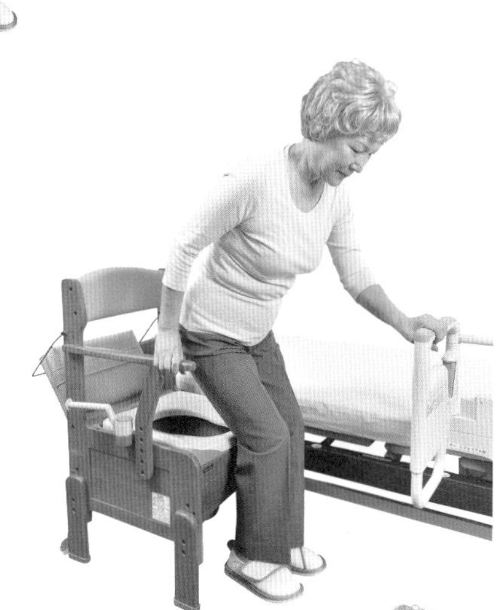

7 ズボンなどを下ろす

介助バーで体を支えながら、もう一方の手でズボンなどを下ろします。

8 用を足す

再びポータブルトイレへ座り、用を足します。用がすんだら逆の手順でベッドに戻ります。

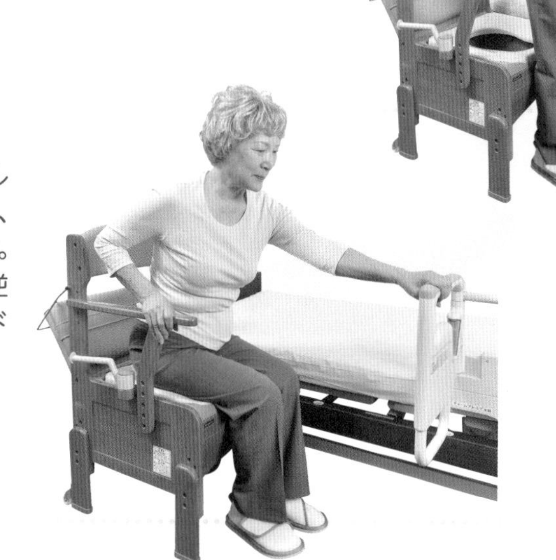

介助小 3 介助でポータブルトイレへ移乗する
介助バーを使って

立ち上がれない、または体幹を支える力が少し弱い人の場合は、一部介助でポータブルトイレへ移乗します。被介助者のプライバシーにも配慮しましょう。

1 声かけする
ポータブルトイレをベッドと平行に置き、被介助者にポータブルトイレへ移乗することを伝えます。被介助者に介助バーを持ってもらいます。

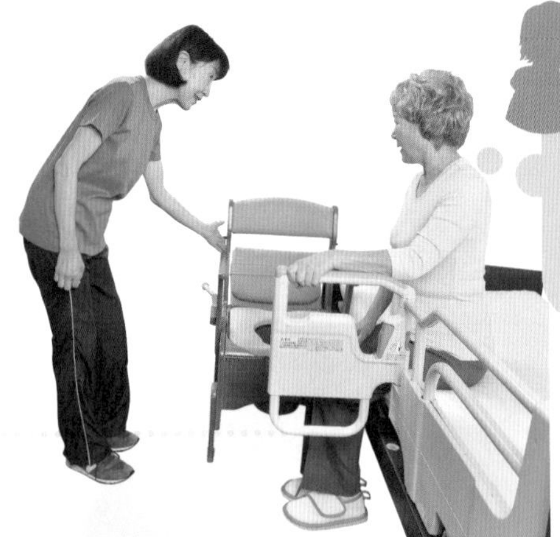

声かけのコツ

「トイレに行かれますか？」
「ポータブルトイレに移りましょうか？」
などと、これからの動作を伝えます。

2 脇の下に手を入れる
立ち上がりの準備姿勢を確認します。左手で被介助者のひじを支えて、被介助者の右腕を外へ開いておいて、右手を被介助者の脇にあてます。「介助バーを使って脇支えの介助で立ち上がる」（p.88）参照。

CloseUp

脇の下に手をあてます。

3 立ち上がる
立ち上がってもらいます。

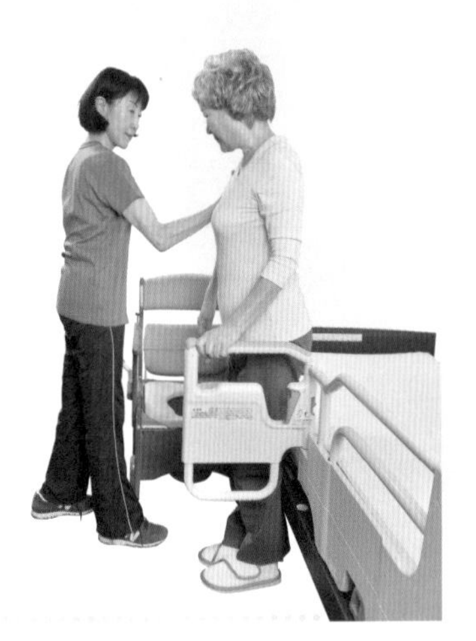

4 方向転換する
被介助者は介助バーをつかんだまま、介助者は脇を支えたまま、左右に体重移動をしながら足を動かし方向転換します。ベッドから車イスへの移乗／脇支え」（p.138）参照。

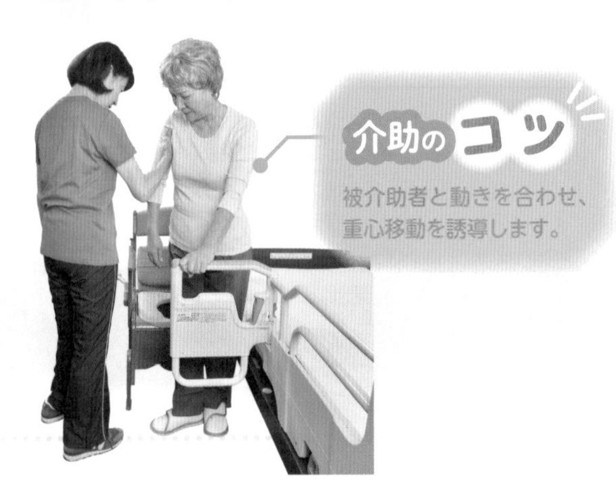

介助のコツ
被介助者と動きを合わせ、重心移動を誘導します。

5 ズボンなどを下ろす

ポータブルトイレのほうへおしりが向いたら、介助者は被介助者のズボンなどを下ろします。

声かけのコツ

「ズボンと下着を下ろしますね」などと、行うことを伝えます。

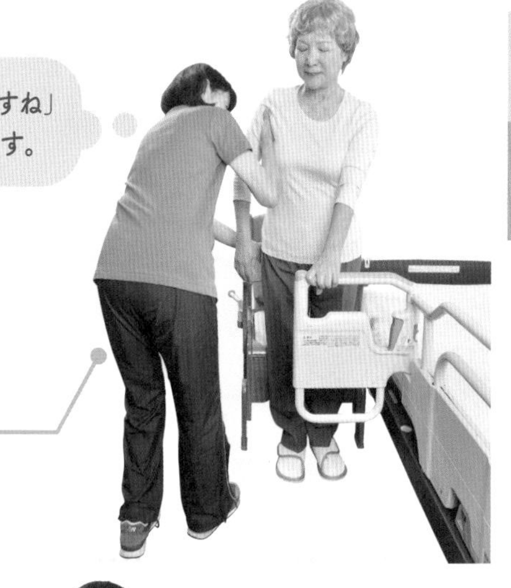

介助のコツ

被介助者が不安定な場合、一度ポータブルトイレに座ってから再度立ち上がってもらい、下着を下ろすことも可能です。

6 ポータブルトイレへ座ってもらう

被介助者は介助バーを、介助者は脇を支えたまま、ポータブルトイレへ座ってもらいます。

介助のコツ

被介助者のバランスが悪い場合や、勢いよく座ってしまう場合は、あいているほうの手で被介助者の腰などを支えて座らせます。

7 手を離す

ポータブルトイレへ安定して座れたら、手を離します。

Point

- 被介助者に健側の手は介助バーをつかんでもらい、介助者は患側を支え続ける。
- 重心移動を繰り返しながらポータブルトイレの前まで誘導する。
- 排泄の見守りはプライバシーにも配慮する。

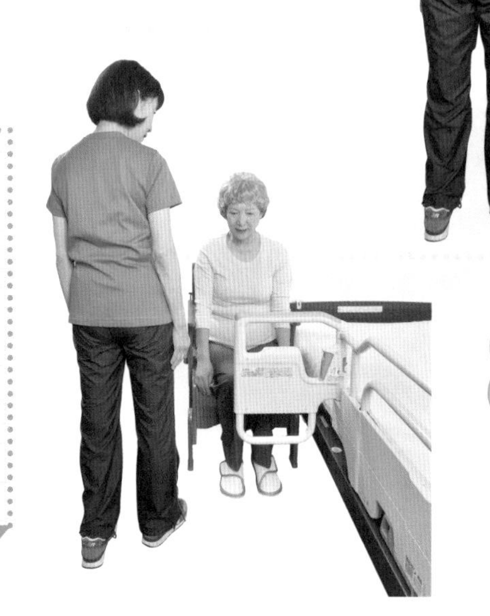

8 用を足す

用を足してもらいます。用がすんだら逆の手順でベッドに戻ります。

自立 4 自力で車いすから便座へ移乗する

手すりなどにつかまって立ち上がることができる環境が整っていれば、便座への移乗は可能です。

右片マヒ等、左の機能のほうがいい場合

※左片マヒの場合は左右を逆にして行う

1 車いすを便器と直角につける

車いすを便器と直角になる位置に移動させます。
トイレの広さや被介助者の機能に合わせ、車いすの角度を調整します。

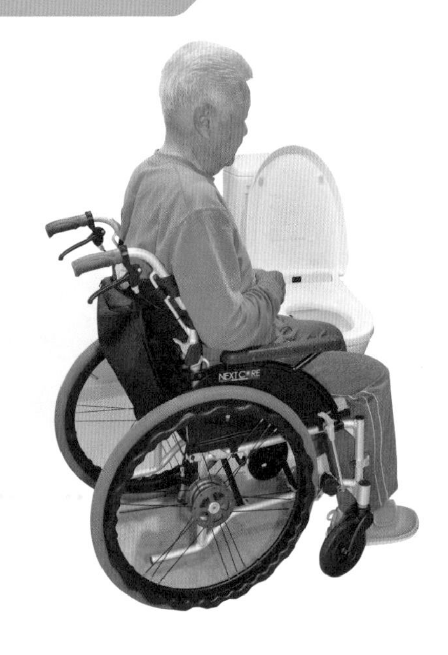

Point

- 車いすが入れる広さがあるか、車いすを便器に直角につけることができるか、手すりの位置などを確認する。
- 手すりの位置や方向が問題なければ、片マヒの人も便座への移乗が可能。

2 手すりを持つ

立ち上がりの準備の姿勢になり、手すりを持ちます。

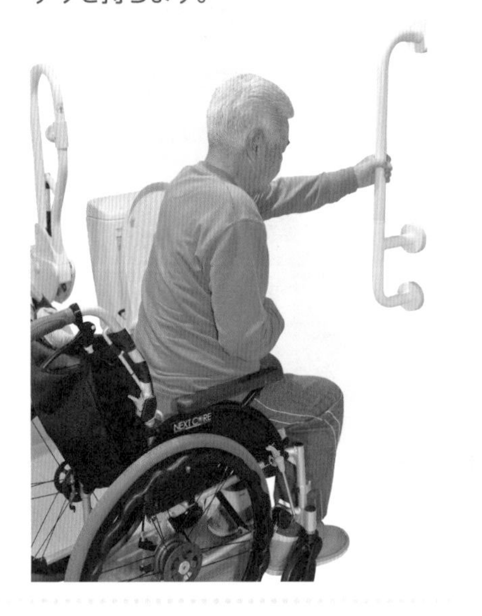

3 立ち上がる

手すりを支えにして、前傾姿勢から立ち上がります。

4 方向転換をする

手すりをつかんだまま、便器におしりを向けるように方向転換していきます。

5 ズボンなどを下ろす

立つ姿勢が安定したら、手すりから手を離し、ズボンなどを下ろします。

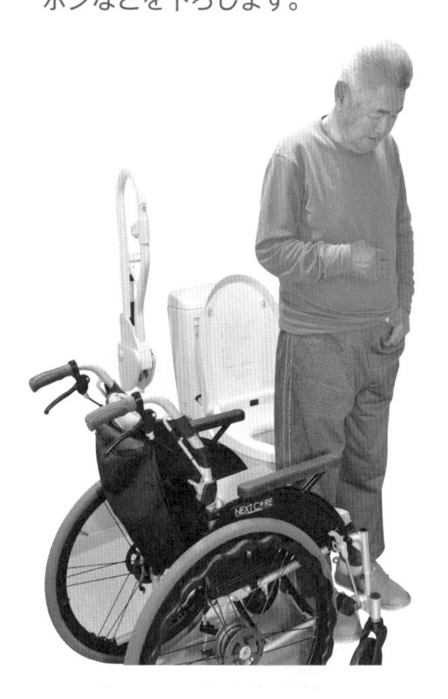

6 便器に座る

健側で手すりを再びつかみ、前傾姿勢から便器に座ります。

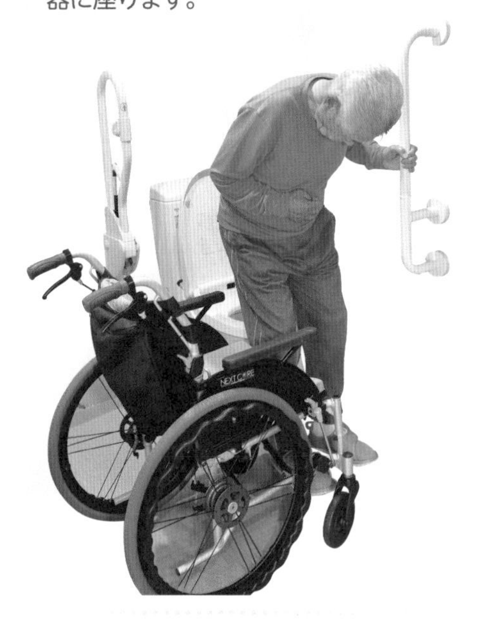

7 用を足す

用を足します。用がすんだら逆の手順で車いすに戻ります。

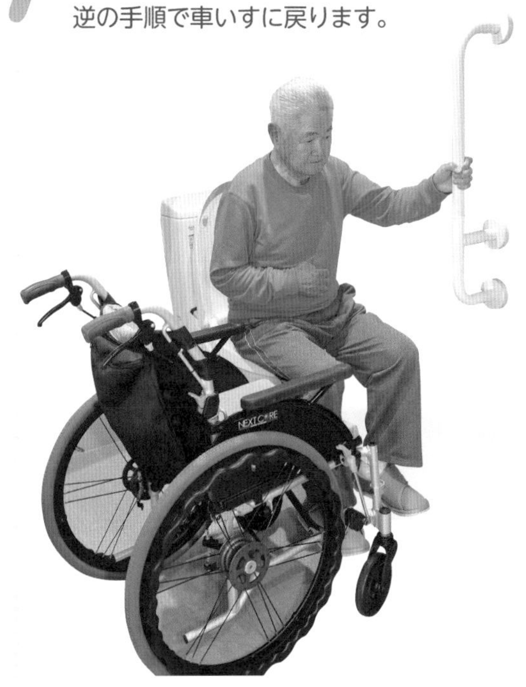

介助小 5 介助で車いすから便座へ移乗する

ひとりで立ち上がることができない、体幹が弱く上体が安定していない人も、
一部介助をすることで、車いすから便座に移乗することができます。

1 車いすを便器と直角につける

車いすを便器と直角になる位置に移動させ、被介助者は立ち上がりの準備の姿勢（p.75）になり、手すりをつかみます。
トイレの広さや被介助者の機能に合わせ、車いすの角度を調整します。

声かけのコツ

「便器へ移乗しましょう」
「手すりをつかんでいただけますか？」
などと、動きを伝えます。

2 立ち上がりを誘導する

前傾姿勢になっている被介助者のズボンのベルト布部分を支え、立ち上がりを誘導します。

3 おしりの向きを変える

介助者は被介助者を支えながら誘導して、被介助者におしりを便器のほうへまわしてもらいます。

介助のコツ

被介助者が自分でおしりを動かせるようなら、動かしてもらいます。

4 ズボンなどを下ろす

右手で被介助者の脇を支え、左手でズボンなどを下ろします。

声かけのコツ

「ズボンと下着を下ろしますね」などと、これからの動きを伝えます。

介助のコツ

被介助者が不安定な場合、一度ポータブルトイレに座ってから再度立ち上がってもらい、下着を下ろすことも可能です。

5 便座へ座ってもらう

便座へ座ってもらいます。

介助のコツ

被介助者の体制が不安定な場合、介助者は被介助者の脇と腰の両方を支えて座らせます。

6 用を足してもらう

用を足してもらいます。用がすんだら逆の手順で車いすに戻ります。

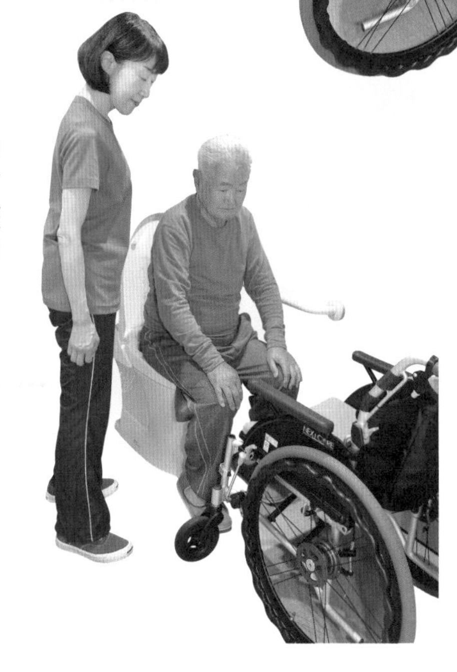

Point

- 便座に座った後、安定するまでは支え続ける。
- 排泄の見守りは、プライバシーにも配慮する。

6 介助で車いすから便座へ移乗する
体幹を支えて

体幹が弱かったり、立つ力がなかったりする場合でも、車いすに乗ることができれば、自力での排泄が可能です。体幹を支えて便座へ移乗する方法を紹介します。

1 声かけをする

車いすを便器に平行に近い角度に移動し、被介助者に便器へ移ることを伝えます。トイレの広さや被介助者の機能に合わせ、車いすの角度を調整します。

声かけのコツ

「便器へ移りますね」「浅く座り直しましょう」などと、これからの動きを伝えます。

2 立ち上がりの準備の姿勢になってもらう

ひざや足、首の後ろを支え体重移動をしながら浅く座り直してもらいます。足が引けてることを確認します。

介助のコツ

「一部介助で浅く腰かける」（p.79）を参考に、立ち上がりの準備として浅く座り直してもらいます。

3 首に手をまわしてもらう

被介助者のひざに両ひざをあて、被介助者の手を介助者の首にまわしてもらいます。介助者は被介助者の脇の下から手を通し、背中に両手をまわします。手を回せないときの方法は、「被介助者が手を上げられない場合」（p.96、97）を参照してください。

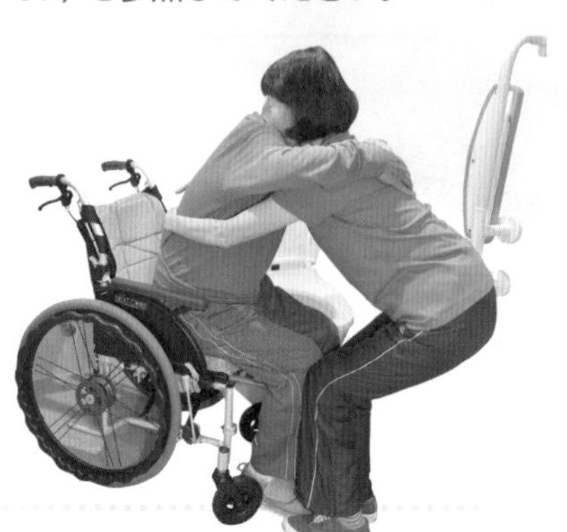

4 立ち上がってもらう

「体幹を支えていすから立ち上がる」（p.92、93）参照。

5 一緒に方向転換する

お互いに手をまわしたまま、左右に体重移動をしながら足を動かし方向転換します（p.140参照）。

介助のコツ

被介助者と動きを合わせ、重心移動を誘導します（p.128）。

6 便座に座ってもらう

おしりが便座のほうに向いたら、ひざを支えにしながら便器に座ってもらいます。「いすに座る介助/体幹を支えて」（p.94）も参照してください。

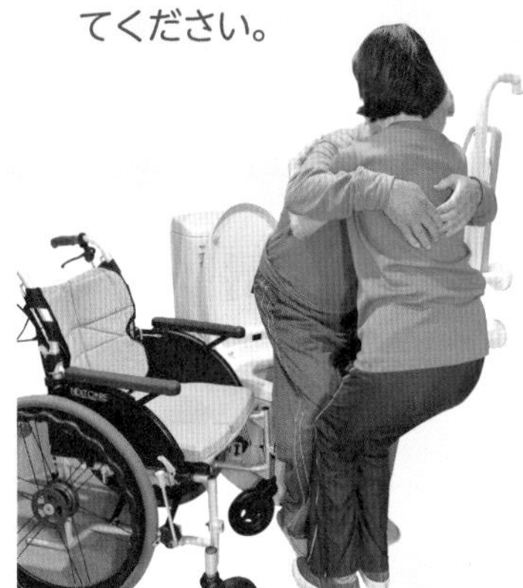

はなまるサポート トイレにバーがない場合は

車いすを前に置き、座面に手をついて前傾姿勢からおしりを上げてもらいます。

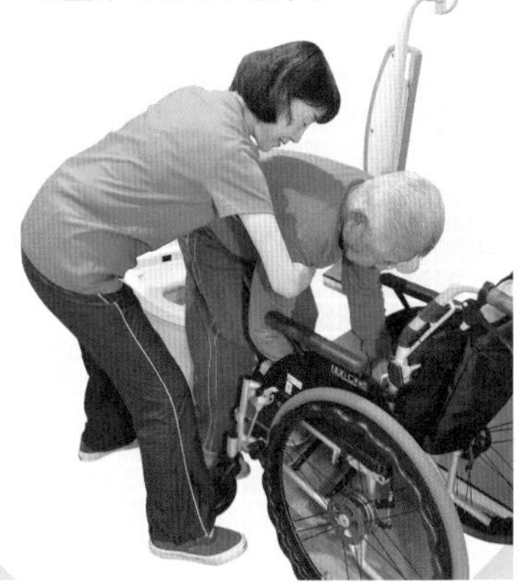

7 支えとなるバーを出す

便座に座り安定したら手を離し、あれば、バーを前に出します。

8 ズボンなどを下ろす

被介助者は手をバーに置き、それを支えに前傾姿勢からおしりを上げてもらいます。介助者はズボンなどを下ろします。

9 用を足してもらう

再び便座に座り、用を足してもらいます。用がすんだら逆の手順で車いすに戻ります。

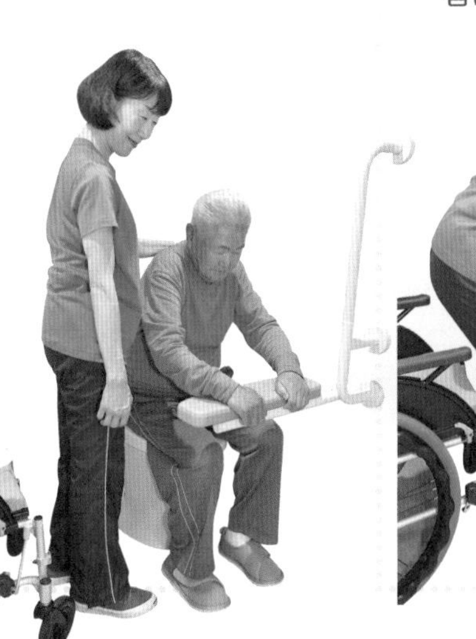

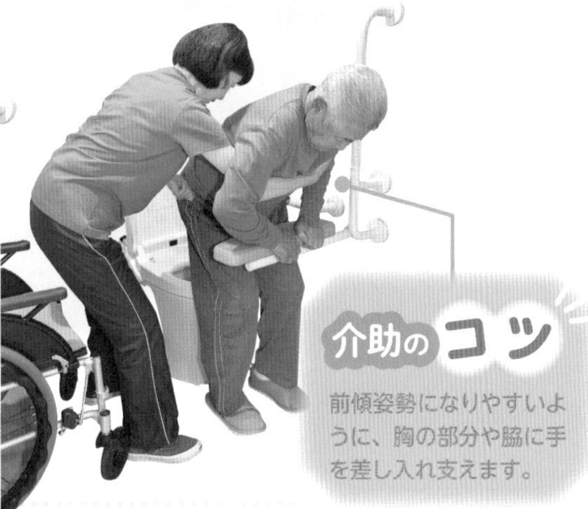

介助のコツ

前傾姿勢になりやすいように、胸の部分や脇に手を差し入れ支えます。

要介護4 寝たきりになった93歳の父が自分で風呂に入れるようになるまで②

福辺式介助術の実践例　富田さんのケース

車いすに移るようになってからは、食卓でも食事を取れるように。

父がデイサービスに行っている間に、ベッドを交換してもらいました。100センチ幅のベッドに寝てみましたが、わずか9センチの違いとは思えないぐらいの開放感がありました。

父が帰ってきてから、今度は立ち上がりをやってみました。ベッドの端に座った父が、私の体を支えにして、昨日まで寝たきりで、すっかり筋肉の衰えてしまった両足に渾身の力を込めて、鼻水やよだれを垂らしながら「ワーッ!」と声を上げて必死の形相でゆっくりゆっくりと立ち上がっていきました。

そしてすっかり立ち切ったとき、「立った、立った……」と声にならない声を発しながら顔をくちゃくちゃにして泣いていました。私も父と抱き合いながら泣いていました。

福辺さんの介助法のすごいところは、介助される側が自分の力でできたということを実感することだと思います。

そして、介助する側にとっては支えている手や体を通して、相手のありったけの頑張りを実感できることだと思います。この双方の実感が、相手に対する尊敬と感動を呼ぶのだと思います。実際このとき、私は介護には感動があると思いました。

この成功体験と幅100センチのベッドを機に、父のやる気は日々増していきました。そして、できることが日々更新されていきました。

福辺流介助術で初めてベッドの端に座ることができるようになってから20日後には、介助なしに車椅子に移乗できるようになり、さらにその20日後には完全におしめが取れてブリーフになり、ポータブルトイレで用を足すことができるようになりました。

杖を使用することで、歩行できる状態にまでなった。

本当に驚くべき回復の早さです。

その間に私が父にしたことは、父の様子を観察して、次の段階のことができそうだと判断したときに、父に「これをやってみないか」と話し、誘導していっただけです。大抵の場合、父の能力は私の予想を上回っていました。そしてそのたびに感動と尊敬を味わうことができました。

5章

入浴の介助

入浴は、体を清潔に保つだけでなく、リラックスして湯船につかることで、心身共にリフレッシュできますし、清拭では得られない満足感も与えてくれます。できるだけ被介助者が「ふつうの生活」を続けられるように、気持ちよく入浴ができる環境整備や介助をめざしましょう。

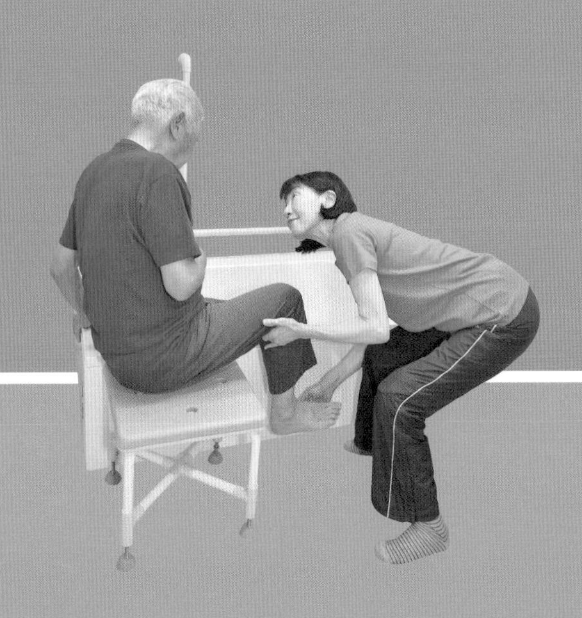

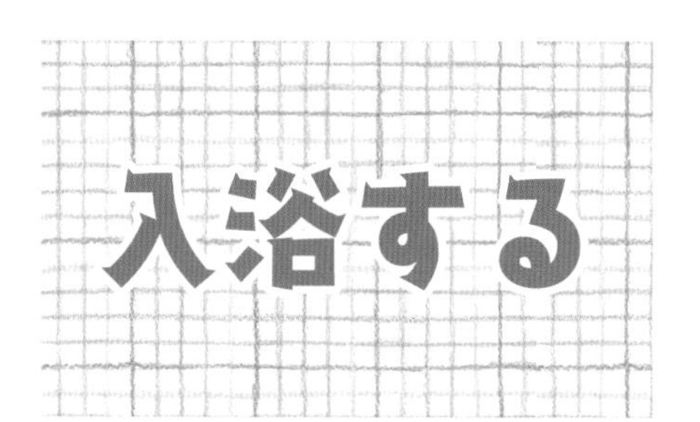

入浴する

自宅での入浴介助を行うときは、浴室や脱衣所の環境を整え、正しい介助を行うことがポイントです。環境を整えるコツを紹介します。

● 安全に入れる浴室づくり

自宅でゆっくりお風呂に入りたいと思っても、介助の手が必要な場合、やはり環境を整えてからのほうが安心で安全です。大がかりな改修をするのは難しくても、ちょっとした工夫で環境を整え、正しい介助を行うことができます。

●脱衣所をチェックする

脱衣所は入浴前後にゆっくりとくつろぐことができ、車いすでも入れる広さがあると理想的です。衣服の着脱や湯上りにひと休みするためにベンチなどの腰かけも必要です。ベンチの側には手すりも設置しましょう。洗面台などは、できれば車いすを下に入れることができると自分で顔を洗ったり、髪の毛を乾かしたりができます。滑りやすく、転びやすい場所なので、手すりや滑り止めなどを備えて安全面に配慮しましょう。

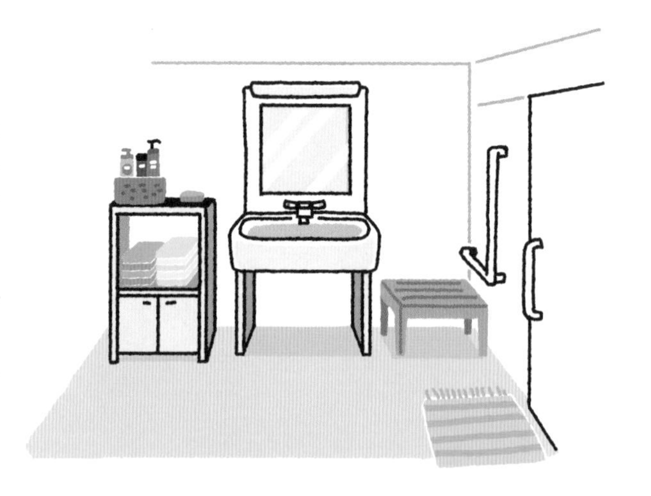

!

浴槽が高すぎて入りにくい

浴槽のふちをまたいで入るには高すぎる場合、床全体にすのこを敷くなどして、かさ上げをするといいでしょう。浴槽内にもいすやすのこを入れて高さを調整します。

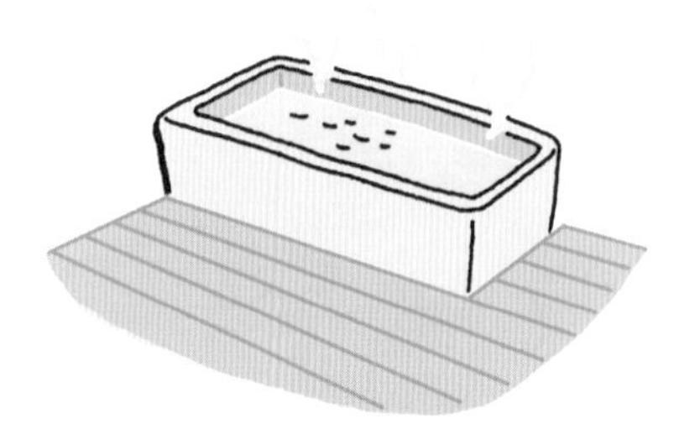

!

浴槽が洋式

洋式や和洋折衷式の浴槽は、浴槽の片面が斜めになっています。被介助者にとっては姿勢が安定しないので、斜めではないほうを背にして、足裏が安定するように浴槽内に台やすのこを置きます。

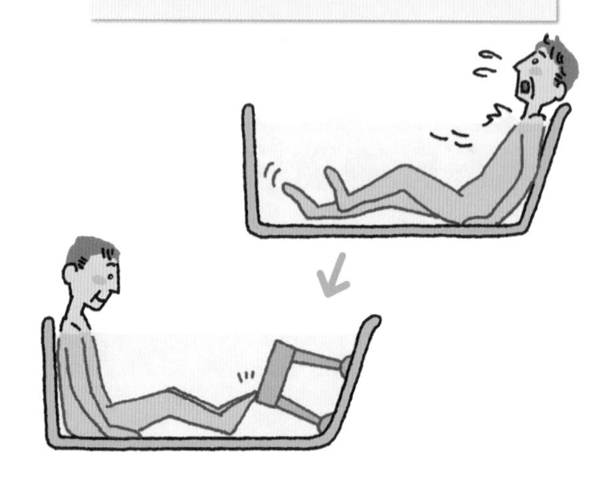

●理想の浴室とは？

理想は床は滑りにくい素材、壁には被介助者の体に合わせた手すりがあり、半埋め込み式の和式の浴槽が設置されている浴室です。
手すりや台の設置、滑り止めマットの購入など必要な環境整備を行いましょう。

浴槽の設置方法について

浴槽の設置方法には、四方があいているアイランド方式、三方があいている一方壁つけ、二方があいている二方壁つけなどがあります。介助が必要な場合はアイランド方式、一方壁つけが適しています。二方壁つけでも浴槽のふちを持てるようにすると出入りがしやすくなります。

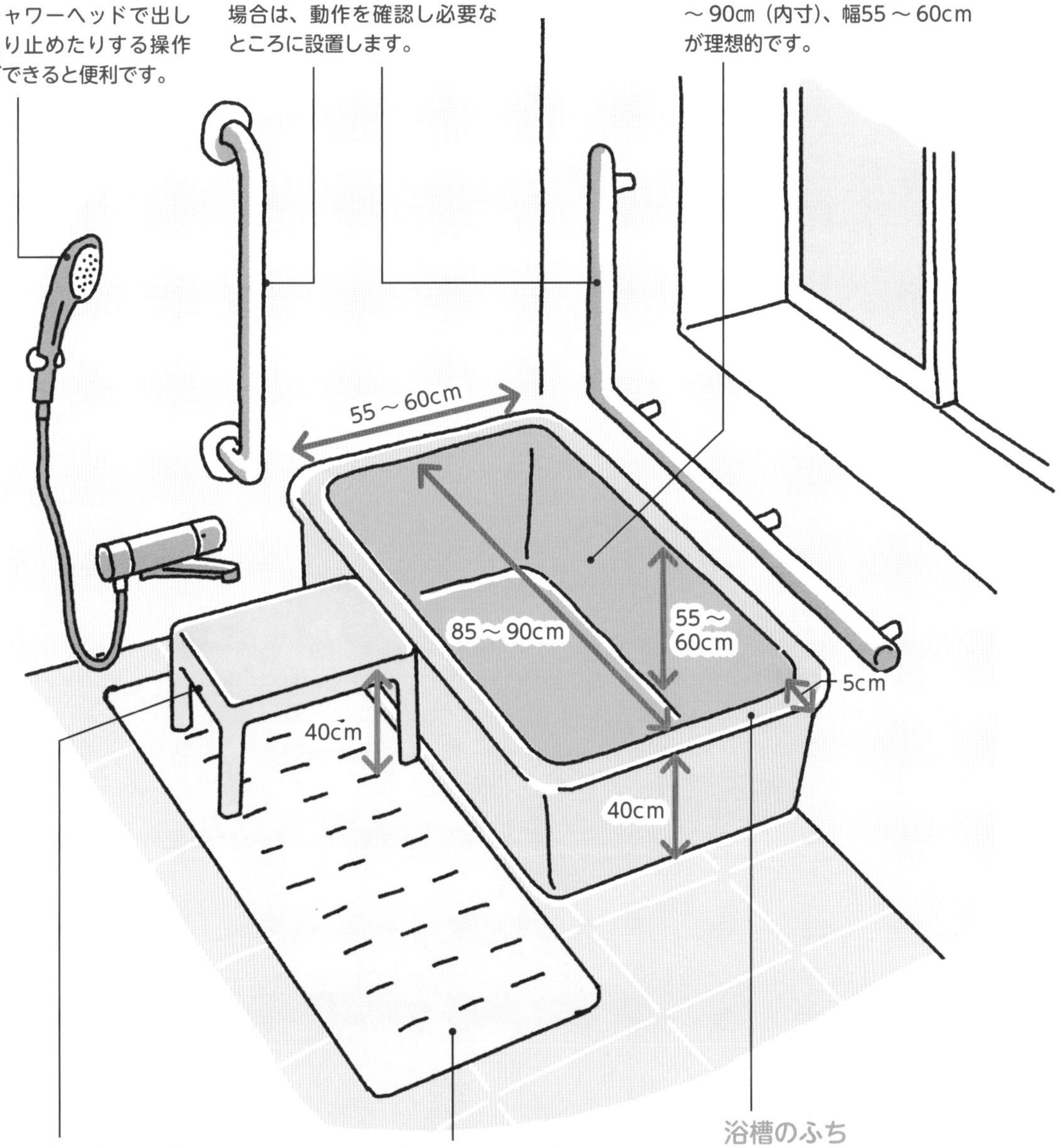

シャワーヘッド
シャワーヘッドで出したり止めたりする操作ができると便利です。
手すり
浴槽の出入りのときには手すりがあると安心です。浴槽のふちと手すりの両方をつかむ場合は、動作を確認し必要なところに設置します。
浴槽
半埋め込み式の和式の浴槽で、床上がひざ下と同じ40㎝、浴槽の深さは55 ～ 60㎝、長さは85 ～ 90㎝（内寸）、幅55 ～ 60cmが理想的です。
55～60cm
85～90cm
55～60cm
5cm
40cm
40cm
洗い台やいす
浴槽と同じ高さの洗い台やいすを置きましょう。
滑り止めマット
床が滑りやすいときは、滑り止めマットを敷きましょう。浴槽内に敷くこともあります。
浴槽のふち
5㎝程度の厚みなら持ちやすいので、手すりがわりにもなります。

1 浴室内で体を安定させる

湯の中では浮力があるため、体がきちんと支えきれていないと、体勢が不安定になって沈んでしまうこともあります。安定した姿勢で湯につかれるように工夫をしましょう。

● コーナーで両肩を支える

片マヒで体が傾いてしまったり、浴槽の幅が広く体が横に倒れてしまったりする場合には、浴槽の中で体を斜めにして、両肩を浴槽のコーナーにつけて体を支えるようにします。

● 足台に座る

肩までは浸かれませんが、浴槽が深い場合は、足台（浴槽台）に座るのもいいでしょう。姿勢が安定し浴槽から出るときの動作もラクになります。

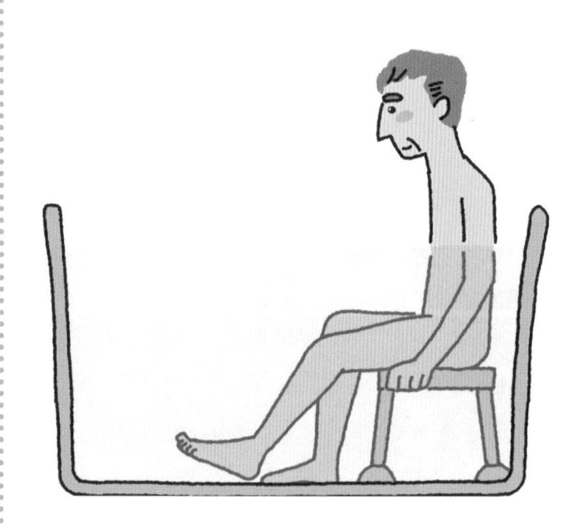

● 足台で足裏を支える

浴槽が大きくて足が浴槽の前方の壁につかないときは、足台（浴槽台）などを入れて足裏で支えられるように調整します。足台は高さが調節できて水中でも安定するような吸盤つきのものがいいでしょう。

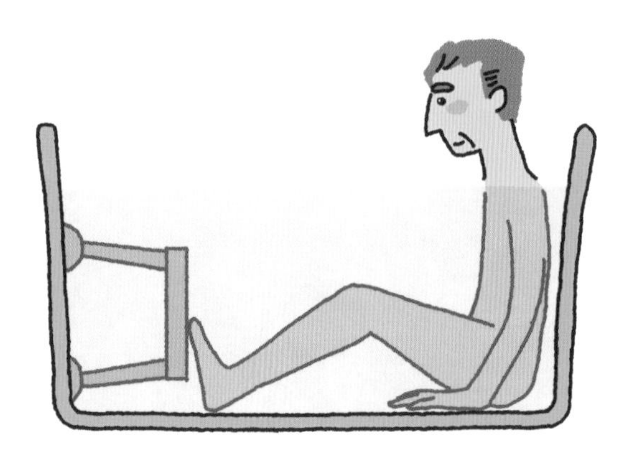

● 滑り止めマットを敷く

浴槽内で座っているときにおしりが前方にずれるのを防ぎ、足下も安定します。また、浴槽への出入りの際も足下が滑るのを防止します。吸盤式のものと自重で沈むタイプのものがあります。

2 体を洗う

自分でできることはできるだけ自分で行い、難しいところは被介助者にも
体を動かしてもらいながら介助します。

● 自力で背中を洗う

両端にループを縫いつけたループタオルを使うと自分で背中が洗えます｡片手が動きにくい場合は、腕にループを通して洗っても。市販のタオル2本をつないで輪にして肩からたすきがけすれば、片手で洗うこともできます。

● 自力でおしりを洗う

左右の体重移動でおしりを片方ずつ浮かせて洗います。体を支える力が弱くいすから滑り落ちるのが心配なときは､壁に寄りかかって腰を浮かせ、頭も壁につけて支えながら洗うといいでしょう。

● 介助でおしりを洗う パターン 1

健側の手で体の前のほうの浴槽のふちか手すりのつかみ、前かがみになって腰を浮かせます。介助者は被介助者の足下が滑らないように気をつけながらおしりを洗います。

● 介助でおしりを洗う パターン 2

少し低めの台を被介助者の前に置き、両手をついて前かがみになって腰を浮かせます。介助者は被介助者の足下が滑らないように気をつけながらおしりを洗います。介助者は被介助者が前かがみになれるように、片方の手で被介助者の体を支えます。

自立 3 自力で浴槽に入る

浴槽と同じ高さの台を使います。浴槽は滑りやすくバランスをくずしやすいので、介助者が常に見守っていることが大切です。

右片マヒ等、左の機能のほうがいい場合

※左片マヒの場合は、写真とは左右逆で行えるように洗い台の位置や座る向き、手すりの位置や方向などを調節する。

1 浴槽に近づく

健側（写真では左手）の手で、浴槽のふちか手すりをつかみ、浴槽のギリギリまで近づきます。

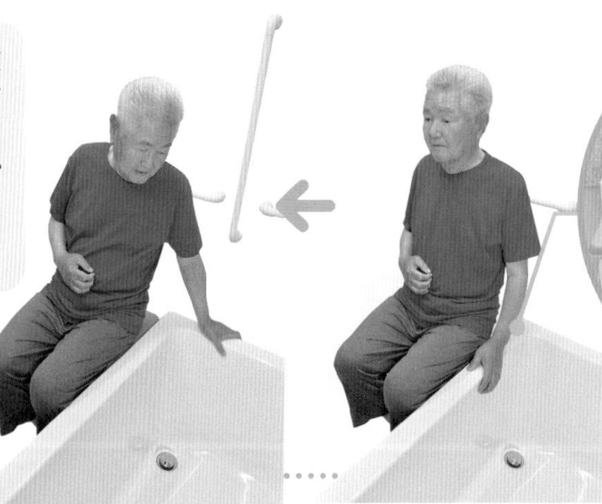

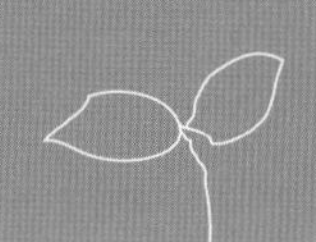

浴槽と同じ高さの洗い台を準備すると入浴がスムーズに。

2 健側の足を入れる

浴槽のふちをつかんだまま、健側の足を浴槽に入れます。

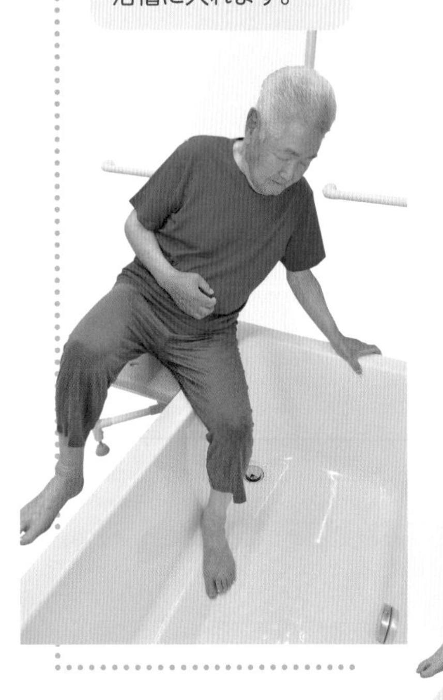

3 マヒ側の足を入れる

健側の足を浴槽の底につけ安定させ、健側の手でマヒ側の足を持ち上げて浴槽に入れます。

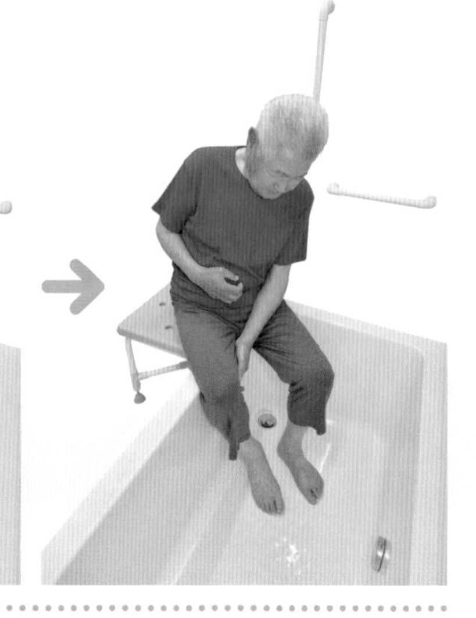

4 奥の手すりをつかむ

少し前かがみになって、浴槽の奥の手すりを健側の手でつかみます。

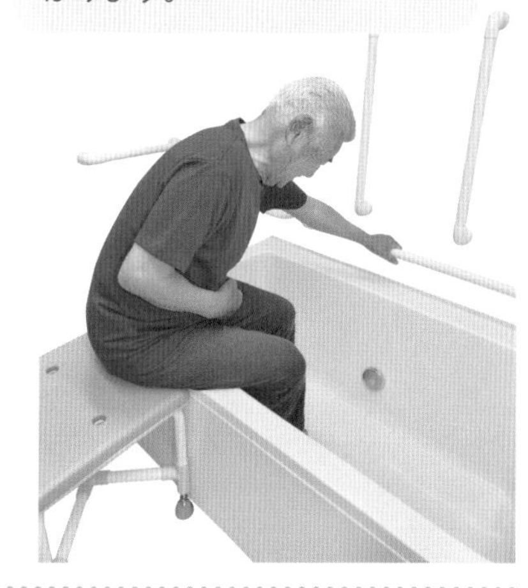

5 浴槽のふちに座る

浴槽のふちにおしりをずらし座ります。

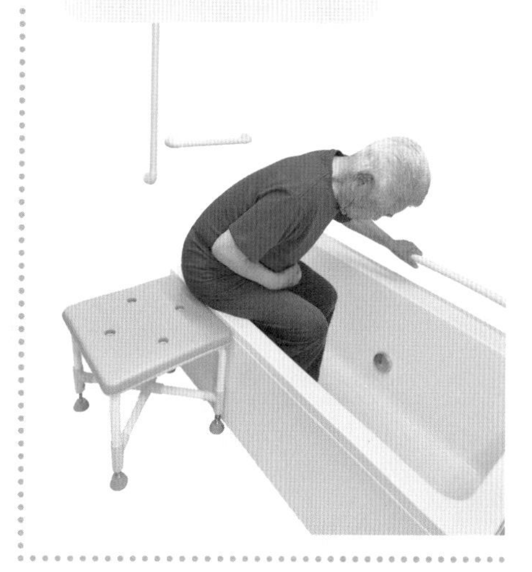

6 マヒ側の足を伸ばす

可能ならば、腰を下ろしやすいように、マヒ側の下肢を伸ばしておきます。

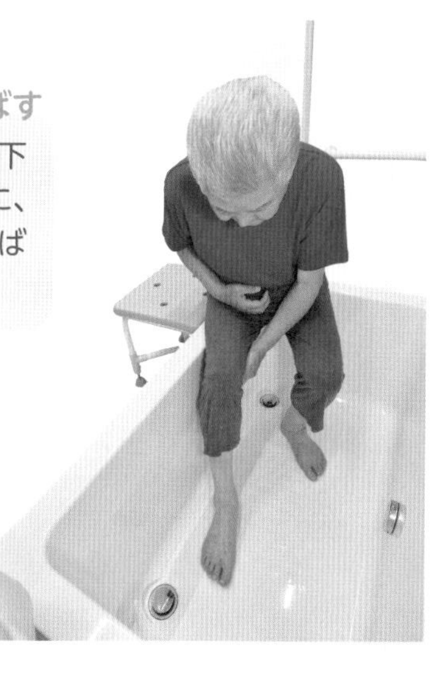

7 浴槽に座っていく

健側の手で手すりをつかみ、健側のひざを曲げながら浴槽に座っていきます。

8 足を伸ばす

おしりが浴槽の底についたら健側の足を伸ばし、しっかり座ります。

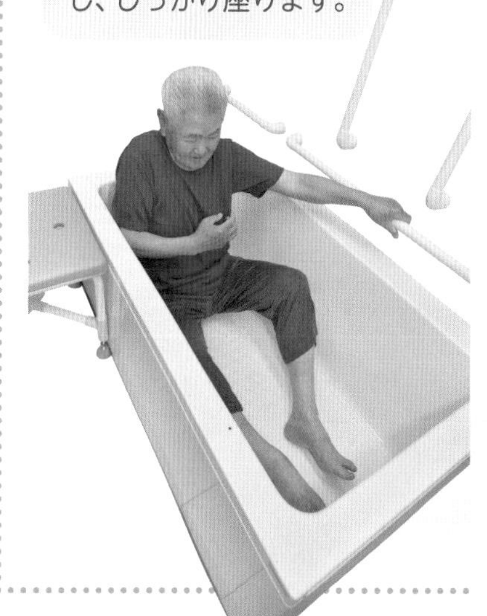

自立 4 自力で浴槽から出る

健側の手で手すりや浴槽のふちをしっかりつかみ、ゆっくり動きましょう。
介助者は、いざというときに支えられるように見守ります。

右片マヒ等、左の機能のほうがいい場合

※左片マヒの場合は、写真とは左右逆で行えるように洗い台の位置や座る向き、手すりの位置や方向などを調節する。

1 健側の足のひざを曲げる

健側の足を体に引き寄せるようにして、ひざを曲げます。

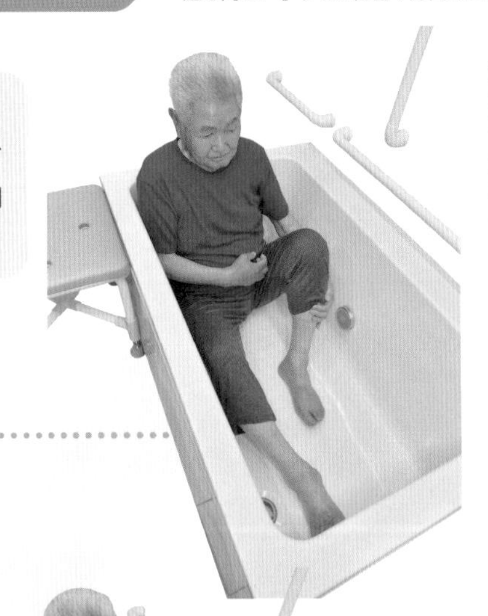

Point

- 足を持ち上げて浴槽から出るときなどは、バランスをくずしやすいので注意する。

2 マヒ側の足を引き寄せる

マヒ側の足を、健側の手を使いながら、ひざを曲げて引き寄せます。曲がらなければそのままでも。

3 手すりをつかむ

健側の手で手すりをつかみます。

4 浴槽のふちに座る

手すりをつかんでいる手を支えに、前傾姿勢をとって浮力を利用しながら、健側の足を伸ばして立ち上がり、浴槽のふちに座ります。

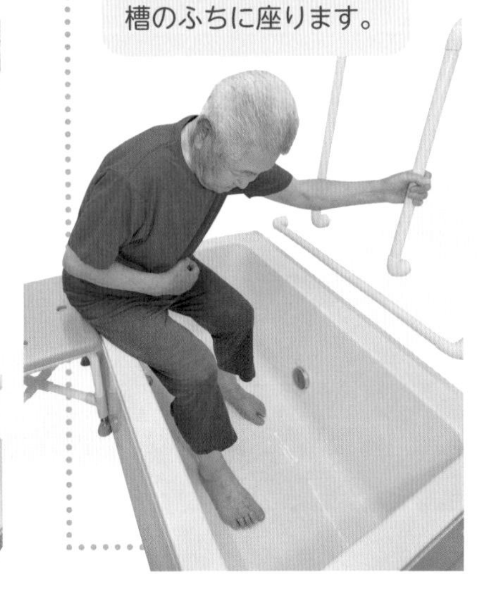

5 おしりを台へずらす

前傾姿勢になって、おしりを後ろの台のほうへずらしていきます。

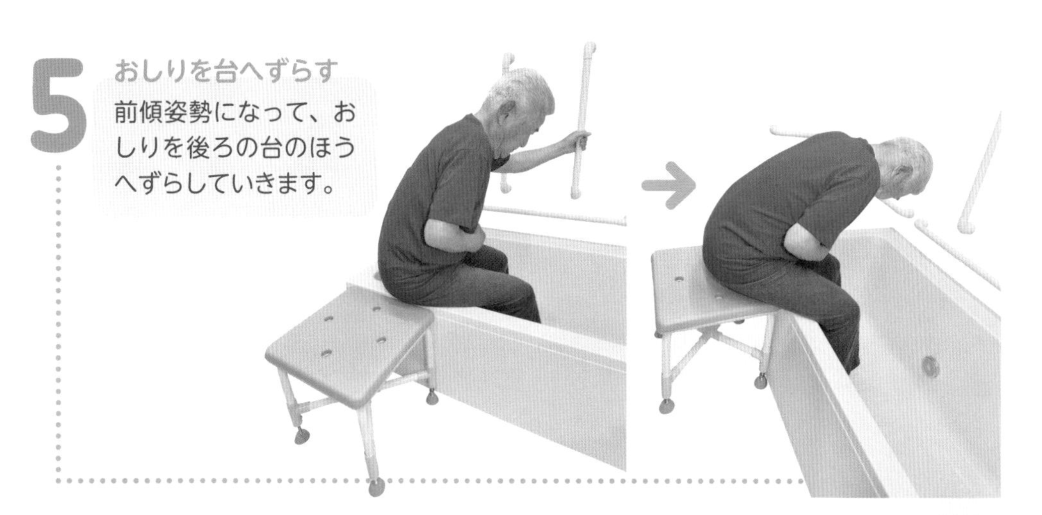

6 マヒ側の足を出す

台のほうへ座るのが安定したら、マヒ側の足を健側の手で持ち上げ浴槽から出します。

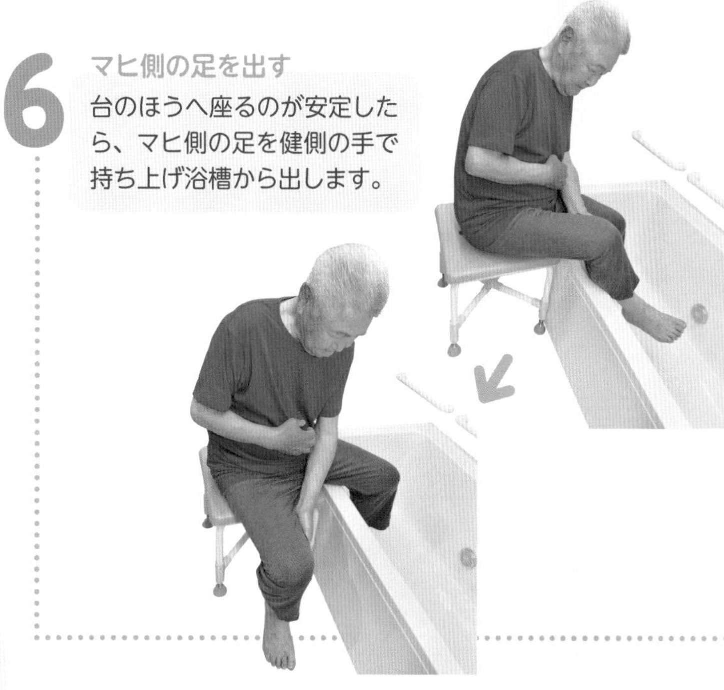

8 台に座る

両足を揃えて、台にしっかり座ります。

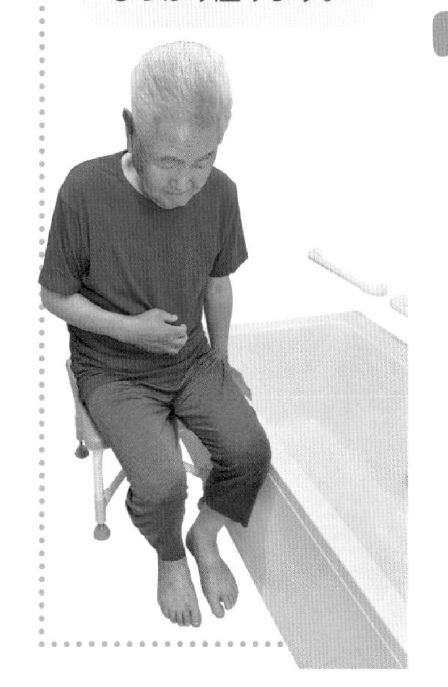

7 健側の足を出す

健側の手で浴槽のふちをつかみ、健側の足を浴槽から出します。

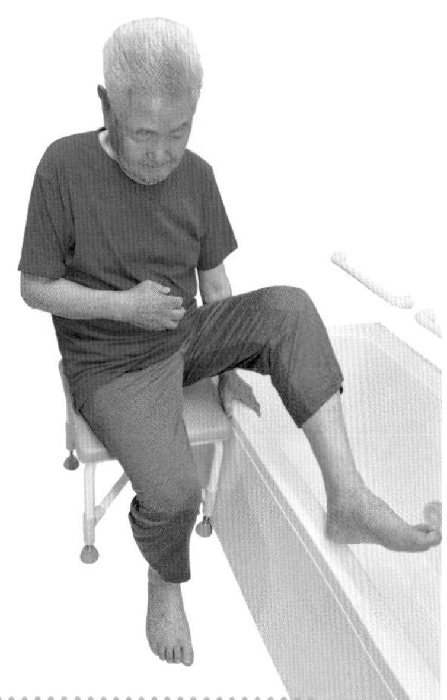

5 介助で浴槽に入る
脇支えの介助

被介助者の力が弱くひとりで入るのが難しい場合、一部介助を入れます。裸の肌を、強く握ったりつかんだりしないように気をつけましょう。

右片マヒ等、左の機能のほうがいい場合

※左片マヒの場合は、写真とは左右逆で行えるように洗い台の位置や座る向き、手すりの位置や方向などを調節する。

1 台に座ってもらう

健側が浴槽側になるように、浴槽と同じ高さの台に座ってもらいます。

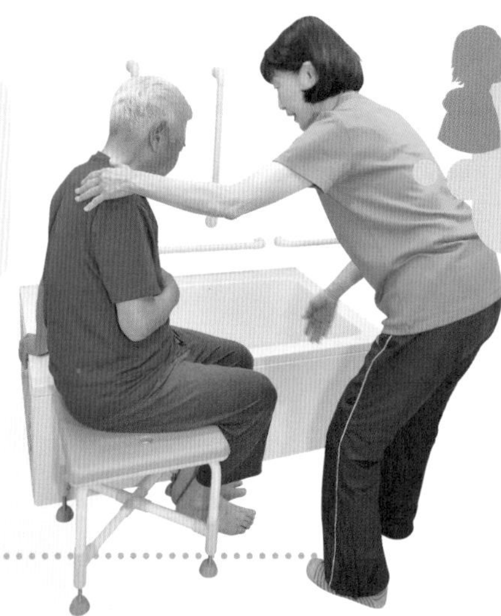

声かけのコツ

「お風呂に入りましょう」
「浴槽に入りますね」
などと、これからの動作を伝えます。

Point

- 浴槽に入るときに後ろに倒れそうになることもあるので、その場合は背中を支える。
- 足を上げたり、前傾姿勢なったりしたときにバランスをくずしやすいので、注意を払いながら行う。

2 健側の足を入れる

被介助者の肩を支えながら、健側の足を浴槽に入れてもらいます。

声かけのコツ

「足を浴槽に入れますよ」
などと、これからの動きを伝えます。

3 マヒ側の足を入れる

健側の手を浴槽のふちについてもらい、被介助者のマヒ側のひざ裏と足裏に手を添えて浴槽へ誘導します。

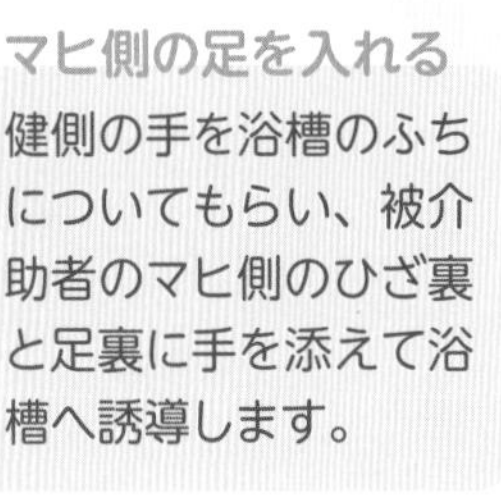

4 おしりをずらす

両足が浴槽に入ったら、被介助者の脇と骨盤を支え、おしりを浴槽のふちまでずらします。

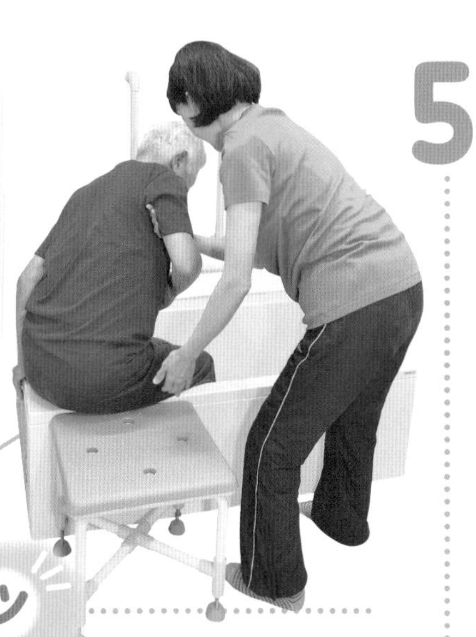

介助のコツ

被介助者がバランスをくずさないように、前から脇を後ろから骨盤を支えます。

5 脇支えで浴槽に入る

被介助者に奥の手すりをつかんでもらいます。介助者は右手で被介助者の右脇を支え、前方に介助をして被介助者の前傾を引き出します。p.201の「8 骨盤を支える」のように、後ろから骨盤を支える介助でも可能です。

湯の中は滑りやすいので、座り終わるまでしっかり支え続けます。

6 浴槽に座る

腕を支え続けながら、被介助者に健側のひざを曲げて座ってもらいます。

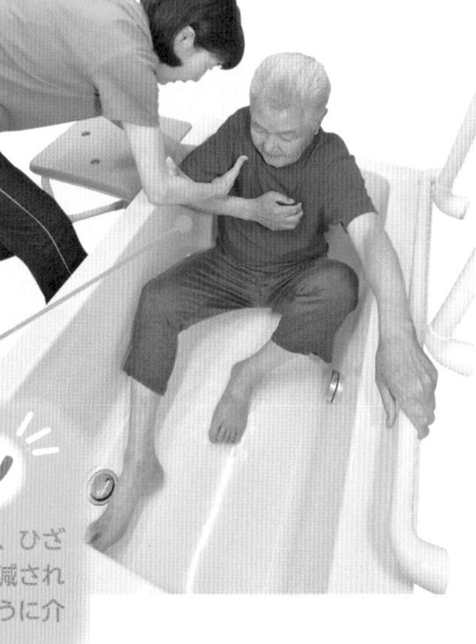

介助のコツ

湯の中は浮力があるので、ひざを曲げるときの負担も軽減されます。ゆっくり座れるように介助者は支え続けましょう。

7 足を伸ばしてもらう

完全に湯船に座り、健側の足を伸ばしたら完了です。介助者は体が安定したら手を離しましょう。

介助 小 6 介助で浴槽から出る

脇支えの介助

浮力を利用するので、介助者や被介助者の負担が減ります。

右片マヒ等、左の機能のほうがいい場合

※左片マヒの場合は、写真とは左右逆で行えるように洗い台の位置や座る向き、手すりの位置や方向などを調節する。

1 準備をする

被介助者は健側の手で手すりをつかみ、介助者は前から手を脇に差し入れ、脇を支えます。

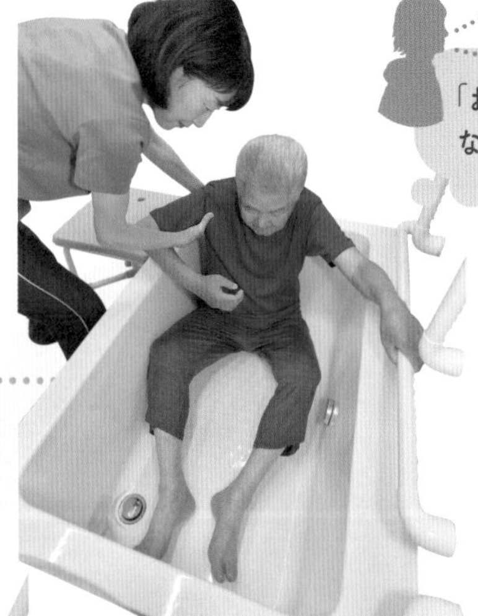

声かけのコツ

「お風呂から上がりましょう」などと、これからの動きを伝えます。

Point

- 湯の中で前傾姿勢になってもらうと自然におしりが浮いてくる。
- マヒ側の腕は両手でしっかり支え続ける。

2 ひざを曲げてもらう

被介助者の健側のひざを曲げてもらいます。

4 台に座ってもらう

脇を支え続け、前傾姿勢のまま、台におしりを誘導し座ってもらいます。

3 前方に介助する

脇を支えて前方に介助し、被介助者に前傾姿勢をとってもらいます。p.201のように、後ろから骨盤を支える介助でも可能です。

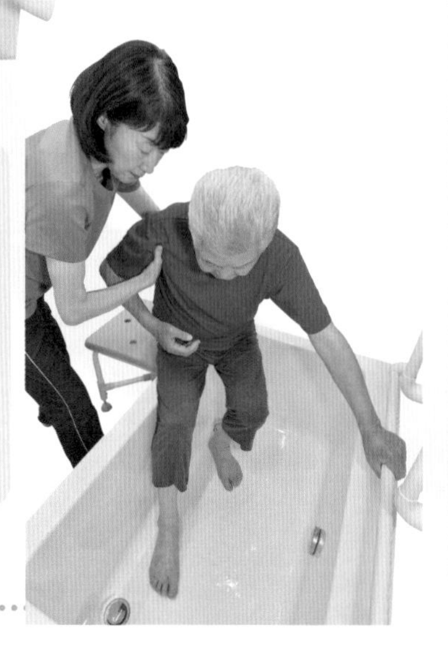

5 体を安定させる

台の上にしっかり座り、安定したのを確認します。

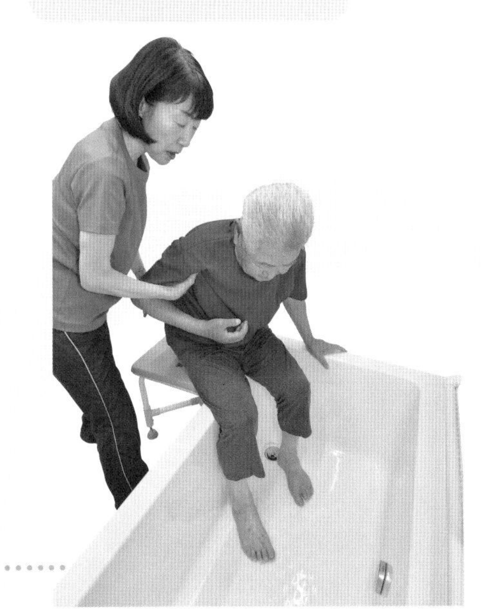

6 マヒ側の足を出す

被介助者には浴槽のふちをつかんで体を支えてもらい、肩とマヒ側のひざ裏に手を添えて足を浴槽から出します。

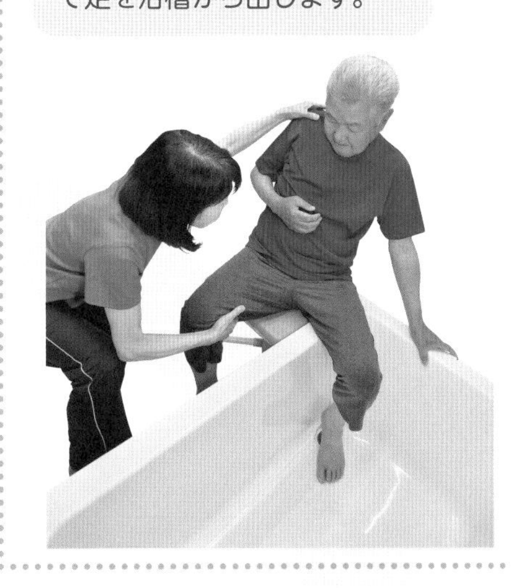

7 健側の足を出す

介助者は上半身を支え続け、被介助者に健側の足を出してもらいます。

声かけのコツ

「足を出していただけますか?」などと、行ってもらう動作を伝えます。

介助のコツ

被介助者の上半身が不安定になることもあるので、片手を被介助者の上半身に添えておきます。

8 台に座る

台にしっかり座ってもらいます。

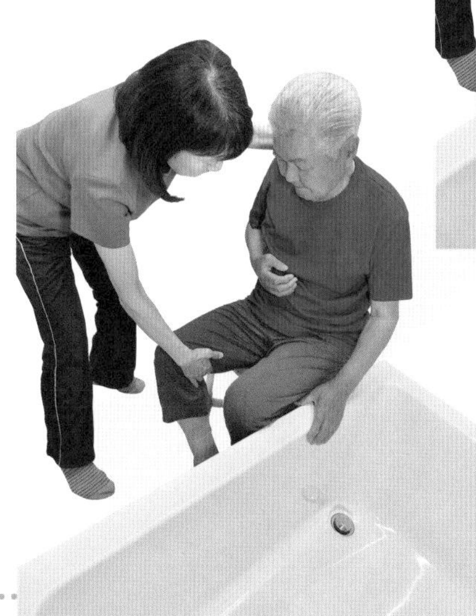

介助 小

7 浴槽への出入り 骨盤を支えて

座ったままお風呂場に行けて、浴槽と同じ高さのフラットな台になる車いすがあります。移動と入浴がラクになるアイテムです。

右片マヒ等、左の機能のほうがいい場合

※左片マヒの場合は、写真とは左右逆で行えるように洗い台の位置や座る向き、手すりの位置や方向などを調節する。

Point

- お風呂場はすべりやすい環境なので、足腰が弱い人におすすめ。

● 入る

1 車いすを浴槽の横につける

被介助者をのせて浴槽の横につけます。

声かけのコツ

「お風呂に入りましょう」「これから浴槽へ入ります」などと、動作を伝えます。

特徴

前後左右どちらにも移動できます。

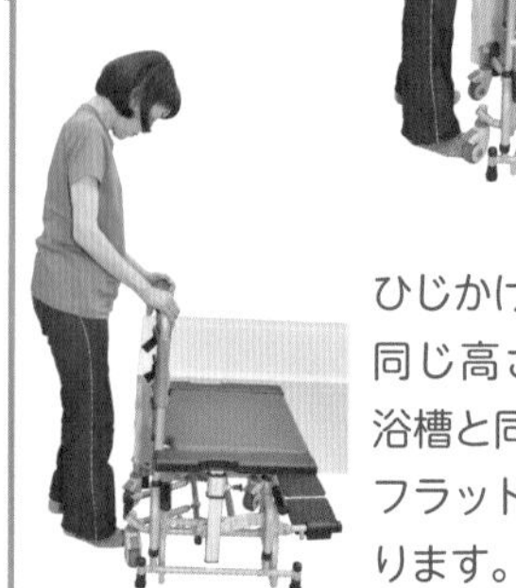

ひじかけが座面と同じ高さになり、浴槽と同じ高さのフラットな台になります。

2 ひじかけを下げる

ひじかけを座面とフラットになるように下げます。

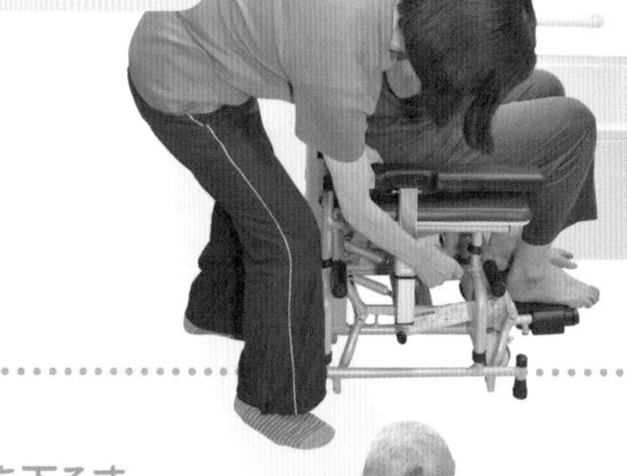

3 足を下ろす

被介助者のひざ裏と足裏に手を添えながら、フットレストから足を下ろします。

4 おしりをずらす

被介助者は少し前傾姿勢になり、体重移動しながら浴槽のほうへおしりをずらします。介助者は骨盤に手をあて動きを誘導します。

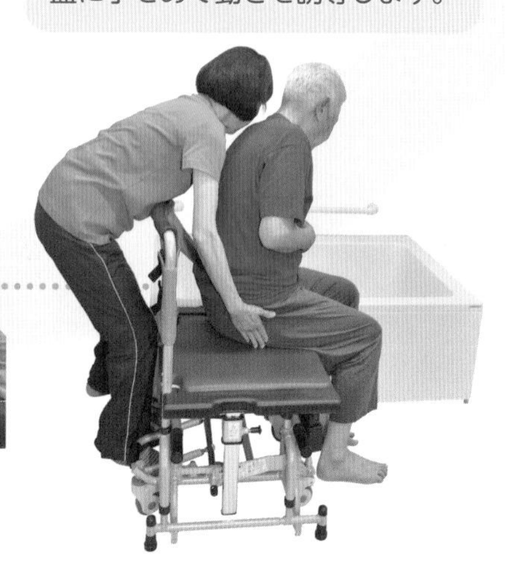

5 さらにおしりをずらす

被介助者に浴槽のふちをつかんでもらい、被介助者の骨盤に手を添えて浴槽へおしりをずらします。

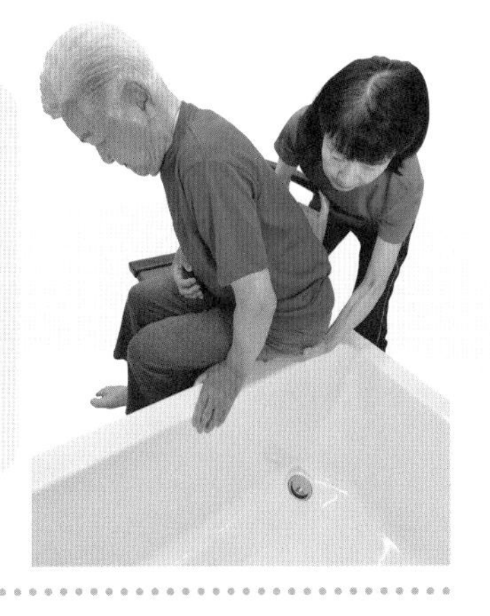

6 健側の足を入れる

健側の足を浴槽へ入れてもらいます。被介助者のバランスをくずさないよう、肩とマヒ側の足を支えます。

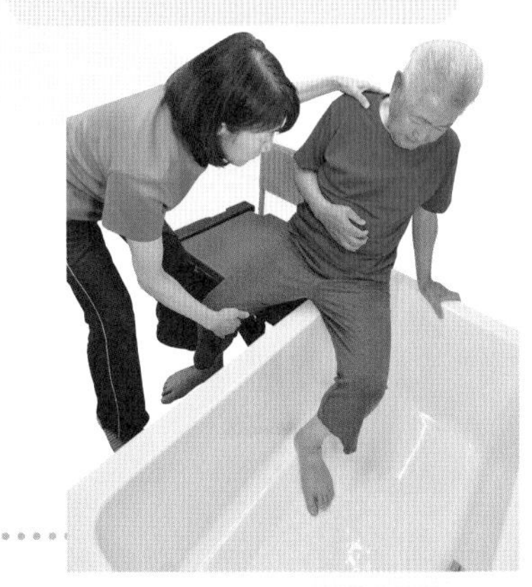

7 患側の足を入れる

片手で被介助者の背中を支え、マヒ側のひざ裏に手を添えて浴槽へ誘導します。

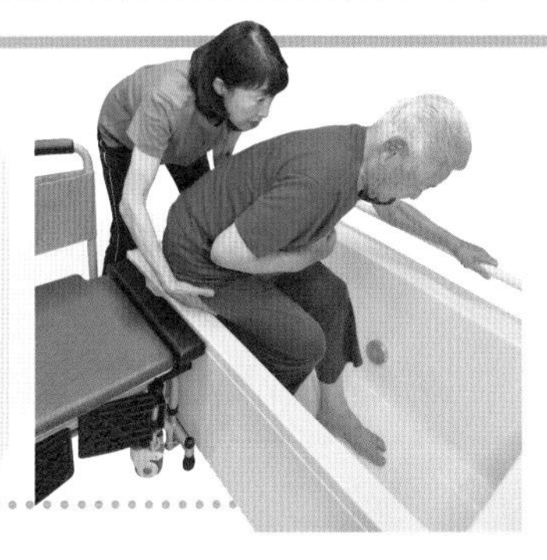

8 骨盤を支える

被介助者に手すりをつかんでもらい、介助者は後ろにまわり骨盤を支え、浴槽に座るように誘導します。座って体が安定したら完了です。p.196のように脇支えの介助でも可能です。

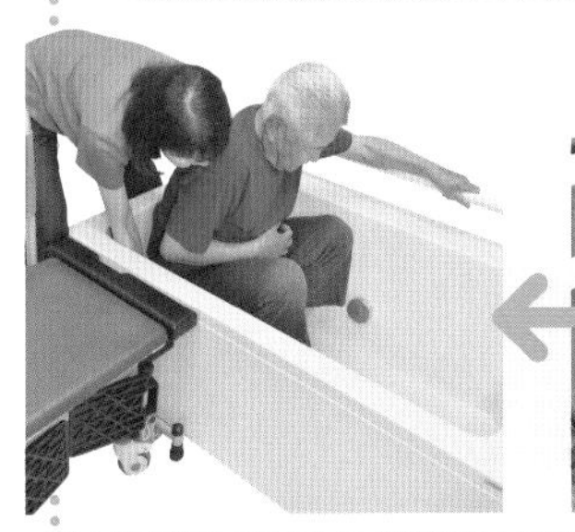

●出る

1 前傾姿勢になるように誘導する

被介助者に前傾姿勢をとってもらうと自然におしりが浮いてくるので、介助者は骨盤を支え、その動きに合わせておしりを浴槽のふちに誘導します。p.198のように、脇支えの介助でも可能です。

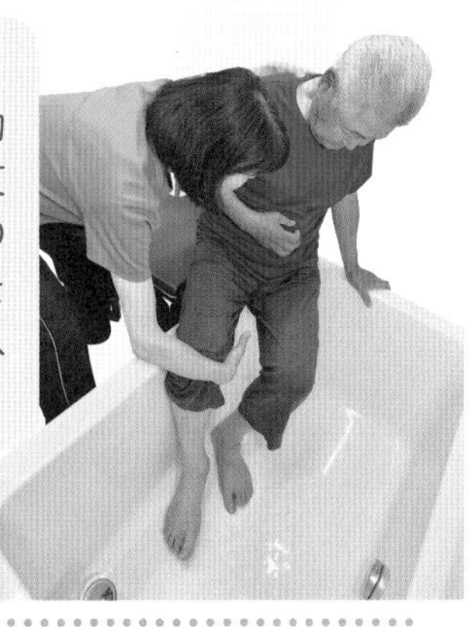

2 おしりをずらす

骨盤に手を添えたまま、被介助者に前傾姿勢になってもらいながら、車いすのほうへおしりをずらします。

3 マヒ側、健側の順で足を出す

マヒ側の足のひざ裏と足裏に手を添えて足を出し、健側の足も出してもらい、体を安定させます。

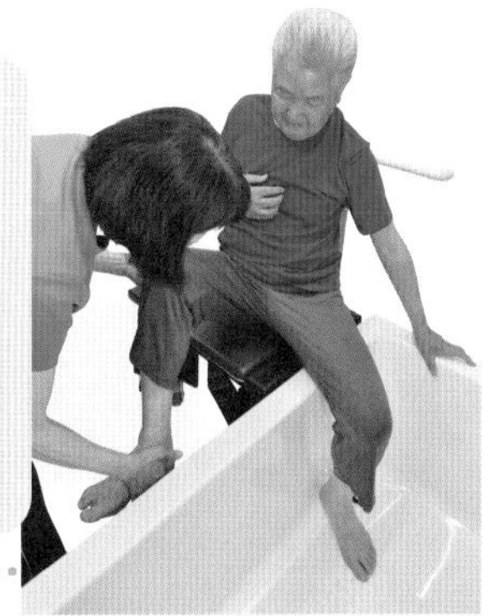

はなまるサポート

入浴介助に役立つ用品

毎日の入浴を快適で安全なものにするために、
必要に応じて取り入れましょう。

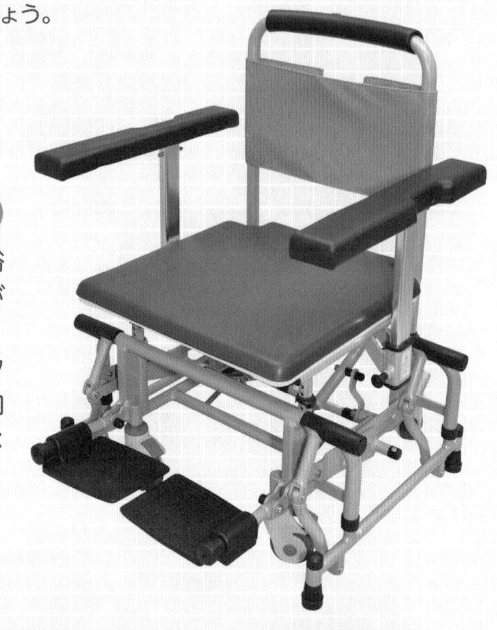

介助用車いす

被介助者を浴槽の側まで移動でき、浴槽と高さを合わせてスムーズに入浴ができるようなしくみを備えた車いす。
導入する場合は、脱衣所と風呂場がフラットでないと使いづらく、出入り口の大きさの確認も必要です（使用例：p.200）。

洗い台や浴槽台

洗い台は浴槽と高さを揃えて並べ、浴槽へスムーズに入れるようにするために使用したり、洗い場で体を洗うときに腰かけて使います（使用例：p.192 ～ 199）。浴槽台は浴槽の中に設置し、姿勢を安定させるために使います。

手すり

浴槽に入るとき、出るとき、洗い場や脱衣所を歩くときなど、介助者が洋服を持って支えることができない風呂場では手すりは必需品です。縦、横、形状や太さ、材質など浴室に合ったものを選びましょう。

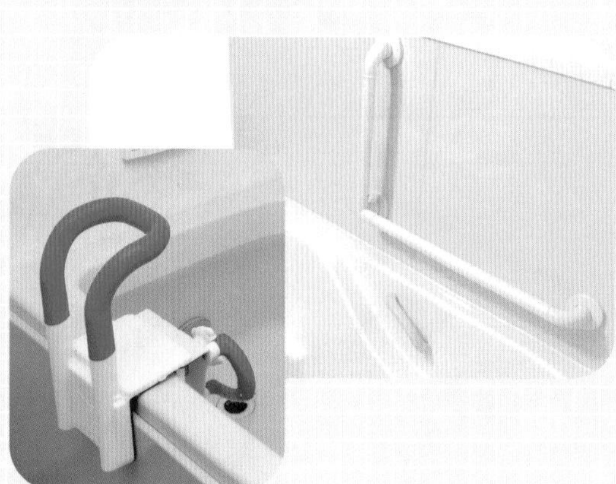

滑り止めマット

被介助者が浴槽の出入りのときに滑らないようにするだけでなく、浴槽内での姿勢の安定のためにも使えます。吸盤式のものや自重で沈むタイプのものなどがあります。

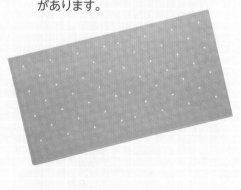

6章

着替えの介助

着替えは、1日の生活リズムを生み出すだけでなく、TPOに合った服装を選ぶことで生活にメリハリもつけます。朝晩の着替え、入浴時の着脱など、1日に何度か行いますので、着脱しやすい服装を選ぶようにしましょう。

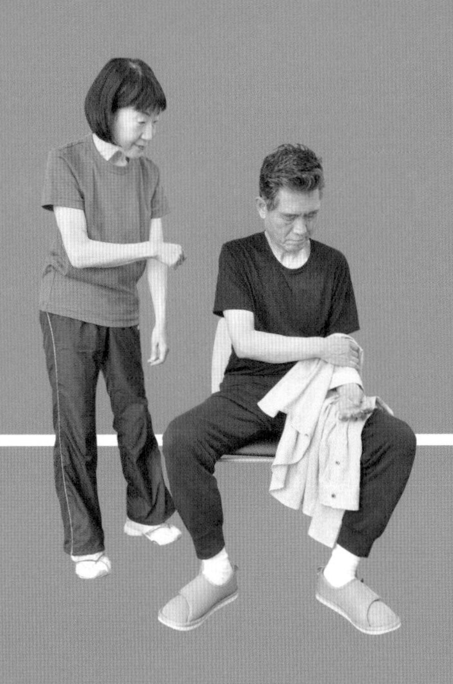

着替える

ベッドで過ごすことが多かったり、1日中家の中で過ごしたりする日も、着替えることで生活にメリハリが出ます。また、着ている服で気分が上がったりすることもあります。介助が必要なケースも含め、着替えのしやすい服を選びましょう。

● 着替えの目的

朝起きたら寝間着から部屋着に着替え、夜寝るときは再び寝巻きになることで1日の始まりと終わりを認識できます。色やデザインなど好みを優先した洋服を着るようにすることで、気分も上がり、外出したい気持ちや、人と話したい気持ちが生まれ、生活が活性化することも期待できます。清潔な服装でいることは、身だしなみのひとつでもあり、社会性を維持するという意味でも大切です。

●着やすい服を選ぶ

できるだけ自力で着替えることを考えると、伸びのある素材で、少し大きめサイズのもの、袖まわりなどに余裕のあるものを選ぶのがおすすめです。介助されることを前提にした特殊な服もありますが、今まで着ていた服や、自分が着たいと思っている服も適切な介助で着ることができます。着にくいときでも、ボタンをマグネット式のスナップやマジックテープに変えたり、ウエストをゴム仕様にするなど、ちょっとした工夫で着やすくなります。

ボタンがとめにくい

ボタン部分を、市販のマグネット式のスナップボタンやマジックテープなど、かんたんに着脱できるものに変えると楽になります。

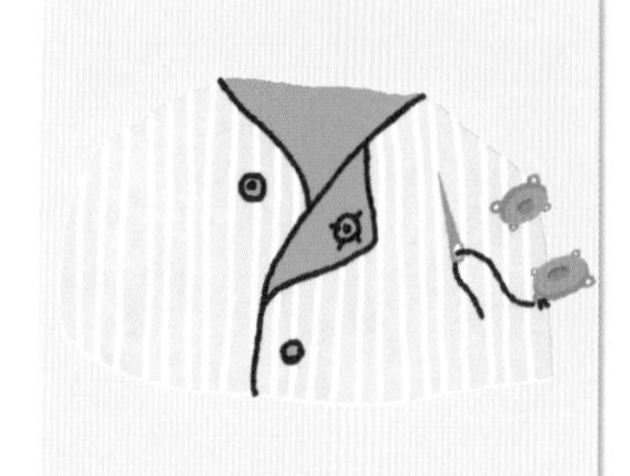

靴下がはきにくい

靴下のサイドや後ろに指先を引っかけられるリボンやひもをループ状に縫いつけると、上に引っ張りやすくなります。

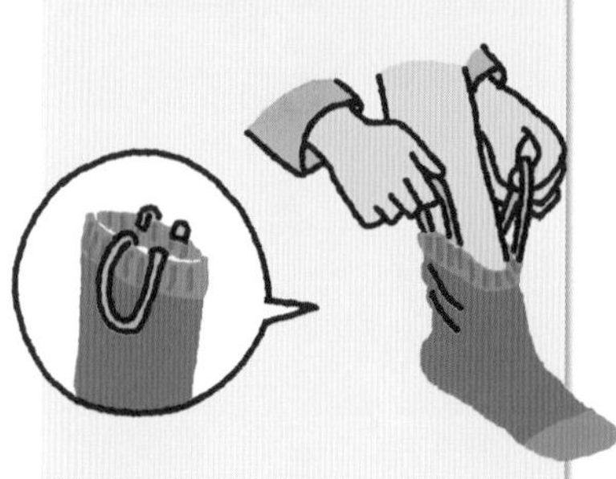

ファスナーの上げ下ろしが難しい

ファスナーのつまみは小さいものが多いので、つまみ部分にリボンや携帯のストラップなどをつけて、つかみやすくする工夫をします。

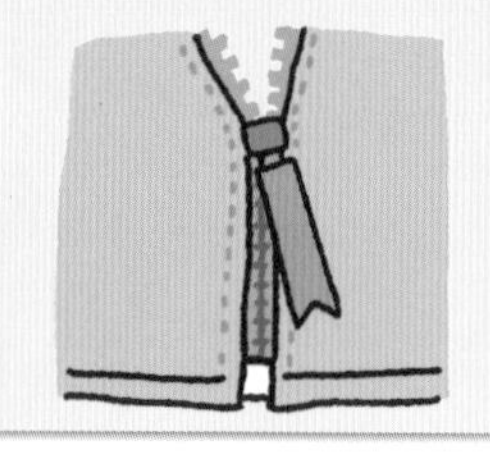

要介護4 寝たきりになった93歳の父が自分で風呂に入れるようになるまで③

福辺式介助術の実践例　富田さんのケース

おしめが外れて、父と茶の間でお茶を飲んでいたとき、デイサービスの風呂の話になりました。機械に乗せられて風呂に入るのだそうです。「家の風呂に入れたらいいね」と言ったら、父はにっこりと笑いました。

私の家は酒店のため、裏の倉庫に商品を運ぶための通路が家の真ん中を通っています。風呂に入るためには、部屋からいったん通路に降り、そして反対側のフロアに行かなければなりません。まさにバリアの連続です。どうしたら風呂に入れられるか、頭の中でシミュレーションしてみました。

少しの工夫で何とかなりそうでした。父に「少し歩くことができるようになれば、風呂に入れそうだけど、歩く練習をしてみるか」と聞いたら、すっかり乗り気でした。練習から15日目に、とうとう1人で風呂に入ることができました。

首までゆったりとお湯に浸かった父は、「風呂に入れた、ありがとう!」と感無量な様子でした。それから8ヶ月後の今現在、父は裏庭の草むしりに精を出しています。福辺式の介助術は、まさに自分の人生を生きてもらうための介助技術だと思います。

家の中を通る通路。降りないですむように、板で上を通れるように改善した。

介助術を実践することで、ついに「自分で風呂に入る」という念願がかなった。

現在は裏庭に出て草むしりをできるようになった。

自立 1 丸首シャツを着る

片マヒでも着る順番とコツを覚えればひとりで着ることができます。時間がかかっても、できるだけ自分でしてもらうようにしましょう。

左片マヒ等、右の機能のほうがいい場合

※右片マヒの場合は左右を逆にして行う。

1 マヒ側の手を通す

健側の手でシャツを持ち、マヒ側の手に袖を通します。

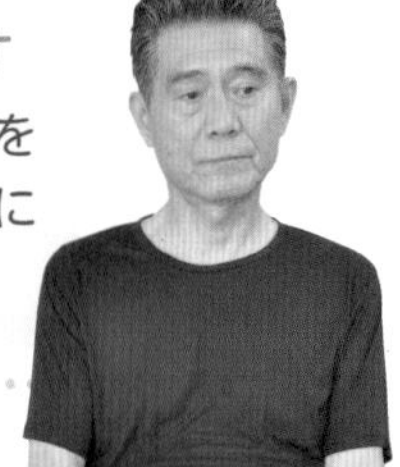

Point

- 姿勢が不安定になりやすいので、安定感のあるいすに座って行う。
- 「マヒ側から着る」が基本。

2 シャツを肩まで上げる

健側の手でシャツを肩のほうまで上げます。

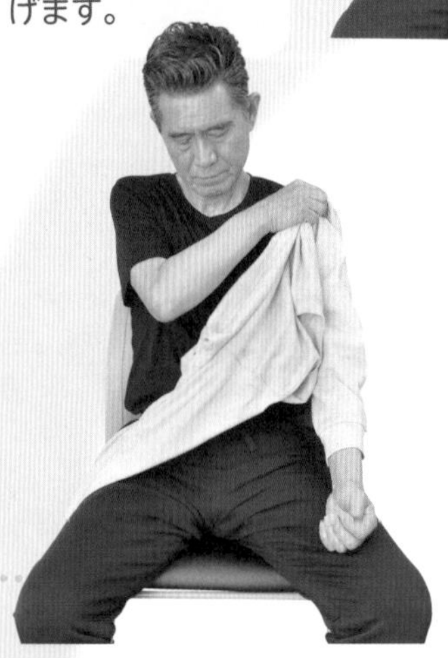

3 頭を通す

健側の手でシャツを持ち、頭からシャツをかぶって顔を出します。

先に両袖を通してから、頭をかぶる方法もあります。

4 健側の手を通す

健側の手にシャツの袖を通します。

5 シャツを下ろす

健側の手で前身ごろを下ろします。

6 後ろも下ろす

後ろ身ごろも下ろし、全体を整えます。

自立 2 丸首シャツを脱ぐ

頭からシャツを抜くのが片手では難しいかもしれませんが、少しずつ布をたぐりよせるようにすると成功します。コツをつかんでひとりでできるようにしましょう。

1 後ろのえりをつかむ

健側の手を首の後ろにまわし、シャツのえりをつかみます。

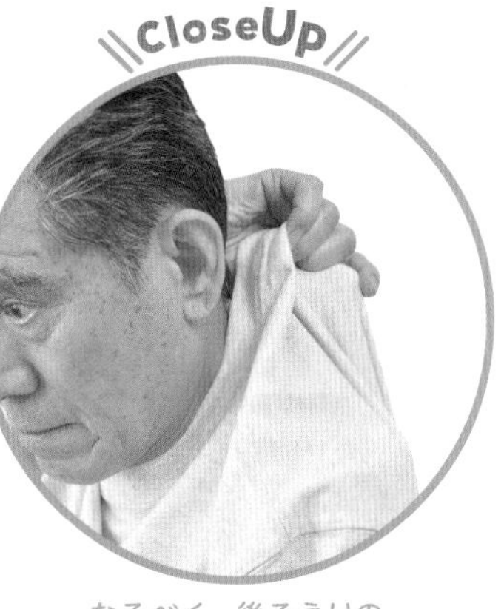

なるべく、後ろえりの中心をつかみます。

Point

- 姿勢が不安定になりやすいので、安定感のあるいすに座って行う。
- 「健側から脱ぐ」が基本。

2 頭から引き抜く

うつむきながら健側の手で後ろ身ごろをたぐり寄せて、頭からシャツを引き抜きます。

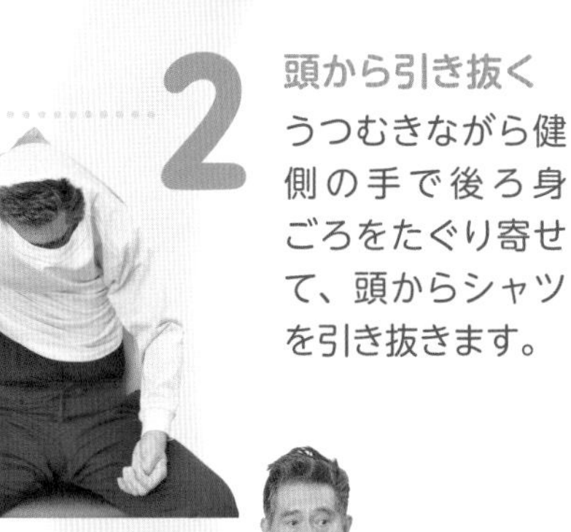

3 シャツを手首に寄せる

健側の手でシャツを手首のほうへずらします。

4 健側の手をシャツから抜く

シャツを足にはさむなどして、健側の手を袖から引き抜きます。

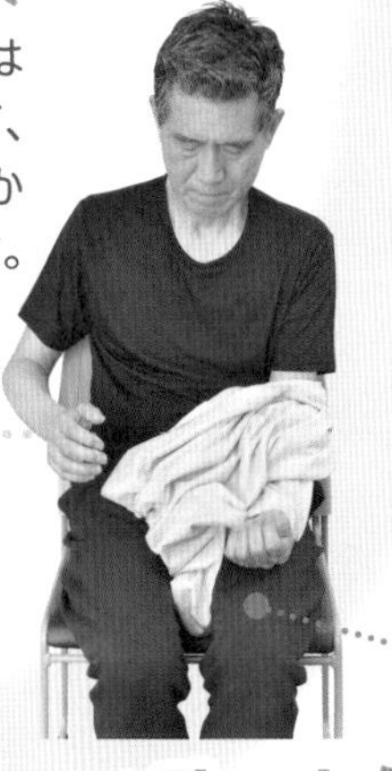

Check!

足にはさんだり、健側の手をいろいろ動かしたりしながら、自分がやりやすい方法を見つけましょう。

5 マヒ側の手をシャツから抜く

健側の手でマヒ側の手を袖から引き抜きます。

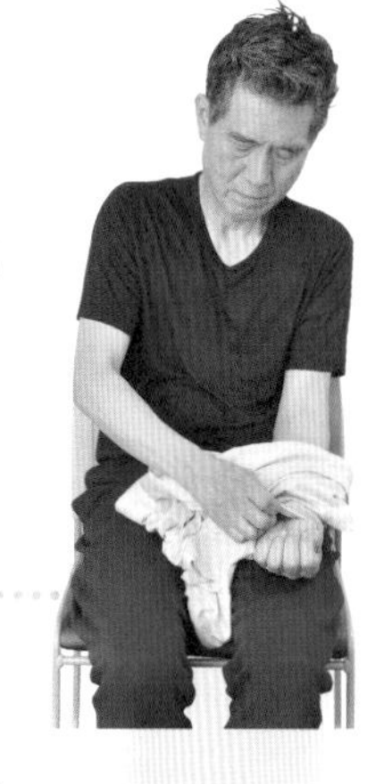

自立 3 前開きシャツを着る

片手でボタンをかけるのも、慣れてくるとできるようになります。上から1 ～ 2個だけ残してボタンをかけておいてから、丸首シャツのようにかぶって着てもいいでしょう。

左片マヒ等、右の機能のほうがいい場合

※右片マヒの場合は左右を逆にして行う。

1 マヒ側の手に袖を通す

健側の手でシャツを持ち患側の手に袖を通し、肩までシャツを引き上げます。

Point

- 姿勢が不安定になりやすいので、安定感のあるいすに座って行う。
- 丸首シャツと同じで、「マヒ側から着る」のが基本。

2 健側の手を袖に通す

シャツを背中側からまわし、健側の手を入れ袖に通します。

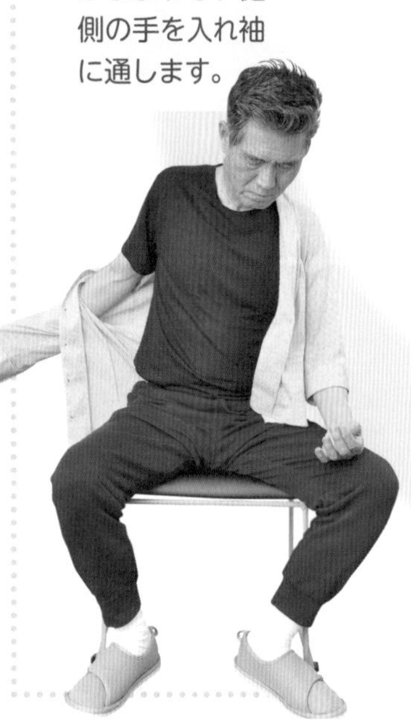

3 前を合わせる

袖を通したら、左右の前身ごろを合わせます。

4 ボタンをかける

健側の手でボタンをかけます。

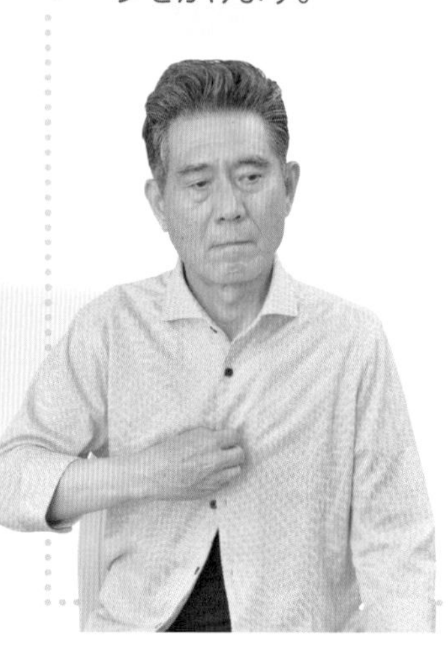

自立 4 前開きシャツを脱ぐ

ボタンをはずすのが難しい場合は、上から1 ～ 2個のボタンだけはずして、
丸首シャツのように頭から脱いでも。いろいろ工夫してみましょう。

左片マヒ等、右の機能のほうがいい場合

※右片マヒの場合は左右を逆にして行う。

1 ボタンをはずす

健側の手でシャツのボタンをはずし、マヒ側の肩からシャツを少しずらします。

Point

- 姿勢が不安定になりやすいので、安定感のあるいすに座って行う。
- 丸首シャツと同じで、「健側から脱ぐ」のが基本。

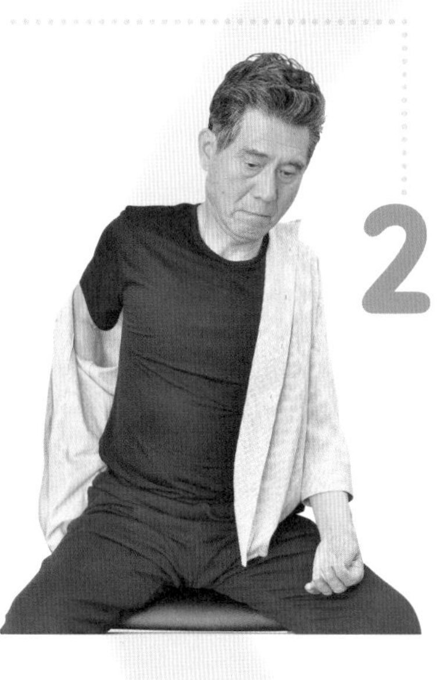

2 健側の袖を抜く

健側の手で前身ごろを持ち、健側の肩からシャツをずらし、袖を抜いてシャツを背中のほうへ落とします。

3 マヒ側の袖を抜く

健側の手でマヒ側の肩からシャツを下げ、マヒ側の腕から袖を引き抜きます。

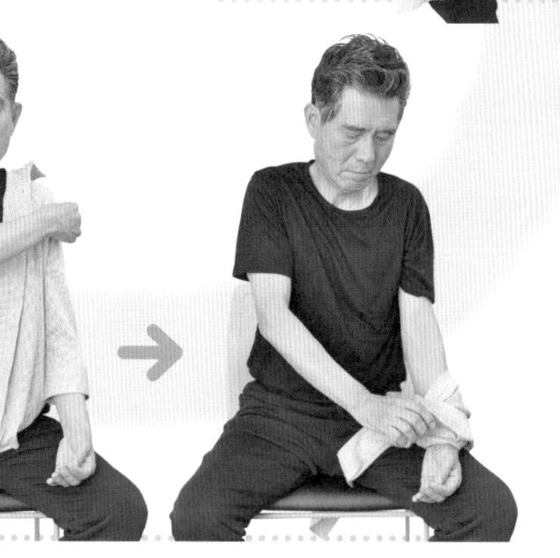

4 完全に脱げたら完了

完全にシャツが脱げたら完了です。

自立 5 ズボンをはく

バランス能力や関節の可動域を保つためにも更衣動作は有効です。
片マヒでもコツを押さえるとできるようになるので、練習してみましょう。

左片マヒ等、右の機能のほうがいい場合

※右片マヒの場合は左右を逆にして行う。

1 マヒ側の足を健側にのせる

いすに座り、健側の手でマヒ側の足を持ち、健側の足にのせます。

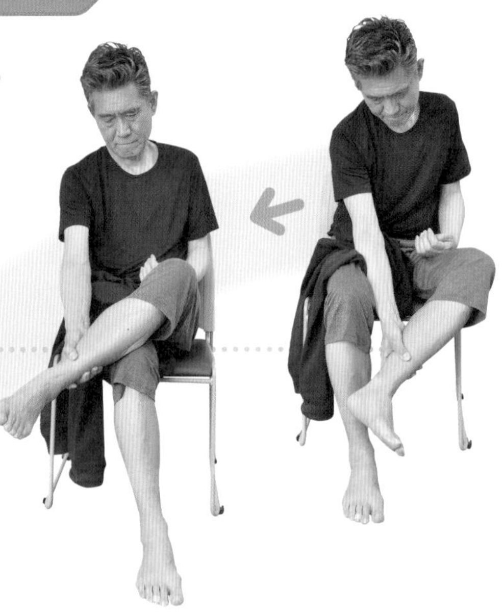

2 マヒ側の足にズボンを通す

健側の手でズボンを持ち、マヒ側の足にズボンを通し、少しずつ引き上げていきます。

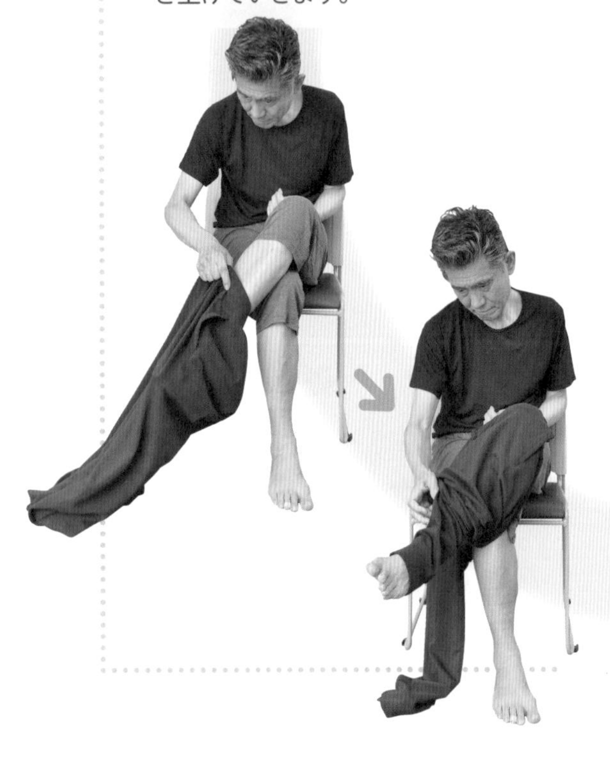

3 マヒ側の足を下ろす

太もものあたりまでズボンを上げたら、健側の手でマヒ側の足を床に下ろします。

4 健側の足にズボンを通す

健側の足にズボンを通し、太ももあたりまで引き上げます。

Point

- 事前にズボンの足をたぐり寄せて短くまとめておくことができると、足を入れるのが楽。
- おしりの部分をはくとき、左右に体重移動をしながら少しずつ進める。
- シャツと同じで、「マヒ側からはく」のが基本。

5 マヒ側のズボンを上げる

上半身を健側に体重移動し、マヒ側のおしりを上げズボンを引き上げていきます。

6 健側のズボンを上げる

上半身をマヒ側に体重移動し、健側のおしりを上げズボンを引き上げていきます。

7 ウエストまで上げる

5→**6**を繰り返しながらウエストまでズボンを上げます。ボタンやファスナーがある場合は閉じます。

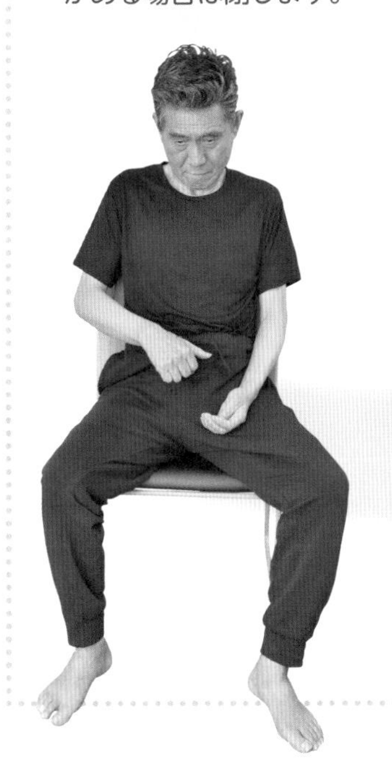

自立 6 ズボンを脱ぐ

ウエストがゴムのものや、ファスナー部分が大きく開くズボンだと着脱しやすいようです。重心がマヒ側にかかると体のバランスがくずれやすくなるので注意。

左片マヒ等、右の機能のほうがいい場合

※右片マヒの場合は左右を逆にして行う。

1 ウエスト部分つかむ

非マヒ側の手でズボンのウエスト部分をつかみます。

Point

- 姿勢が不安定になりやすいので、安定感のあるいすに座って行う。
- おしりの部分を脱ぐとき、左右に体重移動をしながら少しずつ進める。
- シャツと同じで、「健側から脱ぐ」のが基本。

2 非マヒ側のズボンをずらす

マヒ側の上半身に体重移動をして健側のおしりを少し上げ、手でズボンをずらします。

3 マヒ側のズボンをずらす

健側の上半身のほうへ体重移動して、マヒ側のおしりを上げ、健側の手でズボンをずらします。

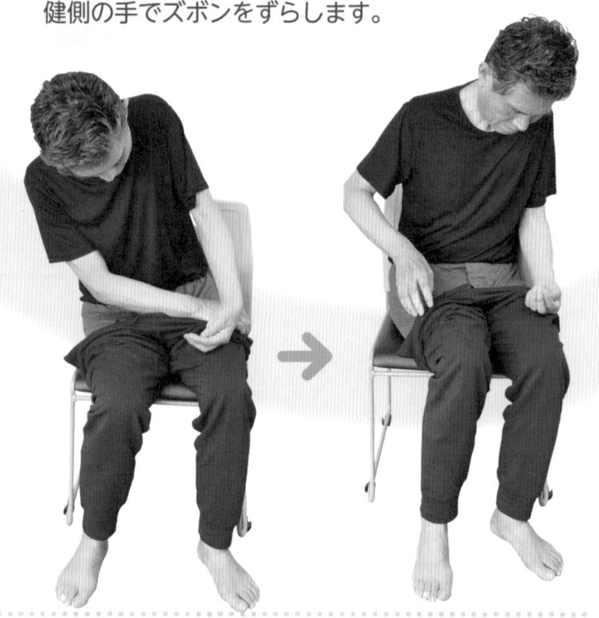

4 ひざまで下げる

2→3を繰り返し、少しずつズボンを下げていきます。

5 さらに下げて非マヒ側の足を引き抜く

健側のひざを曲げたりしながらズボンを下げ、健側の足を引き抜きます。

6 マヒ側のズボンを引き抜く

マヒ側の足を非マヒ側の足にのせ、足からズボンを引き抜き、足を床に戻す。

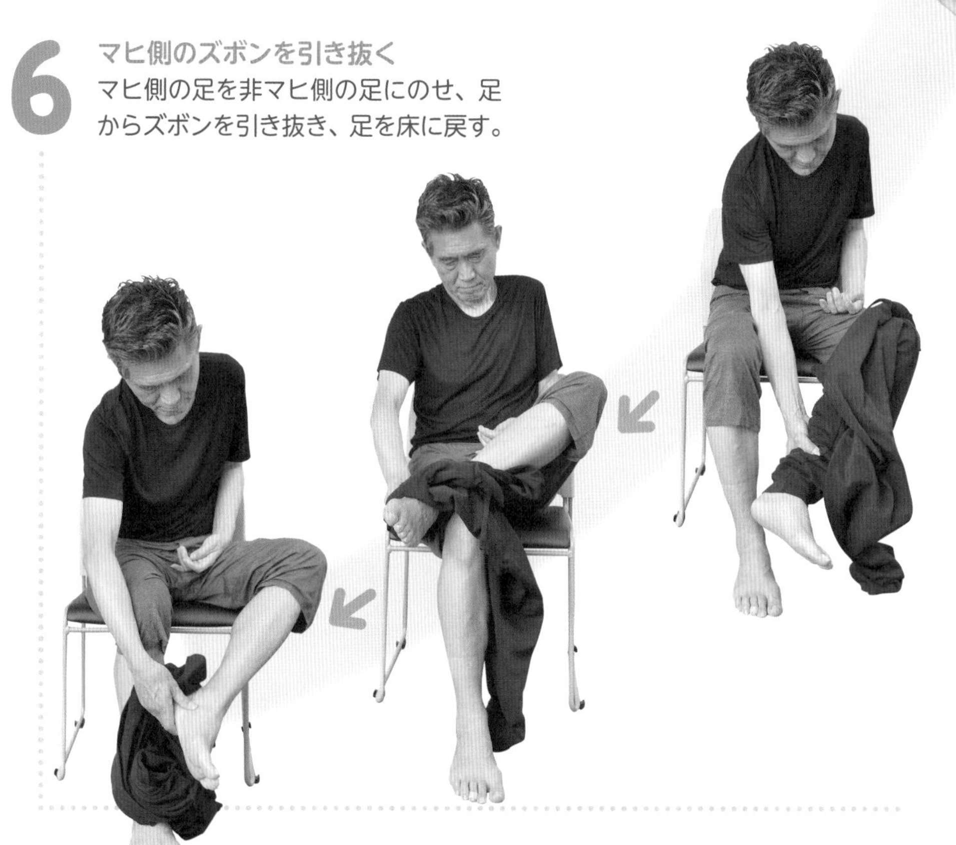

介助小 7 介助で丸首シャツを着る

動作の流れは自力で丸首シャツを着る（p.206）と一緒です。できるだけ被介助者に動いてもらい、できない部分だけを介助するようにしましょう。

左片マヒ等、右の機能のほうがいい場合

※右片マヒの場合は左右を逆にして行う。

Point

- 姿勢が不安定になりやすいので、安定感のあるいすに座って行う。
- 被介助者の非マヒ側に立ち、できないところを見極めてサポートする。

1 マヒ側に袖を通してもらう

介助者は声をかけ、マヒ側の手にシャツの袖を通してもらいます。

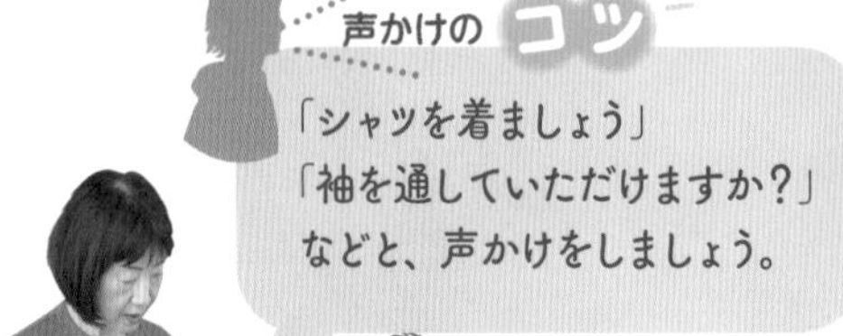

声かけのコツ

「シャツを着ましょう」
「袖を通していただけますか？」
などと、声かけをしましょう。

2 非マヒ側の手に袖を通してもらう

非マヒ側の手にシャツを通し、肩のほうまで袖を引き上げます。

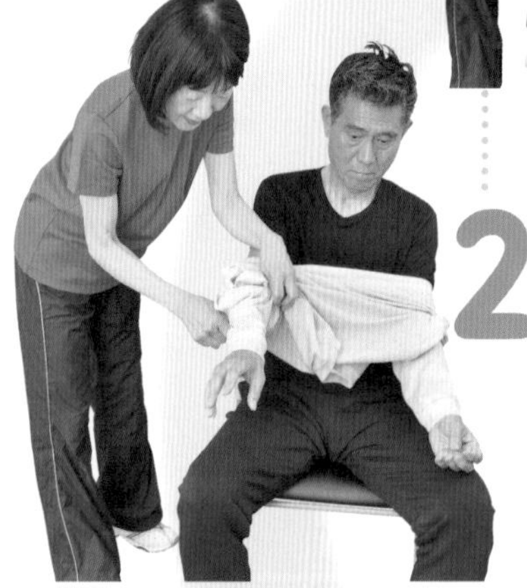

先に頭を通してから、健側の袖を通す方法もあります。

3 首に通してもらう

シャツの後ろ首のあたりを持ち、被介助者に首を通してもらいます。

声かけのコツ

「首を通していただけますか？」
などと、声かけをしましょう。

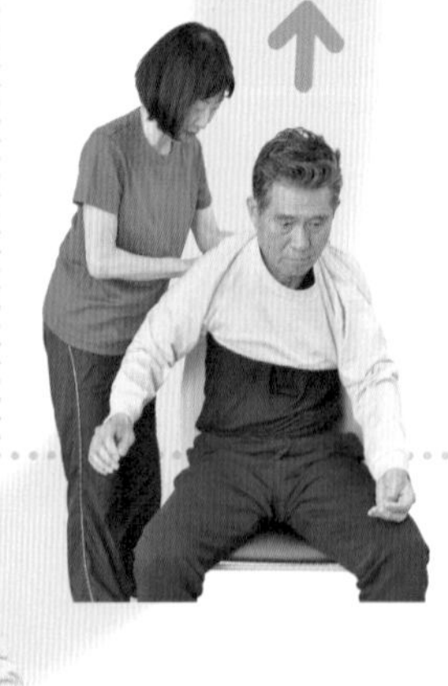

4 後ろ身ごろを伸ばす

シャツの後ろ身ごろを伸ばして整えます。

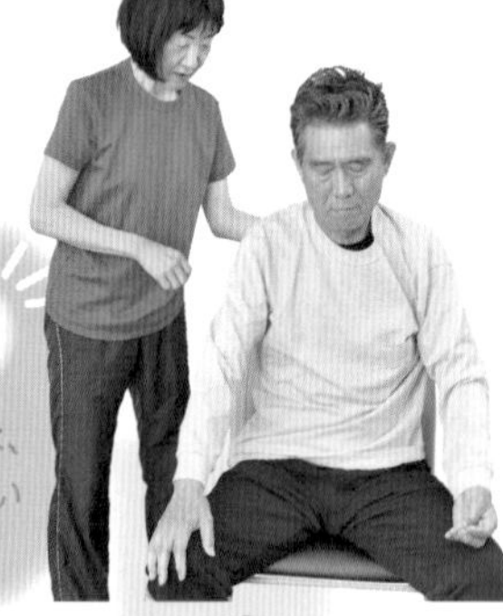

介助のコツ

前身ごろを整えるのは、被介助者にやってもらいましょう。

介助小 8 介助で丸首シャツを脱ぐ

動作の流れは自力で丸首シャツを脱ぐ（p.207）と一緒です。健側の手を袖から抜く、シャツを頭から引き抜くなど難しい動作をサポートします。

左片マヒ等、右の機能のほうがいい場合

※右片マヒの場合は左右を逆にして行う。

1 非マヒ側の袖を抜く

被介助者の非マヒ側の袖口を軽くつかみ、腕を抜きやすいようにします。被介助者は袖から非マヒ側の腕を抜きます。

「服を脱ぎましょう」
「お手伝いしてもよろしいですか？」
などと、これからの動作を伝えます。

Point

- 姿勢が不安定になりやすいので、安定感のあるいすに座って行う。
- 被介助者の非マヒ側に立ち、できないところを見極めてサポート。

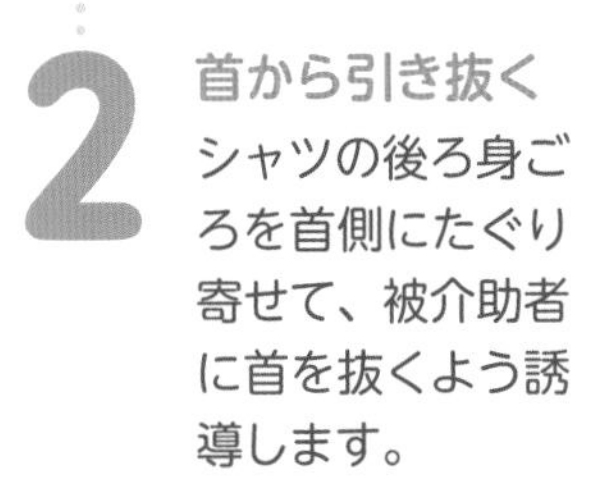

2 首から引き抜く

シャツの後ろ身ごろを首側にたぐり寄せて、被介助者に首を抜くよう誘導します。

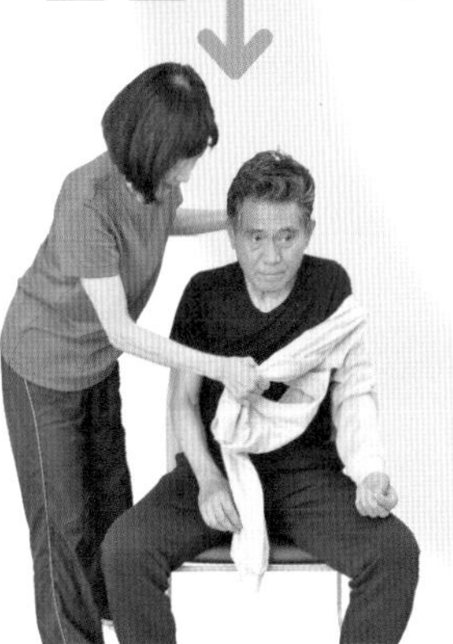

3 マヒ側の袖を抜いてもらう

シャツを被介助者に渡し、マヒ側の腕を袖から抜いてもらいます。

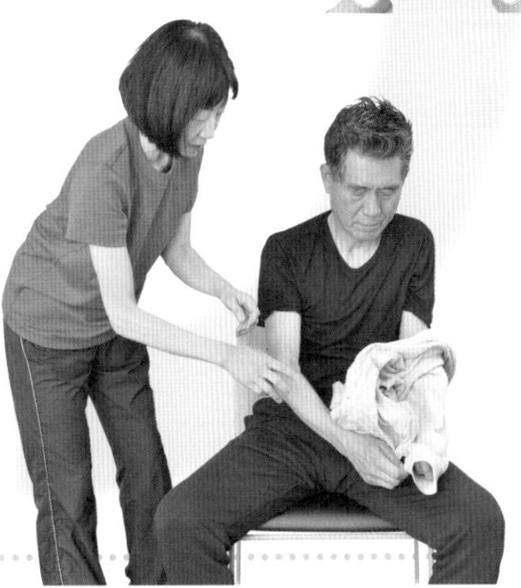

4 袖が抜けたら完了

マヒ側の手が完全に袖から抜けたら完了です。

介助小 9 介助で前開きシャツを着る

できるだけ被介助者にやってもらうのが原則ですが、腕が動かしにくい、ボタンをかけられないなど、できないところがあったら介助します。

左片マヒ等、右の機能のほうがいい場合

※右片マヒの場合は左右を逆にして行う。

1 マヒ側に袖を通してもらう

非マヒ側の手にシャツを渡し、マヒ側の手を袖に通してもらいます。

声かけのコツ

「シャツを着ましょう」
「袖を通していただけますか？」
などと、行う動作を伝えます。

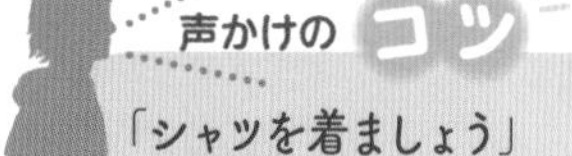

Point

- 姿勢が不安定になりやすいので、安定感のあるいすに座って行う。
- 被介助者の非マヒ側に立ち、シャツを後ろからまわす、健側に袖を通すなどをサポート。

介助のコツ

被介助者が非マヒ側の手でできるようならば、自力でやってもらいます。

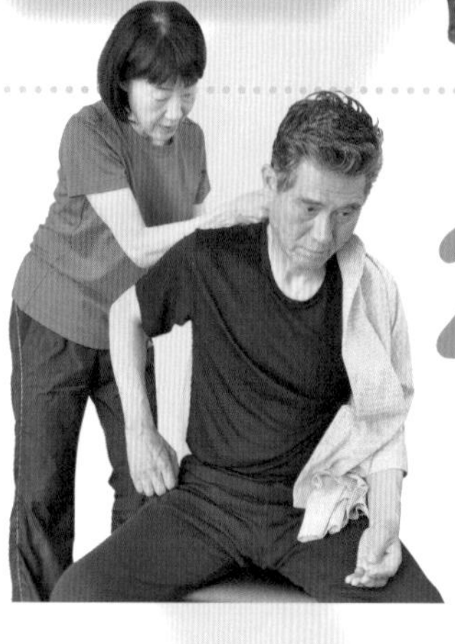

2 シャツを肩にかける

被介助者の腕が上がりにくい場合は、シャツを背中からまわし反対側の肩にかけます。

3 非マヒ側の手を袖に通してもらう

非マヒ側の手が入れやすいようにシャツの袖を広げ、手を通してもらいます。

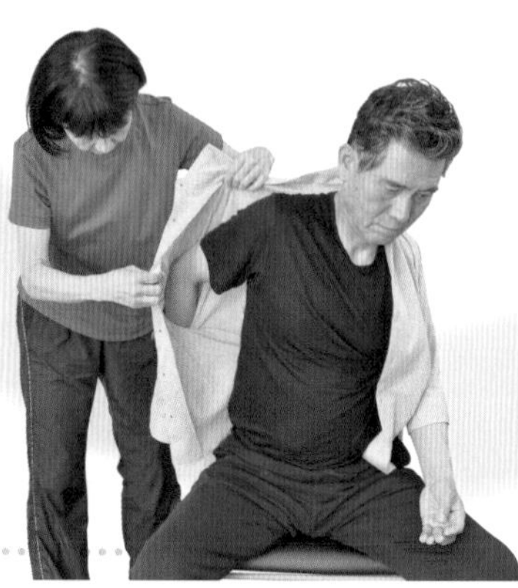

4 シャツを整える

えりや前身ごろをきれいに整えます。

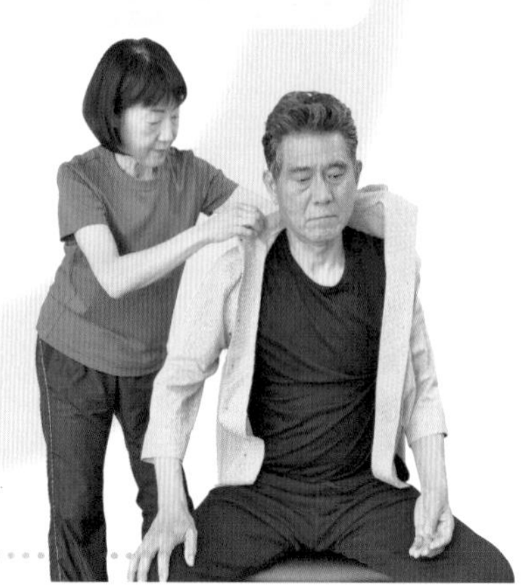

5 ボタンをかける

ボタンをかけます。

介助小 10 介助で前開きシャツを脱ぐ

できるだけ自力で動いてもらい、非マヒ側に立って見守るようにします。ボタンをはずせないなど、できないところをだけをサポートしましょう。

左片マヒ等、右の機能のほうがいい場合

※右片マヒの場合は左右を逆にして行う。

Point

- 姿勢が不安定になりやすいので、安定感のあるいすに座って行う。
- 常に被介助者の非マヒ側に立ち、マヒがあると難しい非マヒ側部分を脱ぐところなどを介助する。

1 非マヒ側の袖を抜く

ボタンをはずし、非マヒ側の袖先を持ち、被介助者に袖から手を抜いてもらいます。

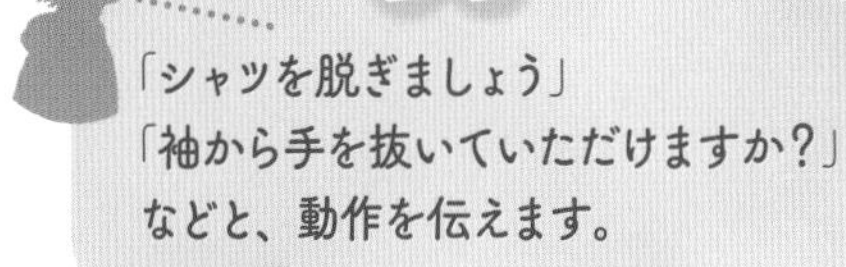

声かけのコツ
「シャツを脱ぎましょう」
「袖から手を抜いていただけますか?」
などと、動作を伝えます。

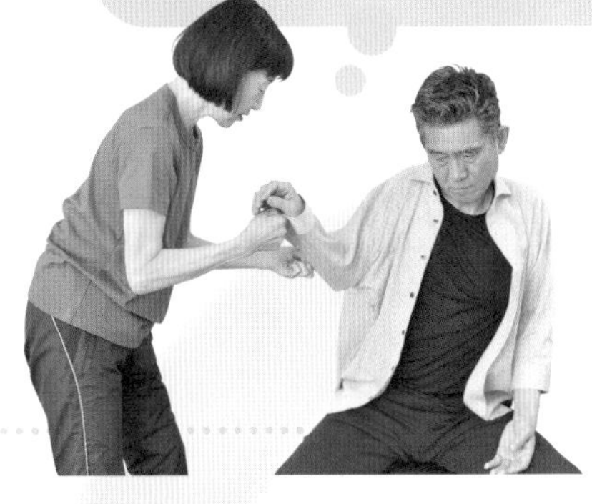

2 肩からシャツを外す

シャツを持ち、背中からマヒ側の腕のほうへシャツを脱がしていきます。

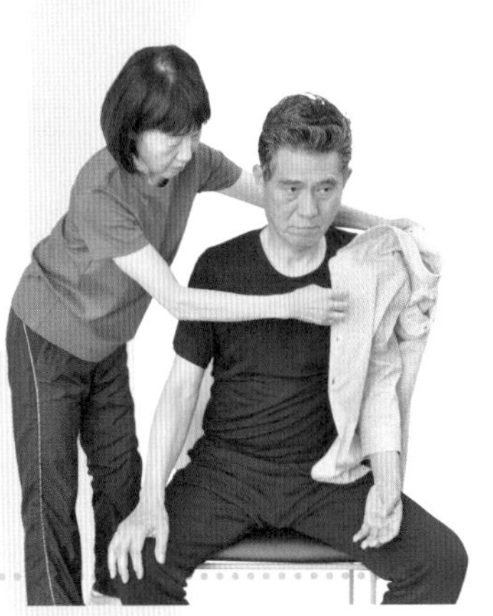

3 マヒ側の手を袖から抜いてもらう

被介助者の非マヒ側の手にシャツを持ってもらい、袖からマヒ側の腕を抜いてもらいます。

声かけのコツ

「シャツから腕を抜いていただけますか?」
などと、動作を伝えます。

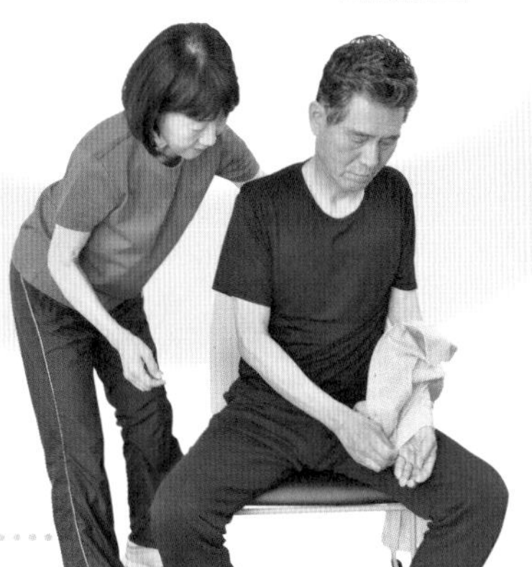

4 抜けたら完了

袖からマヒ側の腕が完全に抜けたら完了です。

介助 小

11 介助でズボンをはく

ズボンを足に通すときに前かがみの姿勢になるため、その姿勢が難しい人は介助が必要になります。健側の手でできることは行ってもらいましょう。

左片マヒ等、右の機能のほうがいい場合

※右片マヒの場合は左右を逆にして行う。

1 声かけします

被介助者にいすに座ってもらい、ズボンをはくことを伝えます。

声かけのコツ

「ズボンをはきましょう」「左足からズボンをはきます」「足を持ち上げますね」などと、行う動作を伝えます。

介助のコツ

足を通しやすいように、ズボンの足の部分を事前にたぐり寄せて、短くまとめておくといいでしょう。

2 マヒ側の足にズボンを通す

ズボンを持ち、被介助者のマヒ側の足首を支えズボンを通します。

3 非マヒ側の足にズボンを通す

被介助者の非マヒ側の足にズボンを通します。

4 太ももまで上げる

ズボンのウエスト部分を持ち、被介助者の太ももあたりまでズボンを引き上げていきます。

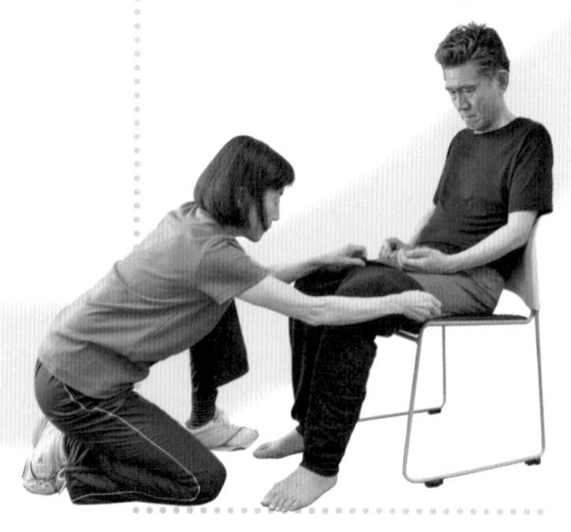

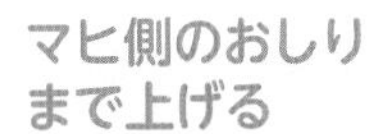

5 非マヒ側のおしりまで上げる

上半身をマヒ側に体重移動するように誘導し、非マヒ側のおしりを上げてもらいズボンを引き上げていきます。

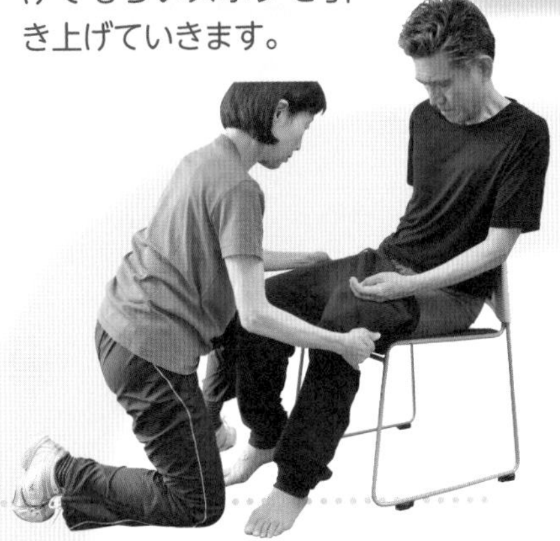

一度に上がらなくてもOKです。5→6を繰り返して少しずつ上げていきましょう。

6 マヒ側のおしりまで上げる

上半身を非マヒ側に体重移動するよう誘導し、マヒ側のおしりを上げてもらい、ズボンを引き上げていきます。

- 姿勢が不安定になりやすいので、安定感のあるいすに座って行う。
- マヒ側の足に触れるときは声かけしてから、慎重に動かす。

7 ウエストまで上げてもらう

おしりまでズボンが上がったら、あとは被介助者の非マヒ側の手でできるようなら行ってもらいます。

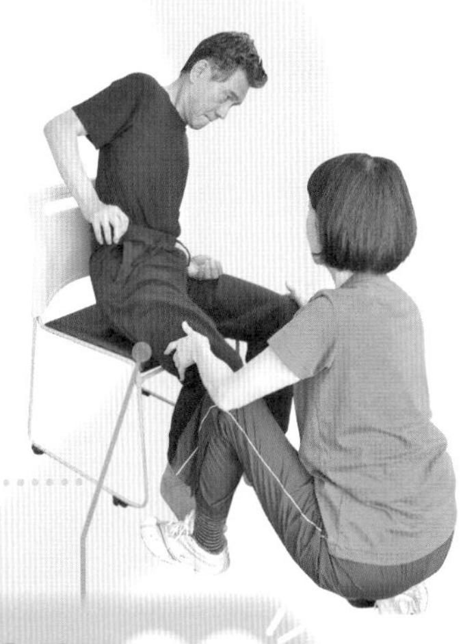

介助のコツ

おしりがいすからずり落ちないように、太ももを支えます。

8 ひもを結ぶ

ひもを結んだり、ボタンをとめたり、ファスナーを閉じたりします。

! 被介助者が立ち上がることができる

5で立ち上がってもらい、ズボンを上げます

立ち上がってもらう

肩に手をかけてもらい立ち上がりを誘導します。

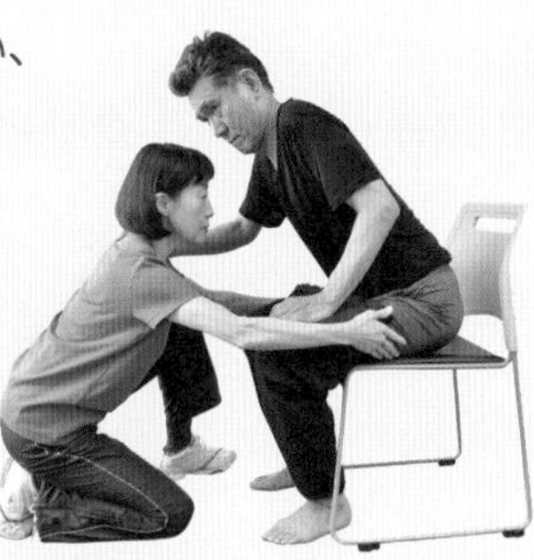

ズボンを上げる

被介助者に立ってもらってから、ズボンをウエストまで上げます。

介助小 12 介助でズボンを脱ぐ

おしりからずり下げるときや、片足ずつ脱がせるときにバランスをくずしやすいので注意しましょう。非マヒ側の手でできることは行ってもらいます。

左片マヒ等、右の機能のほうがいい場合 ※右片マヒの場合は左右を逆にして行う。

Point

- 姿勢が不安定になりやすいので、安定感のあるいすに座って行う。
- マヒ側の足に触れるときは声かけしてから、慎重に動かす。

1 ズボンを脱ぐことを伝える

ズボンを脱ぐことを伝え、ひも結びをとる、ボタンをはずすなど、できることはやってもらいます。

「ズボンを脱ぎましょう」
「ウエストのひも結びをとっていただけますか？」
などと、動作を伝えます。

2 ズボンをずらす

被介助者に上半身の左右の体重移動を誘導しながら、マヒ側と非マヒ側のおしりからズボンをずらします。

介助のコツ

上半身が倒れすぎないよう、注意深く体重移動を誘導しましょう。

3 足首まで下げる

被介助者に左右の体重移動を繰り返してもらいながら、ひざから足首までズボンを下げていきます。

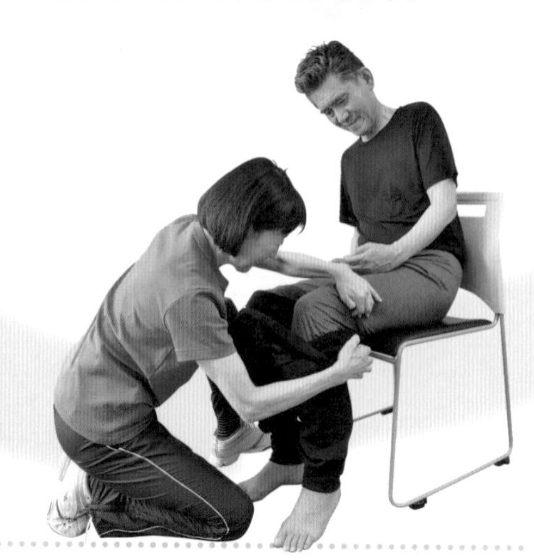

4 非マヒ側の足から引き抜く

介助者はズボンを持ち、被介助者には非マヒ側のひざを曲げてもらい、ズボンから引き抜いてもらいます。

「足を上げていただけますか？」
「ズボンから抜いていただけますか？」
などと、動きを伝えます。

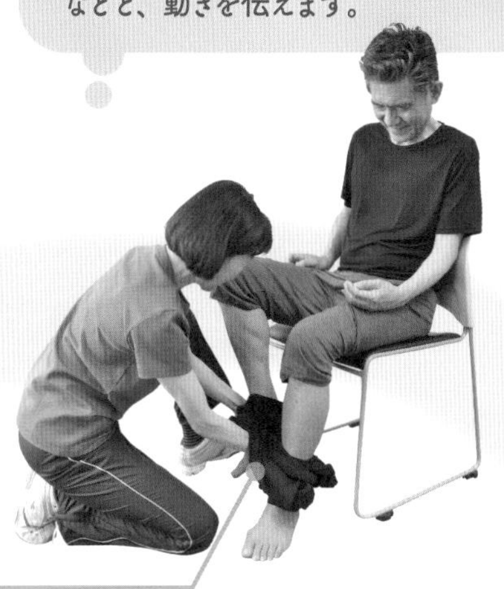

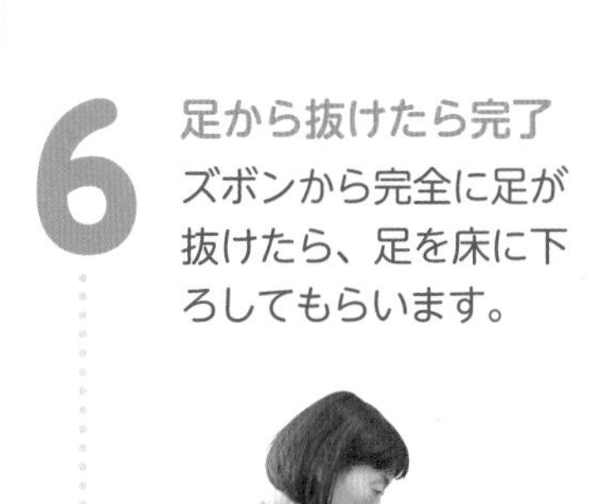

介助のコツ
足から抜けやすいように
ズボンを短くまとめます。

5 マヒ側の足から引き抜く

マヒ側の足首に手を添えて足をズボンから引き抜きます。

6 足から抜けたら完了

ズボンから完全に足が抜けたら、足を床に下ろしてもらいます。

! 被介助者が立ち上がることができる

2で立ち上がってもらい、ズボンを下げます。

いすの前に手がつけるくらいの高さの台を置き、手をついて立ち上がってもらいます。

ズボンを足首まで下ろしてから、いすに座ってもらい、あとは4からと同じ作業を行います。

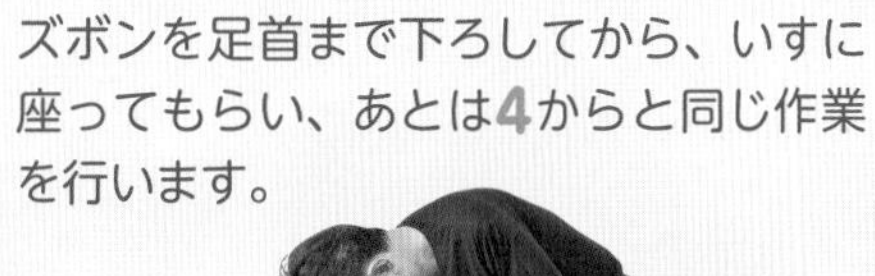

用語集

本書に出てくる介護用語や、少し難しい言い回しの用語を解説を紹介します。

あ

足（あし）

足関節から下の部分。

移乗（いじょう）

ベッドから車いす、車いすから自動車などの間を乗り移る動作を移乗といいう。

ADL（エー・ディー・エル）

日常生活の中の基本動作のこと。Aはアクティビティー（動作）、DLはデイリーリビング（日常生活）を指す。

嚥下（えんげ）

飲食物を口からのど・食道を経て胃に送り込む反射性の運動のことをいう。

嚥下障害（えんげしょうがい）

うまく飲み込めない、むせる、飲み込んだものが食道に支えるなどして飲み込み（嚥下）がうまくいかないことをいう。

オン・オフ現象

薬の効果が突然きれて動けなくなったり、効果が突然あらわれて動けるようになったりする現象。パーキンソン症候群の薬の効き方の特徴の一つ。

か

下腿（かたい）

脚の、ひざ関節から足関節までの部分をいう。

片マヒ

体の左右どちらかの片側にマヒが見られる状態のこと。脳血管障害などの後遺症からくることが多い。

関節可動域（かんせつかどういき）

身体の各関節が生理的に運動することができる範囲（角度）。ROMともいう。

患側（かんそく）

体に筋力の低下や痛み、片マヒがある場合の使いにくい側のこと。片マヒの場合はマヒ側ともいう。

ギャッジベッド

ベッドの上半分、または下半分が自動か手動で自由に上下できるベッドのこと。被介助者がベッドにもたれた半座位を確保できる。

車いす

体の機能障害によって歩行が困難になった場合に用いる福祉用具。

健側（けんそく）

障害を受けてない側。マヒの場合は非マヒ側ともいう。

口腔（こうくう）

いわゆる「口」。歯、歯周、舌、唾液腺で構成され、食物の咀嚼、嚥下、発音などの機能を持つ。

拘縮（こうしゅく）

寝たきりなど長時間体を動かさないことで、関節周囲の筋肉や皮膚などが伸縮性を失い固くなり、動きが悪くなる状態のこと。

誤嚥（ごえん）

食べものや水、唾液などが食道ではなく気道に入ってしまうこと。

固縮（こしゅく）

体を伸ばしたり曲げたりしようとすると、強度の突っ張り、こわばりなどの抵抗が生じ筋肉がスムーズに動かなくなることをいう。

さ

シーティング

正しい座位姿勢がとれるように、車いす、いす等を使う人の体に合わせて調整すること。

弛緩（しかん）

ゆるむこと。緊張していた状態がゆるんだり、ほぐれたりすることも表す。

重心移動（じゅうしんいどう）

人の動きの中心となる部分を身体重心といい、体重移動などの動作によってバランスをとるために重心が移動すること。

上肢（じょうし）

肩の関節から手の指先までのことをいう。下肢（かし）は股関節から足の指先までをいう。

上腕（じょうわん）

腕の、肩からひじの間の部分のことをいう。二の腕とも。

清拭（せいしき）

体をふいて清潔を保つこと。温かいタオルで全身をふくことで、血行をよくする働きもある。

正中線（せいちゅうせん）

体の前面・背面の中央を頭から縦にまっすぐ通る線、つまり体の真ん中のラインのことをいう。

前腕（ぜんわん）

腕の、ひじ関節から手関節までの部分をいう。

た

体軸内回旋（たいじくないかいせん）

体をひねること、ねじることを専門用語で体軸内回旋と表現する。

大腿（だいたい）

股関節からひざ関節までの部分をいう。

注意障害（ちゅういしょうがい）

ものごとに集中できず、周りにも注意を向けることができない状態のことをいう。

手すり

廊下や階段、トイレや浴室、玄関など、移動が必要な場所に取りつける補助具のこと。素材や形、大きさなどさまざまなタイプのものがある。

床ずれ（褥瘡（じょくそう）ともいう）

寝たきりなど同じ姿勢で長時間過ごすことで下側の部分が圧迫されて、血流がとどこおり、その結果、皮膚が壊死を起こした状態のこと。

な

寝たきり

被介助者が、常時寝て過ごす状態が続くことをいう。

は

パーキンソン病

脳の代謝異常によって起こる神経系の進行性疾患のこと。手足の震えや操作の緩慢、前傾姿勢などの運動障害などが出る。

や

四つ這い（よつばい）

両手、両ひざを床につけて這うこと。またはその姿勢のことをいう。

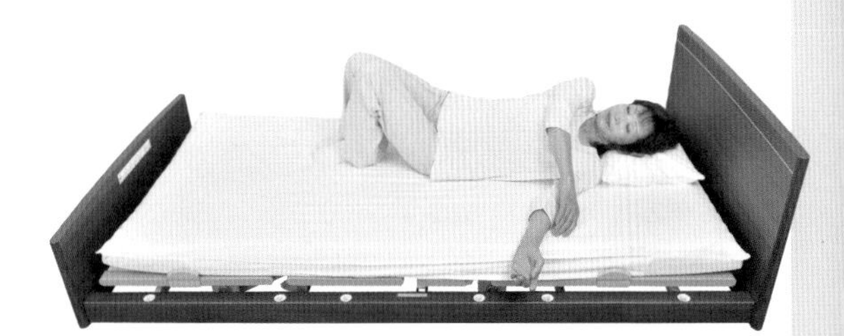

監修

福辺 節子（ふくべ せつこ）

一般社団法人 Natural being 代表理事。理学療法士・鍼灸師・医科学修士・介護支援専門員。厚生労働省老健局非常勤参与（介護ロボット開発・普及担当）。神戸市市橋クリニックリハビリテーション科勤務。
大学在学中に事故により左下腿を切断し、義足となる。その後、理学療法士の資格を取り、介助する側にとっては体の負担が少なく、介助される側にとっては力と意欲が自然に引き出される独自の介助方法を構築。介護職・看護職などの専門職に加え、家族など一般の人も対象にした、「もう一歩踏み出すための介助セミナー」を各地で主催し、普及活動に努めている。
介助の達人としてNHK『ためしてガッテン』、NHK Eテレ『楽ラクワンポイント介護』にも出演。
著書に『人生はリハビリテーションだ』（教育史料出版会）、『福辺流 力のいらない介助術』『福辺流 力と意欲を引き出す介助術』（ともに中央法規出版）、監修書に『早引き 介護の基本技法ハンドブック』『プロが教える 本当に役立つ介護術』（ともにナツメ社）、『福辺流 力を引き出す! ユーキャンの介護術大百科』（ユーキャン 学び出版）、共著に『新しい介護学 生活づくりのシーティング』（雲母書房）、DVD『福辺流 介助術 上巻・下巻』（介護労働安定センター）、『マンガでわかる 無理をしない介護』（誠文堂新光社）などがある。

参考書籍

『福辺流 力を引き出す！ ユーキャンの介護術大百科』（ユーキャン 学び出版）
『プロが教える 本当に役立つ介護術』（ナツメ社）
『福辺流 力と意欲を引き出す介助術』（中央法規出版）

撮影協力

チャームプレミア永福
http://www.charmcc.jp/east_homes/charmpremier_eifuku/

画像提供

介護福祉用品 前後前ショップ
https://www.rakuten.co.jp/zengozen/
株式会社 松永製作所
http://www.matsunaga-w.co.jp/

Staff

デザイン	門司美恵子（チャダル 108）〔本文〕
DTP	市川ゆうき（チャダル 108）
撮影	村尾香織、内田祐介
イラスト	鈴木みゆき
モデル	岡田都子、桜庭広治、島田りさ子、森田博信（オフィス美江）
校正	夢の本棚社
編集協力	株式会社 KANADEL
編集	原智宏（ナツメ出版企画 株式会社）

本書は、2020 年発行『イラスト・写真でよくわかる　力の要らない介助術』を改訂・改題して発行したものです。

イラスト・写真で動きがわかる!
力のいらない介護術

2024年 8 月 1 日　初版発行

監修者　福辺節子
発行者　田村正隆
発行所　株式会社ナツメ社
東京都千代田区神田神保町1-52　ナツメ社ビル1F（〒101-0051）
電話　03（3291）1257（代表）　FAX　03（3291）5761
振替　00130-1-58661
制　作　ナツメ出版企画株式会社
東京都千代田区神田神保町1-52　ナツメ社ビル3F（〒101-0051）
電話　03（3295）3921（代表）
印刷所　ラン印刷社

ISBN978-4-8163-7582-8　Printed in Japan
〈定価はカバーに表示してあります〉
〈落丁・乱丁本はお取り替えします〉